Mapa
do Tesouro
Perdido
N
O
E
S
Remanso dos Aflitos
Porto dos
desesperados
Paiol

O LIVRO PERIGOSO PARA GAROTOS

CIP-BRASIL. CATALOGAÇÃO-NA-FONTE
SINDICATO NACIONAL DOS EDITORES DE LIVROS, RJ

I26d
15ª ed.
Iggulden, Conn
O livro perigoso para garotos / Conn Iggulden, Hal Iggulden ; tradução de Maria Beatriz de Medina. — 15ª ed — Rio de Janeiro : Galera Record, 2022.
320p. : il.
Tradução de: The dangerous book for boys
ISBN 978-85-01-07800-1

1. Divertimento. 2. Brincadeiras. 3. Meninos — Recreação. I. Iggulden, Hal. II. Título.
07-1831. CDD: 790.194
CDU: 793-053.2-055.1

Título original em inglês:
The dangerous book for boys

Projeto gráfico: Sérgio Campante
Diagramação: Tita Tavares

Texto revisado segundo o novo Acordo Ortográfico da Língua Portuguesa.

Direitos exclusivos de publicação em língua portuguesa somente para o Brasil
adquiridos pela
EDITORA RECORD LTDA.
Rua Argentina 171 — Rio de Janeiro, RJ — 20921-380 — Tel.: 2585-2000
que se reserva a propriedade literária desta tradução
www.galerarecord.com.br

Impresso no Brasil
ISBN 978-85-01-07800-1

Conn Iggulden • Hal Iggulden

O LIVRO PERIGOSO PARA GAROTOS

Tradução de Maria Beatriz de Medina

15ª edição

— Galera —
RIO DE JANEIRO
2022

A todos os que disseram "Vocês *têm* de incluir..." até que tivemos de evitar todas as conversas sobre o livro, com medo de novos capítulos. Agradecimentos especiais a Bernard Cornwell, cujos conselhos nos ajudaram numa época difícil, e a Paul D'Urso, bom pai e bom amigo.

Não se preocupe em ser um gênio e não se preocupe se não for inteligente. Confie mais no trabalho duro, na perseverança e na determinação. O melhor lema para uma longa marcha é "Não resmungue. Aguente".

Você tem o futuro nas mãos. Nunca duvide disso. Não se gabe. O menino que se gaba, assim como o homem que se gaba, pouco mais pode fazer. É um zé-ninguém que anuncia a sua própria mercadoria barata. A lata vazia é a que faz mais barulho. Seja honesto. Seja leal. Seja bondoso. Lembre que a coisa mais difícil de conseguir é a faculdade de ser altruísta. Como qualidade, é um dos mais belos atributos da masculinidade.

Ame o mar, a sonoridade da praia, os prados amplos.

Mantenha-se limpo de corpo e mente.

Sir Frederick Treves, Bart, Cavaleiro Comandante da Real Ordem da Vitória, Companheiro da Ordem do Banho, Sargento Honorário a Serviço de Sua Majestade o Rei, Médico Honorário a Serviço de Sua Alteza Real o Príncipe de Gales, escrito na Rua Wimpole, 6, Praça Cavendish, Londres, em 2 de setembro de 1903, por ocasião do vigésimo quinto aniversário do jornal para crianças *The Boy's Own Paper.*

SUMÁRIO

EU NÃO TINHA ESTE LIVRO QUANDO ERA GAROTO

Nesta época de videogames e telefones celulares, ainda deve haver lugar para amarrar nós, fazer casas em árvores e contar histórias de incrível coragem. A única coisa que sempre se diz sobre a infância é que parece que a gente tinha mais tempo naquela época. Este livro vai ajudar você a ter de volta aquelas tardes de domingo e os longos verões, porque ainda são longos, basta saber olhar do jeito certo.

A infância é a época da curiosidade e homens e meninos podem gostar da história de Scott na Antártica e de vasculhar um galpão para encontrar as peças certas e fazer um eletroímã, ou de criar um cristal, construir um carrinho e aprender a encontrar o Norte no escuro. Nestas páginas você vai encontrar batalhas famosas, insetos e dinossauros, além de instruções para fazer pontas de flecha e o melhor aviãozinho de papel do mundo.

Como funcionam a latitude e a longitude? Como fazer tinta invisível? Como usar o código que Júlio César utilizava com os seus generais? Aqui dentro você vai encontrar a resposta. Este livro foi escrito por dois homens que, quando garotos, dariam seu animal de estimação em troca deste livro. Não era um bicho tão legal assim. Por que escrevemos o livro agora? Porque essas coisas ainda são importantes e queríamos conhecê-las melhor. Poucas coisas dão mais satisfação do que fazer um nó decente quando se precisa de uma laçada fixa ou simplesmente saber o que aconteceu em Termópolis. As histórias precisam ser contadas e recontadas, senão a lembrança vai desaparecendo.

As histórias de coragem podem ser lidas como simples aventuras ou talvez como inspiração, exemplos de atos extraordinários de pessoas comuns. Depois que as escrevemos, ficou mais difícil pular e xingar quando a gente machuca o dedão. Quando você ler essas histórias extraordinárias vai entender por quê. Não são apenas histórias ótimas. Elas fazem parte de uma cultura, uma parte que realmente não queremos que desapareça.

Tudo isso está fora de moda? Bem, depende. Os homens e meninos de hoje são os mesmos que sempre foram e continuam a gostar das mesmas coisas. Podem conquistar mundos diferentes quando crescerem, mas ainda vão gostar dessas histórias, para si e para os filhos. Esperamos que em anos futuros alguém pense em procurar este livro nos velhos guardados para dar a uns garotos que estejam de olho numa pilha de tábuas sem saber o que fazer com ela.

Quando ficamos homens, percebemos que tudo muda; quando somos meninos, sabemos que não é assim. O acampamento de hoje vai ficar lá para sempre. A gente quer aprender truques com moedas e como jogar pôquer porque nunca se sabe quando será útil. A gente quer ser autossuficiente e se orientar pelas estrelas. Talvez os que vierem depois de nós queiram alcançá-las. Bem, por que não? Por que não?

Conn Iggulden e Hal Iggulden

EQUIPAMENTO BÁSICO

O ideal é guardar estes itens em uma caixinha – aquelas antigas de fumo seriam perfeitas! Mas uma boa caixinha de metal vai resolver. Carregar tudo solto nos bolsos pode não ser uma boa ideia. Certa vez um dos autores levou um ratinho branco para a escola mas, pensando no que aconteceu quando sentou em cima dele, isso realmente não é recomendável.

1. Canivete suíço.

Ainda é o melhor canivete. Nos aviões, pode ser levado na bagagem, embora não na bagagem de mão. Vale a pena economizar para ter um dos modelos maiores, com o máximo possível de lâminas e acessórios. Dito isso, há alguns ótimos que não custam tão caro. São úteis em tarefas que exigem uma chave de fenda; servem para remover lascas e abrir garrafas de cerveja e vinho, embora, neste momento, esta não seja uma consideração lá muito importante.

Você também pode comprar estojos de couro para eles; os estojos melhores vêm com alguns acessórios a mais, como bússola, fósforos, lápis, papel e curativos.

2. Bússola.

É ótimo ter uma bússola. Você pode encontrar bússolas menores em qualquer loja de caça e pesca e elas duram para sempre. A gente nunca deve ficar desnorteado, esteja onde estiver.

3. Lenço.

Um pedaço de pano tem mil e uma utilidades, como impedir a inalação de fumaça, cuidar de um sangramento no nariz e até ser oferecido a uma garota que está chorando. Os lenços grandes podem até se transformar em estilingues. Vale a pena ter um deles.

4. Caixa de fósforos.

Nem é preciso dizer que é necessário tomar cuidado. Fósforos, guardados numa lata seca ou num saco plástico, podem ser bem úteis numa noite fria se você for obrigado a dormir ao ar livre. Se mergulhar as pontas em cera, elas ficam à prova de água. Raspe a cera com a unha para acender os fósforos.

5. Uma bola de gude.

Sua bola de gude predileta.

6. Agulha e linha.

Outra vez, tem muita coisa útil que se pode fazer com agulha e linha, desde costurar a ferida de um cão inconsciente até consertar uma camisa rasgada. Se a linha for bastante forte, pode ser usada para pescar.

7. Lápis e papel.

Se você for testemunha de um crime e quiser anotar a placa do carro ou uma descrição rápida do que aconteceu, vai precisar dos dois. Também serve para fazer listas de compras e para tudo, praticamente.

8. Lanterna pequena.

Há lanterninhas para chaveiros que são pequenas e leves. Quando você estiver no escuro tentando ler um mapa, qualquer tipo de lanterna serve.

9. Lente de aumento.

Para uso geral. Também serve para acender fogo.

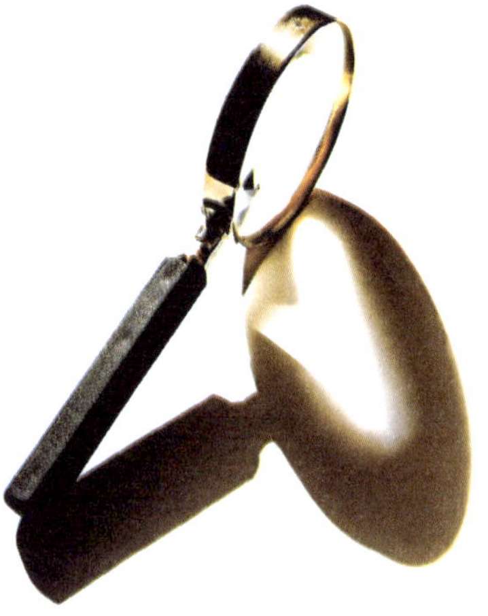

10. Curativos.

Somente um ou dois ou, melhor ainda, um pedaço de atadura de pano que possa ser cortada com a tesoura do canivete. Provavelmente não vão ser usados, mas a gente nunca sabe.

11. Anzóis.

Se você tiver linha forte e um anzol pequeno, só precisa de uma varinha e uma minhoca para tentar pescar alguma coisa. Guarde a ponta do anzol espetada num pedaço de rolha, senão você pode se machucar.

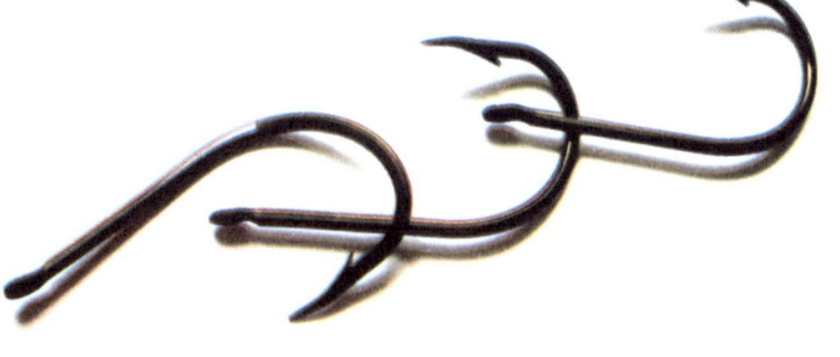

O MELHOR AVIÃO DE PAPEL DO MUNDO

Na década de 1950, um professor de ginásio encontrou um garoto jogando aviõezinhos de papel de uma janela alta. Enquanto pensava num castigo para o aluno, percebeu que o aviãozinho ainda estava no ar, voando pelo pátio lá embaixo. O garoto se livrou da punição, mas teve que ensinar o projeto ao professor, que, por sua vez, o ensinou a seus filhos. É possível encontrar modelos mais complicados. Podem lhe passar a ideia de que os melhores aviõezinhos precisam de tesoura e aulas de origami. Quanta bobagem.

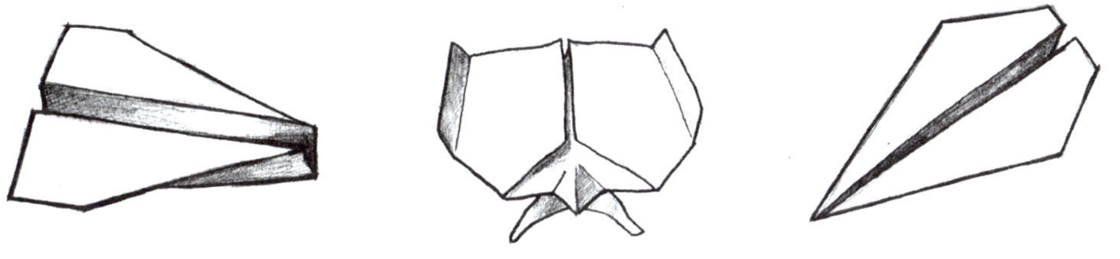

O aviãozinho da direita, o Falcão, é simples, rápido e pode ser feito com uma folha de papel A4. É o melhor planador de longa distância que já se viu; com um ou dois truques torna-se o melhor avião para acrobacias. Já ganhou até concursos. Num deles, o objetivo era percorrer toda a estrada, partindo da varanda do hotel junto ao Castelo de Windsor, na Inglaterra, na véspera do Ano-Novo. Quatro outros aviõezinhos caíram na pista; este seguiu direto. O da esquerda, o Buldogue, é mais simples, um avião de treinamento, se preferir. É um planador competente.

O BULDOGUE-FLECHA

1. Dobre uma folha de papel A4 no sentido do comprimento para marcar a linha do meio.
2. Dobre os dois cantos até a linha do meio, como mostra a figura.
3. Vire o papel e dobre os cantos de novo, como na figura.
4. Dobre o nariz pontudo sobre si mesmo para formar o nariz achatado de buldogue. Se quiser, você pode dobrar o nariz por debaixo da dobra anterior, funciona dos dois jeitos.
5. Dobre o avião todo no sentido do comprimento, como na figura.
6. Finalmente, dobre as asas ao meio para completar o Buldogue.

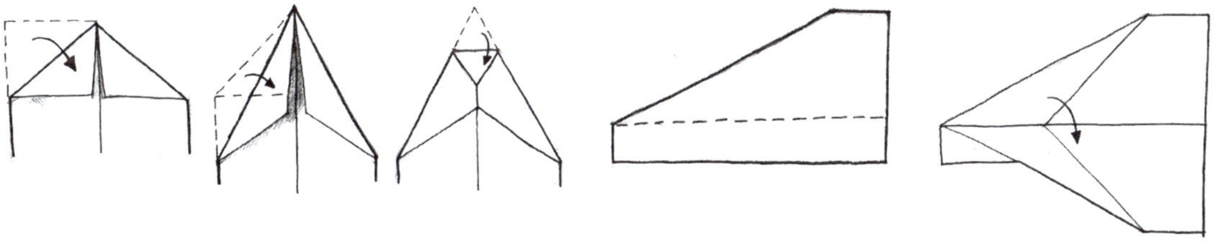

Ótimo. Agora você conhece um modelo que funciona mesmo. Viu o aviãozinho parecido com um inseto no meio da primeira figura? Tem "flutuadores" complicados e dobras invertidas. Mas não voa direito e a maioria dos modelos complicados demais também não. Pra nós, isso é importante. Pois é, parece um gafanhoto, mas se cair de nariz vai servir pra quê?

Agora, eis o campeão. Este voa *mesmo*.

O FALCÃO

1. Comece do mesmo jeito que o Buldogue. Dobre ao meio no sentido do comprimento para marcar a linha central e, depois, os dois cantos sobre esta linha, como na figura.
2. Dobre para baixo o triângulo formado, como está na figura. Vai ficar parecido com um envelope.
3. Dobre o canto de novo. Você vai ver uma pontinha triangular ainda aparecendo.
4. Dobre a pontinha por cima dos cantos, para prendê-los.
5. Dobre ao meio pela linha central, deixando a pontinha triangular do lado de fora, como na figura.
6. Finalmente, dobre as asas sobre si mesmas, calculando com atenção a linha central. Quanto mais cuidado você tomar para que as dobras fiquem perfeitas, melhor será o voo do seu avião.

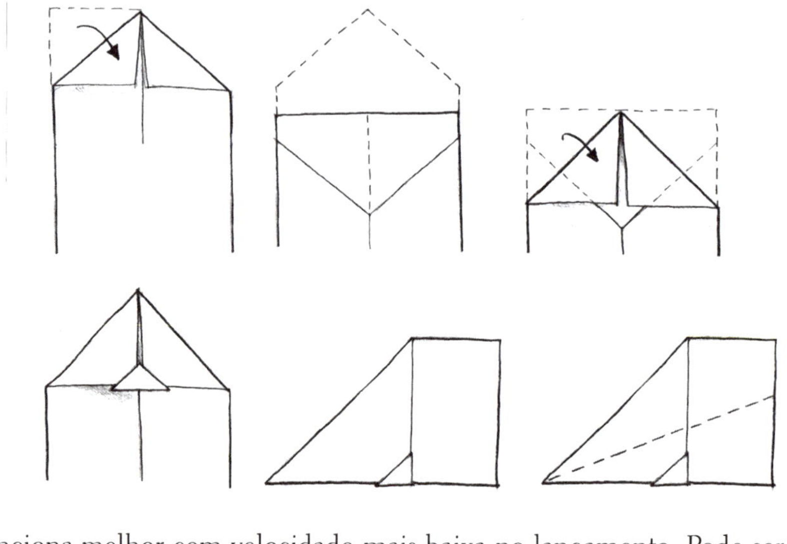

Este avião funciona melhor com velocidade mais baixa no lançamento. Pode ser que empaque com velocidade alta, mas, se você levantar um pouquinho a ponta de trás da asa, ele vai girar e voltar às suas mãos ou voar numa grande espiral. Vá modificando o seu avião até ficar satisfeito. Cada um que fizer vai ser ligeiramente diferente dos outros e terá personalidade própria.

AS SETE MARAVILHAS DO MUNDO ANTIGO

As famosas sete maravilhas do mundo antigo eram: a Grande Pirâmide de Quéops, em Gizé, os Jardins Suspensos da Babilônia, o Templo de Ártemis (Diana), em Éfeso, o Mausoléu de Halicarnasso, o Colosso de Rodes, a estátua de Zeus, em Olímpia, e o Farol de Alexandria. Só a pirâmide de Gizé existe até hoje.

A GRANDE PIRÂMIDE DE QUÉOPS

1. **A Grande Pirâmide** é o maior túmulo já construído, feito para o faraó egípcio Khufu (2898-2875 a.C.), da 4ª Dinastia, que, no entanto, é mais conhecido como Quéops, forma grega do seu nome.

É uma das três grandes pirâmides de Gizé, perto do Cairo. As outras duas foram construídas para os faraós Menkaure e Khafre. A maior, de Quéops, foi a estrutura mais alta da Terra durante mais de 4 mil anos, até o século XIX d.C. Embora a pedra da ponta tenha sido removida não se sabe quando, a construção devia alcançar 146,5 metros de altura.

A base é um quadrado perfeito, façanha de exatidão admirável quando se pensa em seu enorme tamanho. Cada lado da base tem 231 metros de comprimento e se inclina 51 graus e 51 minutos. Ela é composta de 2 milhões de blocos de pedra que pesam mais de duas toneladas *cada um*. Encaixam-se tão bem que não dá para enfiar nem a lâmina de uma faca entre elas.

3. Dizem que o **Templo de Ártemis (Diana)**, em Éfeso, na Turquia de hoje em dia, deixou Alexandre, o Grande, admirado com a sua extraordinária beleza, embora os cidadãos tenham recusado a sua oferta de pagar para restaurá-lo. Construído no século VI a.C., o templo foi destruído e reconstruído mais de uma vez. A destruição mais famosa foi a da noite em que Alexandre nasceu, quando um homem chamado Heróstrato o incendiou para que o seu nome fosse lembrado; um dos maiores atos de vandalismo de todos os tempos. O templo acabou caindo em ruínas por volta do século III d.C.

2. **Os Jardins Suspensos da Babilônia** foram construídos numa região que hoje fica no Iraque, às margens do rio Eufrates. Foram obra do rei Nabucodonosor, de presente para a rainha, entre os séculos VII e VI a.C.

Eles ficaram famosos por usar sistemas hidráulicos complicados para erguer milhares de litros de água do rio, que mantinham os jardins sempre floridos. Só podemos tentar adivinhar o método exato, mas é possível que tenham utilizado o parafuso de Arquimedes, mostrado aqui.

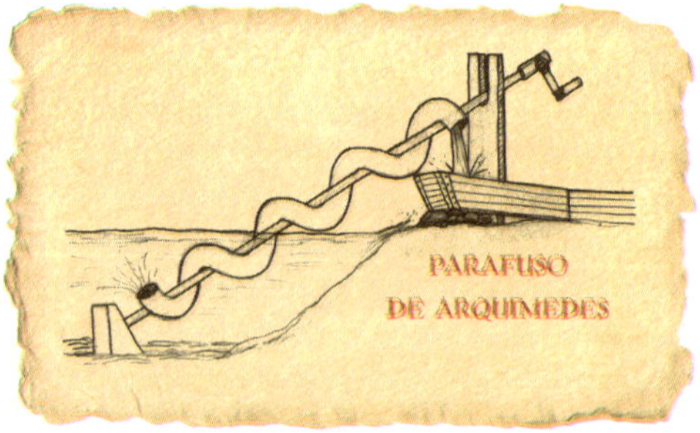

4. **O Mausoléu de Halicarnasso** foi criado para o rei Mausolo, da Pérsia, que governou de 377 a 353 a.C. Hoje, Halicarnasso é a cidade de Bodrum, na Turquia. Em cima da câmara retangular do túmulo, 36 colunas sustentavam uma pirâmide recuada, encimada pelas estátuas de Mausolo e da esposa (e irmã) Artemísia

num carro, numa altura aproximada de 42,5 metros. Foi destruído em 1522 quando os cruzados Cavaleiros de São João usaram as pedras para construir um castelo que existe até hoje. Os blocos de mármore polido do túmulo são visíveis nas paredes. De Mausolo vem a palavra "mausoléu", que significa um túmulo grande e enfeitado.

5. **A estátua de Zeus**, em Olímpia, também se perdeu para o mundo moderno. Só nos restam imagens em moedas e descrições que mostram por que a estátua era considerada tão maravilhosa no século V a.C.

MAUSOLÉU DE HALICARNASSO

Olímpia era a sede dos antigos Jogos Olímpicos; o nome se deve à cidade. O lugar era consagrado a Zeus, e o escultor Fídias, de Atenas, foi contratado para fazer a estátua, que era de madeira folheada a ouro nas roupas e coberta com placas de marfim na pele. Na mão direita, ficava a figura alada da deusa Vitória (Nice), feita de marfim e ouro. Na esquerda, ele segurava um cetro de ouro com uma águia pousada na ponta.

Calígula, imperador romano, tentou transferir a estátua para Roma no século I d.C., mas os andaimes desmoronaram com o peso e a ideia foi abandonada. Mais tarde, a estátua foi removida para Constantinopla e lá ficou até ser destruída pelo fogo no século V.

ESTÁTUA DE ZEUS, EM OLÍMPIA

6. **O Colosso de Rodes**, na Grécia, talvez seja a mais famosa de todas as Sete Maravilhas do Mundo Antigo. Era uma estátua de Hélios com mais de 30 metros de altura.

Na verdade não ficava de pernas abertas sobre o porto. Repousava num promontório, volta-

O COLOSSO DE RODES

da para o mar Egeu. A base era de mármore branco e a estátua foi construída aos poucos, de baixo para cima, fortalecida com ferro e pedra conforme as peças de bronze iam sendo acrescentadas. A construção levou 12 anos e terminou por volta de 280 a.C.; rapidamente a estátua ficou famosa. Cinquenta anos depois, um terremoto provocou um desastre. Quebrou-lhe o joelho e ela caiu por terra, lá ficando durante 800 anos até que os invasores árabes a venderam.

7. **O Farol de Alexandria** foi construído pelo arquiteto Sóstrato de Cnido para o rei greco-egípcio Ptolomeu Filadelfo (285-247 a.C.).

Ptolomeu descendia de um dos generais de Alexandre, o Grande. A sua descendente mais famosa é Cleópatra, a primeira da dinastia grega a falar egípcio realmente.

Quando Júlio César chegou a Alexandria, deve ter passado pela grande torre da ilha de Faros. Dizem que a sua luz era visível no mar a 55 quilômetros de distância. Não sabemos a altura exata, mas para lançar luz que seja visível a esta distância deveria ter entre 121 e 182 metros de altura.

Era tão famoso que, até hoje, usamos a palavra "farol", que tem como origem o nome da ilha Faros (em grego *Phàros*), para designar esse tipo de construção. Em francês (*phare*), em espanhol e italiano (*faro*) a palavra também tem a mesma raiz.

Como você pode ver, até as maiores maravilhas podem se perder ou ser destruídas pela passagem dos milênios. Talvez a verdadeira maravilha seja o fato de terem sido construídas, na nossa busca constante por conseguir alguma coisa maior do que nós mesmos.

O FAROL DE ALEXANDRIA

CINCO NÓS QUE TODO GAROTO DEVERIA CONHECER

Saber fazer nós é coisa utilíssima. É espantosa a quantidade de gente que só conhece o nó direito e o nó simples. Em vez de citar centenas deles, preferimos resumir tudo nos cinco exemplos mais úteis.

No entanto, exigem muita prática. Aprendi o lais de guia num veleiro, no oceano Pacífico. Durante três semanas, treinei com um pedaço velho de corda, noite e dia. Quando voltei para casa tentei demonstrar o nó e descobri que ele tinha sumido da minha memória. É verdade que não demorei muito a me lembrar, mas os nós precisam ser praticados de vez em quando para que a gente se lembre quando precisar. Há centenas de bons livros por aí que incluem níveis especializados de falcaças e nós decorativos. Aqui está o básico, que é útil para todos.

1. O NÓ DIREITO

Este nó é usado para rizar velas, ou seja, reduzir a área da vela quando o vento fica mais forte. Se você olhar a vela de um barco, vai notar cabos pendurados no pano. Quando a vela é dobrada sobre a verga, os cabos são amarrados com nós direitos. É um nó simétrico e agradável de olhar. A regra que você tem de lembrar é: esquerda sobre direita, direita sobre esquerda.

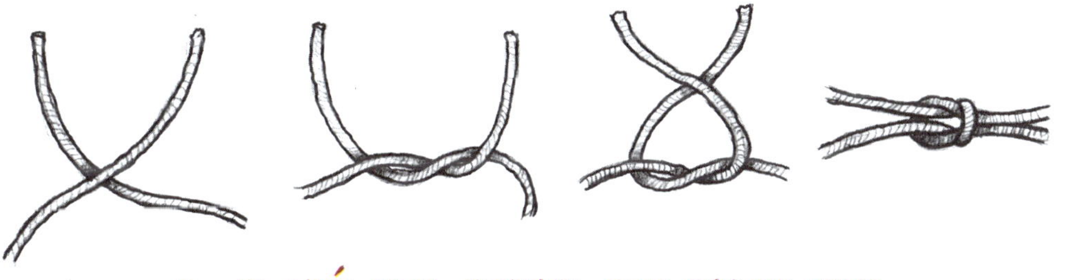

2. O NÓ DE OITO OU TREMPE

Este é uma "trava"; fica na ponta da corda e impede que ela passe por um buraco. Às vezes se usa um oito duplo para dar peso à ponta da corda que vai ser jogada. É chamado de oito porque parece, claro, um oito.

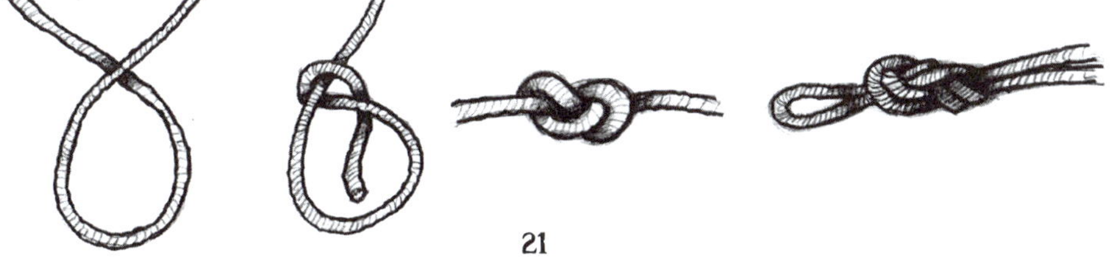

3. O LAIS DE GUIA

É um nó firme e bastante útil. É usado sempre que a gente precisa de um laço na ponta de uma corda para prender num poste, anel ou outra coisa qualquer.

1. Faça uma alça na sua direção, deixando uma ponta livre de tamanho suficiente para dar a volta no poste, árvore ou coisa parecida.
2. Agora, imagine que a alça é a toca de um coelho e a ponta da corda é o coelho. A outra ponta da corda é a árvore. Passe a ponta pela alça, de baixo para cima: o coelho saiu da toca.
3. Passe o coelho em torno da parte de trás da árvore.
4. Faça o coelho entrar de volta na toca, passando de novo pela primeira alça.
5. Aperte com cuidado.

Obs.: É possível fazer um laço simples com um lais de guia;
basta passar a outra ponta da corda pela alça.

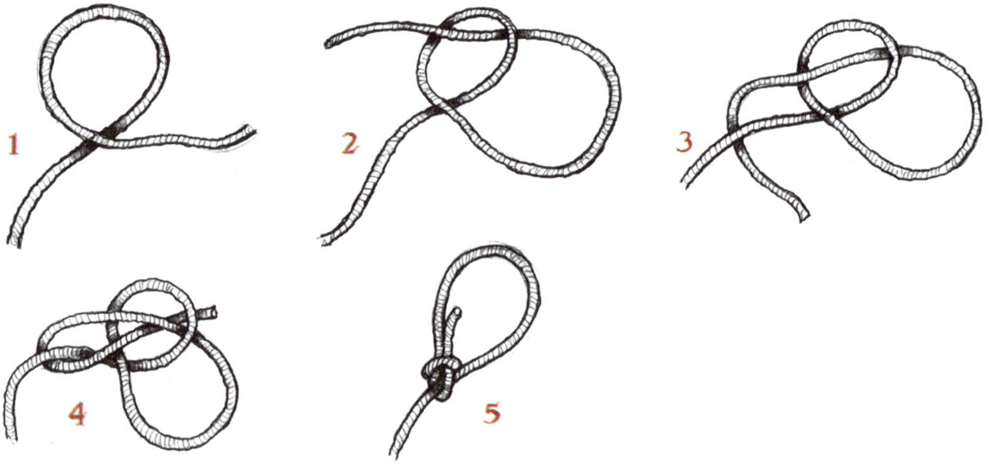

4. NÓ DE ESCOTA

Este é um nó bom para juntar dois pedaços de corda. O nó direito não serve para juntar cordas de diâmetros diferentes, mas o nó de escota funciona muito bem.

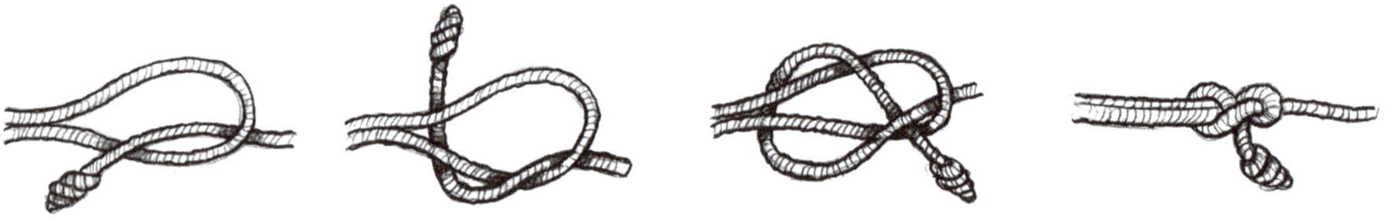

5. A VOLTA DE FIEL, PARA PRENDER DUAS COISAS BEM DEPRESSA

Este é um nó de curto prazo, do tipo que os caubóis dos filmes de bangue-bangue fazem para prender o cavalo. A sua maior vantagem é que é muito rápido de fazê-lo. Basicamente, basta enrolar a corda em volta de um poste e enfiar uma das pontas por debaixo da volta. Pratique bastante até conseguir dar o nó bem depressa.

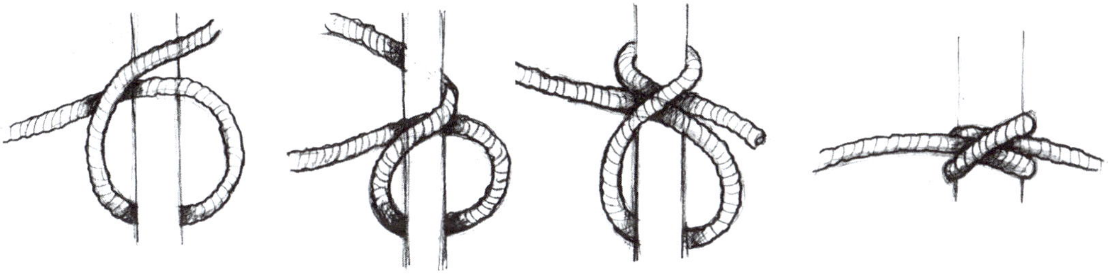

Esses cinco nós serão úteis em diversas situações, desde a construção de uma casa na árvore até em acampamentos, em barcos e também para amarrar o seu cavalo na frente do saloon. Você não vai aprendê-los por milagre. Vai precisar de prática e paciência. Conhecê-los não impressiona as garotas, mas pode salvar a sua vida — ou o seu cavalo.

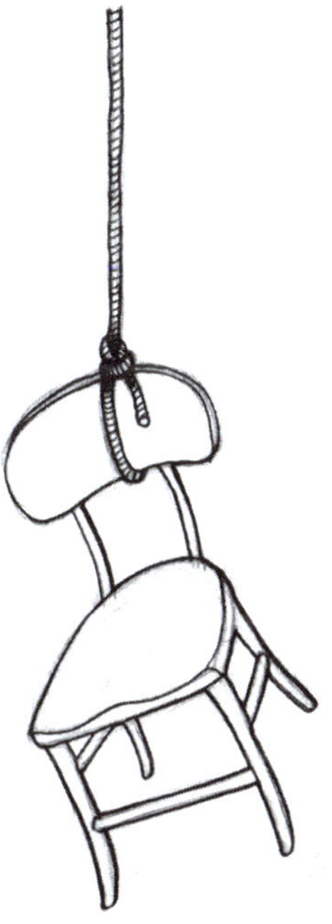

PERGUNTAS SOBRE O MUNDO [PRIMEIRA PARTE]

1. POR QUE NO VERÃO OS DIAS SÃO MAIS LONGOS QUE NO INVERNO?
2. POR QUE NO EQUADOR É MAIS QUENTE?
3. O QUE É VÁCUO?
4. O QUE SÃO LATITUDE E LONGITUDE?
5. COMO SABER A IDADE DE UMA ÁRVORE?

1. Por que no verão os dias são mais longos que no inverno?

No Brasil, o dia mais curto é 21 de junho e o mais longo é 21 de dezembro. No hemisfério Sul, 21 de junho é o solstício de inverno e o solstício de verão cai em 21 de dezembro. O Natal no Brasil é uma época de muito sol e praia.

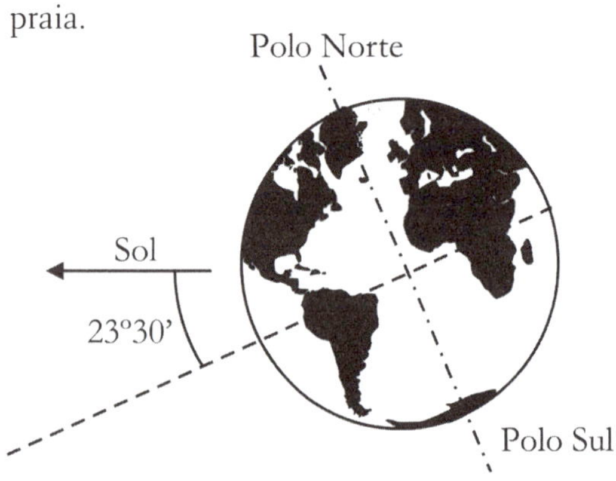

Embora o Polo Norte aponte mais ou menos para a Estrela Polar, o eixo da Terra é inclinado 23 graus e meio em relação à trajetória que faz em torno do sol.

Quando o hemisfério Sul se inclina para o sol, mais luz solar direta chega no Brasil.

Chamamos este período de verão. O dia em que o Polo Sul aponta diretamente para o sol e a inclinação é máxima é 21 de dezembro. O solstício de verão também é o momento em que o sol fica mais alto no céu. Aí os dias ficam mais longos, porque a maior parte do hemisfério Sul está exposta ao sol. Lá no Norte, os dias ficam mais curtos, porque a própria Terra impede que a luz chegue aos habitantes, que tremem de frio.

Quando a Terra gira em torno do Sol, a inclinação continua sempre a mesma. É no equinócio de primavera (22 ou 23 de setembro) que o dia e a noite têm a mesma duração, 12 horas cada. O mesmo acontece no equinócio de outono, em 20 de março. "Equinócio" vem das palavras latinas que querem dizer "igual" e "noite".

Quando o hemisfério Sul se inclina para longe do Sol, menos luz chega à superfície. É outono no Brasil; depois, vem o inverno. Os dias ficam mais longos no hemisfério Norte e mais curtos no hemisfério Sul.

Na verdade, em janeiro, a Terra fica mais perto do Sol do que em junho. Mas o que determina verão e inverno não é a distância, é a inclinação do eixo.

A melhor maneira de demonstrar isso é levantar uma das mãos fechada e a outra, aberta e em ângulo, representando a inclinação do eixo da Terra. Quando a palma girar em volta do punho fechado, você vai ver como a inclinação cria as estações e por que são invertidas no hemisfério Norte. Ainda bem que temos as estações do ano. A vida não seria possível se houvesse só um único verão comprido ou um único inverno comprido.

Nos solstícios de verão e de inverno, as condições do tempo podem mesmo ficar bem esquisitas. O Sol de verão fica seis meses sem se pôr nos polos Norte e Sul, mas quando se põe só nasce de novo dali a mais seis meses. Países do Norte, como a Finlândia, também têm o fenômeno do "Sol da meia-noite".

2. Por que no equador é mais quente?

Há duas razões para a linha do equador ser mais quente do que o resto do planeta. Parece estranho, mas o fato de estar fisicamente mais perto do sol do que, digamos, o Polo Sul não é importante. A principal razão é que a Terra se curva menos na região equatorial. A mesma quantidade de luz do sol se espalha numa área menor. Isso é fácil de ver no diagrama abaixo.

Além disso, os raios do sol têm de atravessar menos atmosfera para chegar à faixa equatorial e, assim, retêm mais calor.

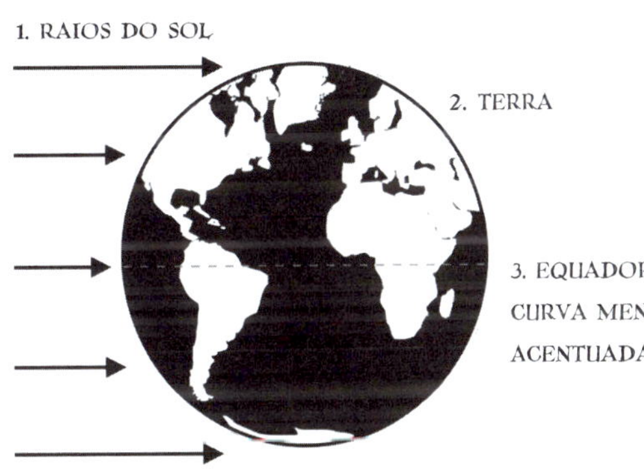

3. O que é vácuo?

O vácuo perfeito é um espaço sem absolutamente nada dentro — sem ar, sem nenhum tipo de matéria. Do mesmo jeito que a temperatura do zero absoluto (-273,15°C ou 0°Kelvin), só existe em teoria. As lâmpadas da sua casa têm um "vácuo parcial": a maior parte do ar é retirada durante o processo de fabricação. Sem esse vácuo parcial, o filamento queimaria muito mais depressa, porque o ar contém oxigênio.

A experiência científica clássica para demonstrar uma das propriedades do vácuo é colocar um relógio que faça tique-taque dentro de uma redoma e extrair o ar com uma bomba. Bem depressa o som fica inaudível; sem as moléculas do ar para transmitir as vibrações sonoras, não há som. É por isso que no espaço ninguém vai ouvir o seu grito!

4. O que são latitude e longitude?

A Terra é um globo. O sistema de latitude e longitude é um sistema criado pelo homem para identificar um ponto qualquer na superfície.

A latitude é contada partindo do equador, que é o zero. Se você cortar o mundo ao meio por essa linha, terá uma placa horizontal. O ponto central desta placa fica a 90° dos polos, um acima e o outro abaixo dela.

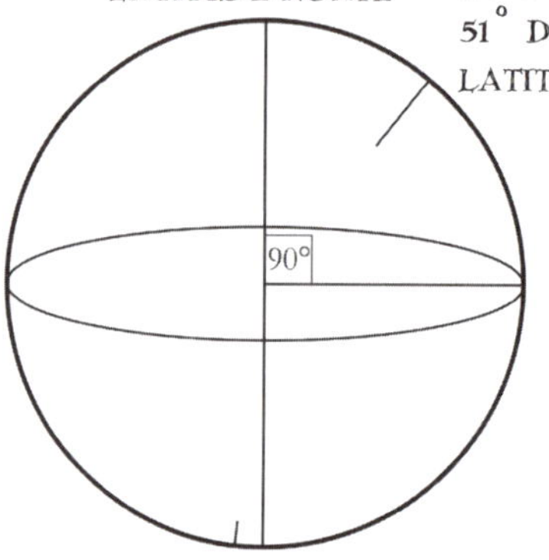

A latitude não é medida em quilômetros, mas em graus, de zero a 90, nos dois hemisférios. Londres, por exemplo, fica a 51° de latitude Norte; Brasília fica a 15° de latitude Sul. A curva que representa a mudança de 90° é dividida em linhas imaginárias chamadas "paralelos", porque são paralelas entre si e paralelas ao equador.

Em alguma coisa grande como a Terra, até um único grau pode ser muita coisa. Tanto na longitude quanto na latitude, cada grau se divide em sessenta "minutos de arco". Cada minuto de arco se divide em mais sessenta "segundos de arco". Os símbolos são:

Graus: ° Minutos: ' Segundos: "

Para localizar algo do tamanho de uma cidade, bastam os dois primeiros números. Por exemplo, Londres fica a 51° 32 N e Brasília a 15° 45 S. A localização de uma casa específica vai exigir o terceiro número, assim como a coordenada da longitude.

Por sorte, um grau de latitude é quase igual a sessenta milhas náuticas, fazendo com que um minuto de latitude seja bem próximo de uma milha náutica, que equivale a 1.852 metros.

A longitude de Londres é zero, o que nos leva diretamente à longitude.

A LONGITUDE é uma série de 360 linhas imaginárias que vão de polo a polo. Londres fica no zero e há 180° para Oeste e outros 180° para Leste.

Como o mundo faz um giro completo por dia, temos aí 360°. 360 dividido por 24 = uma volta de 15° por hora. Chamamos de "meridianos" as linhas que passam de 15° em 15°. ("Meridiano" significa "meio do dia" e, assim, há 24 pontos de "meio-dia" em torno do planeta.)

Agora, vejam como isso funciona. A bordo de um navio no meio do nada, você faz uma leitura do meio-dia, ou seja, verifica a hora em que o sol passa pelo ponto mais alto do céu. É possível usar um sextante e conhecimentos de trigonometria para verificar o ângulo. Se ao meio-dia o relógio do seu navio lhe disse que em Greenwich são nove horas da manhã, isso significa que você viajou três meridianos para Leste ou para Oeste — o lado certo vai depender da sua bússola e da observação do nascimento e do pôr do sol. Na verdade, você está mais ou menos na longitude de 45°.

É óbvio que, para fazer esse cálculo, é fundamental ter um relógio que mostre a hora exata de Greenwich mesmo que o navio esteja sendo jogado de um lado para outro. Em 1759, John Harrison, relojoeiro de Yorkshire, na Inglaterra, inventou finalmente um relógio chamado H4 que era robusto e exato o bastante para ser usado.

Tudo o que restava era escolher o primeiro meridiano, ou seja, o ponto com 0° de longitude. Durante algum tempo pensaram em Paris como possibilidade, mas os navios mercantes de Londres calculavam a hora pelo relógio de Greenwich, na Flamstead House, em Londres, onde todos os dias uma bola caía de um mastro para marcar 1 hora da tarde. Os cronômetros dos navios eram acertados por este relógio e a hora de Greenwich virou padrão. Em 1884, uma conferência de 25 países em Washington formalizou o sistema. Hoje, quem vai a Greenwich pode pisar numa linha de bronze que separa o Leste do Oeste.

Do lado oposto do mundo, os dois hemisférios se encontram na Linha Internacional de Data, no oceano Pacífico. Ela tem esse nome porque todo mundo concorda em mudar a data ao atravessá-la. Se não fosse assim, seria possível partir de Greenwich ao meio-dia e ir voltando para as 11 horas, 10 horas, 9 horas da manhã e contornar o planeta até chegar à véspera. É óbvio que isso não é possível e, assim, quem cruza a linha indo para Oeste tem de acrescentar um dia à data. Parece complicado? Bem, um pouco, mas o mundo é assim e são assim os sistemas que inventamos para controlá-lo.

Como a latitude, a longitude é dividida em três unidades: graus, minutos e segundos. A prática manda pôr o número da latitude primeiro, mas sempre é fácil descobrir qual é pela letra que significa Norte ou Sul; não dá mesmo para confundir. Uma localização completa, com todos os números, é mais ou menos desse jeito:

38° 53' 23" N, 77° 00' 27" O Washington, DC

39° 17' 00" N, 22° 23' 00" E Farsalo, na Grécia, onde Júlio César derrotou Pompeu e acabou com a guerra civil.

16° 26' 59" S, 39° 3' 53" O Monte Pascoal, em Porto Seguro (BA), ponto de terra avistado por Cabral no descobrimento do Brasil

5. Como saber a idade de uma árvore?

É só cortá-la e contar os anéis. A cada ano de crescimento, criam-se um anel escuro e outro claro de madeira nova. As duas faixas, juntas, são chamadas de "anel anual". A parte mais clara se forma na primavera e no início do verão, quando as células da madeira ficam maiores e têm paredes mais finas, que parecem mais claras. No outono e no inverno, as árvores produzem células menores com paredes mais grossas, que parecem mais escuras. Os anéis variam de espessura dependendo das condições de crescimento e, assim, um toco de árvore pode ser um registro do clima durante a vida da planta, às vezes, durante séculos. Portanto, é possível saber a idade de uma árvore contando os anéis anuais.

COMO FAZER UMA PILHA

Uma pilha, em termos simples, é um cátodo (a ponta positiva), um ânodo (a ponta negativa) e um eletrólito (a parte do meio). Há muitas combinações diferentes por aí. A eletricidade é o movimento dos elétrons, partículas minúsculas com carga negativa. O ânodo costuma ser feito de alguma substância capaz de ceder elétrons com facilidade, como o zinco, que cede dois elétrons a cada átomo. O cátodo costuma ser feito de alguma substância que aceite elétrons com facilidade, como o cobre.

O eletrólito lá dentro pode ser um líquido, um gel ou uma pasta. O importante é que contenha íons com carga positiva e negativa que possam fluir quando o ânodo e o cátodo forem ativados. Quando o físico italiano Alessandro Volta fez a primeira pilha, usou cobre no cátodo, zinco no ânodo e um eletrólito de papel mata-borrão com água do mar. O seu nome nos deu a palavra "volt", como na bateria de 12 volts dos carros. Se você pensar na eletricidade como se fosse um cano de água, o volt mediria a velocidade da água, mas também é preciso um buraco grande por onde fluir, que é medido em "ampères". Pode-se ter voltagem suficiente para deixar o cabelo em pé mas, sem amperagem, ela só vai provocar uma fagulhinha. No entanto, a eletricidade doméstica, no Brasil, tem 110 ou 220 volts e amperagem suficiente para matar uma pessoa.

VOCÊ VAI PRECISAR DE

- **Dez moedas de cinco centavos — as de cobre.**
- **Papel de alumínio de cozinha.**
- **Papel mata-borrão.**
- **Dois pedaços de fio de cobre (tirados de qualquer fio elétrico).**
- **Vinagre.**
- **Sal.**
- **Tigela.**
- **Um LED, diodo emissor de luz (você o encontra em lojas de ferragem e de modelismo).**
- **Fita-crepe.**

A moeda de cobre será o cátodo, o papel de alumínio, o ânodo.

Corte o papel de alumínio e o papel mata-borrão em círculos, para empilhá-los uns sobre os outros. O papel mata-borrão será encharcado de vinagre, e também servirá para impedir que os metais se toquem; assim, corte os círculos de mata-borrão um pouco maiores do que o papel de alumínio e as moedas.

1. Na tigela, misture o vinagre com um pouco de sal. O vinagre é ácido acético e todos os ácidos podem ser usados como eletrólitos. Na bateria dos carros, usa-se ácido sulfúrico, mas não se deve brincar com um produto tão forte. Ele corrói a roupa e queima a pele, ao contrário do vinagre, que você também põe na salada.

   O sal de cozinha é cloreto de sódio, combinação de um íon positivo com outro negativo (Na+ e Cl–). No eletrólito, vão se separar e aumentar a sua potência.

2. Embeba os círculos de mata-borrão no eletrólito cheio de íons.

3. Com a fita-crepe, prenda uma ponta de fio na parte de baixo de um disco de papel de alumínio. Este é o terminal negativo. Agora, faça a pilha na seguinte sequência: papel de alumínio, mata-borrão, moeda, papel de alumínio, mata-borrão, moeda. Cada combinação é uma pilha minúscula, porém para acender um LED você vai precisar de várias. Uma bateria de carro costuma ter seis delas, mas com "células" de superfície muito maior. Como regra geral, quanto maior a pilha, mais potência ela tem. (A potência é medida em watts = ampères × volts.)

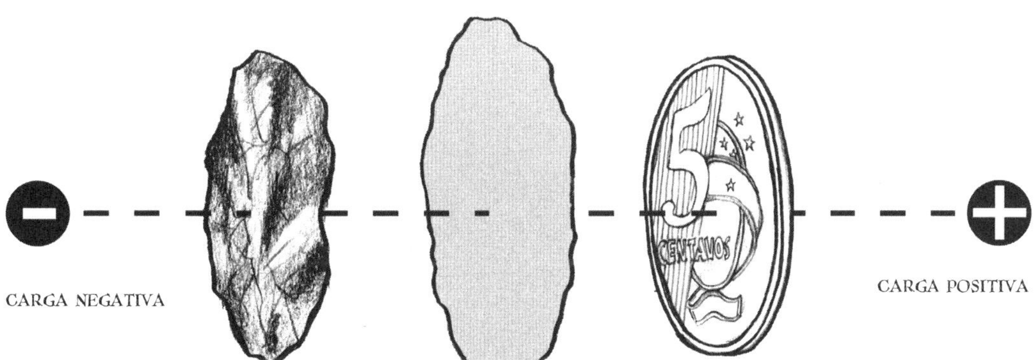

Todos os íons positivos irão para um terminal e todos os íons negativos para o outro. De fato, você está carregando a sua pilha.

4. Depois de fazer a pilha, prenda o outro fio na moeda de cima com a fita-crepe. Este será o terminal positivo. Agora você pode acender um LED, como na figura abaixo, ou, se tiver pilhas de moedas em quantidade suficiente, até uma lâmpada pequena.

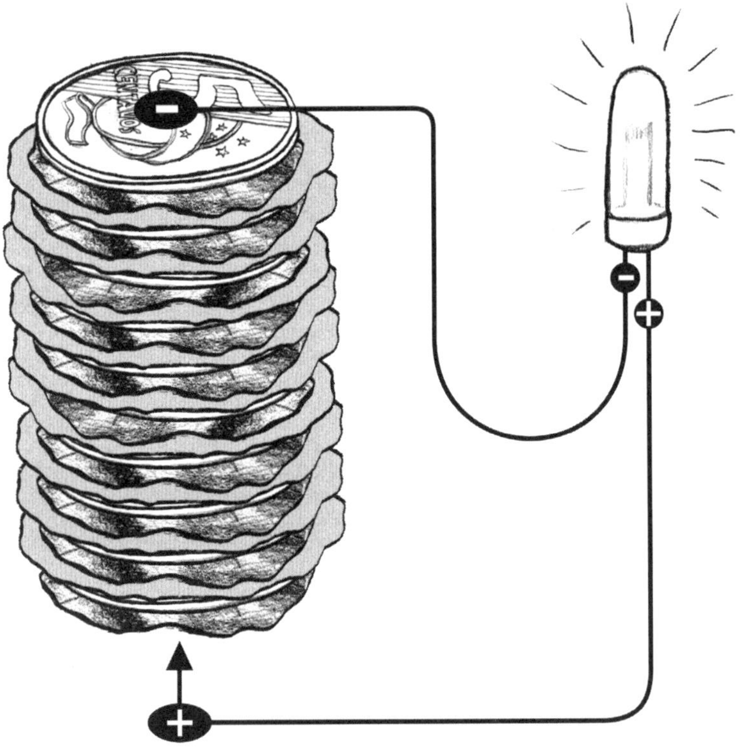

Talvez ainda inventem pilhas de nova geração, mas se você entender a pilha que acabou de fazer vai entender qualquer tipo de pilha ou bateria que existe hoje, seja de níquel-cádmio, lítio, seja a bateria recarregável do celular ou aquelas que a gente usa em brinquedos. Ninguém vai ouvir o barulho de um líquido ácido dentro das pilhas alcalinas, porque nelas se usa uma pasta ou gel, mas o princípio é o mesmo.

ATIRADEIRAS

A atiradeira (também conhecida como bodoque ou estilingue) é uma coisa que desperta o interesse dos meninos pelo menos desde que tiveram acesso a tiras de borracha. Antes disso, usavam-se fundas de couro — já na época bíblica, quando Davi matou Golias atirando-lhe uma pedra na testa. A sério, são usadas para caçar e para jogar iscas no rio durante pescarias. No entanto, as imagens que ficaram famosas têm mais a ver com Pedrinho, do sítio do Picapau Amarelo, e Bart Simpson. As atiradeiras podem ser muito potentes e certeiras, só que ninguém deve demonstrar isso mandando o irmão caçula correr e dando uma risada debochada. **Nunca** mire nem use o estilingue em ninguém.

VOCÊ VAI PRECISAR DE

- **Uma forquilha.**
- **Um pedaço de borracha com uns 60 cm de comprimento.**
- **Barbante para amarrar as pontas.**
- **Um pedaço de couro; por exemplo, a lingueta de um sapato velho.**

1. Encontre e corte uma forquilha. Achamos a nossa num arbusto grande de azevinho, mas é possível encontrar por toda parte galhos com essa forma em "Y".

Um bom canivete suíço tem um acessório em forma de serrote que pode servir para cortar galhos pequenos. O diâmetro da madeira não deve ser maior que o seu polegar. Se não confia no seu "olho", corte um pouco maior do que acha que vai precisar. Uma altura boa, de cima a baixo, fica entre 15 e 17 cm.

2. Corte anéis da casca nas pontas de cima do "Y" para prender a borracha. O canivete suíço também é perfeito para isso.

3. Encontrar a borracha é a parte mais difícil. Depois de procurar à toa em lojas de ferragens e brinquedos, descobrimos que a tira cortada da câmara velha de um pneu de bicicleta funciona muito bem. Corte um pedaço de tubo de 60 cm e depois faça dois cortes no sentido do comprimento para ficar com uma tira comprida. Você vai precisar de algumas experiências para conseguir a tensão e a potência certas.

[Observe que usamos dois pedaços de borracha. Ficamos com vontade de usar um pedaço comprido, passando por ele o pedaço de couro que tem de ficar no meio. Na prática, descobrimos que o pedaço de couro escorregava depois de um ou dois tiros e, de repente, sem avisar, a atiradeira passava a atirar para o lado errado. É muito melhor amarrar bem firme os dois pedaços.]

4. A peça de couro do meio é bem fácil de arranjar se você tiver um sapato velho. Basta cortar, da lingueta ou da lateral, um retângulo de uns 10×5 cm. Couro é melhor porque pode ser furado sem rasgar. Faça dois furos com um objeto pontudo e prenda as pontas da borracha. Agora você tem uma atiradeira.

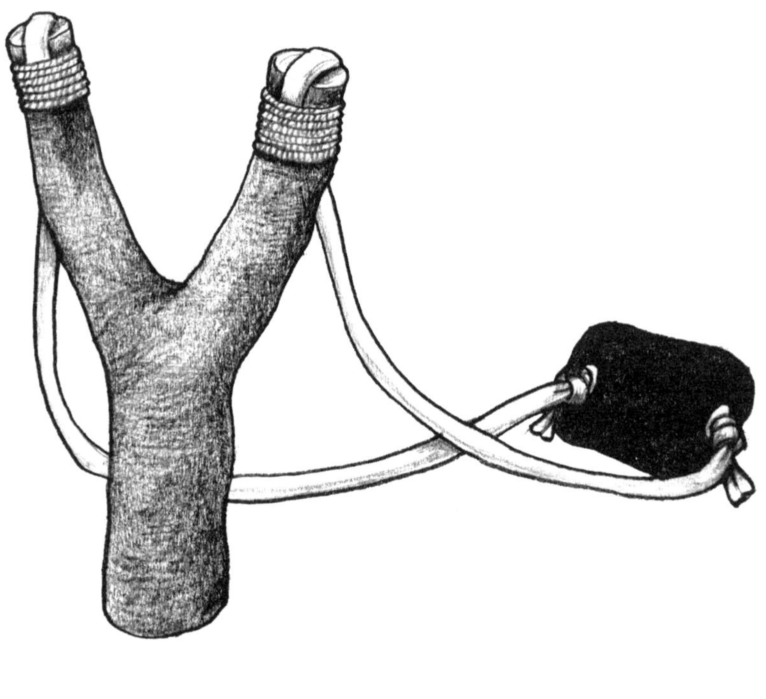

FÓSSEIS

Há meio bilhão de anos não havia vida em terra firme e só vermes, lesmas, esponjas e caranguejos primitivos no mar. Quando essas criaturas morriam, o corpo delas afundava na lama do fundo e aos poucos ia sendo coberto. Durante milhões de anos, o fundo do mar endureceu até virar pedra e os sais minerais dos ossos foram substituídos, molécula a molécula, pelas substâncias que formam as pedras, como ferro e silício.

Este processo acaba transformando os ossos em pedra; estes são os chamados fósseis, moldes de animais que morreram centenas de milhões de anos atrás, formados bem devagar. Outros fósseis se constituem quando animais moribundos caem em poços de betume ou são cobertos de areia. Como cada camada sedimentar leva milhões de anos para se formar, podemos avaliar a idade dos fósseis pela sua profundidade. Na verdade, é possível viajar no tempo quando se tem uma pá. Em alguns lugares dá para chegar à época dos romanos cavando apenas uns dois metros. Para chegar a níveis de milhões de anos atrás, é preciso encontrar uma encosta onde as camadas já estejam visíveis.

Aqueles animais marinhos podem fazer uma longa viagem no tempo desde quando nadavam nos oceanos escuros! A ação geológica consegue elevar grandes placas da Terra, de modo que fósseis que eram submarinos podem ser encontrados no alto das montanhas ou em desertos que antes eram vales no fundo do mar.

Há regiões da Nova Zelândia onde é possível ver os restos fossilizados de antigas florestas pré-históricas em faixas pretas visíveis à beira-mar. Este material comprimido é carvão e queima muitíssimo bem como combustível. O petróleo também é fóssil. Formou-se em bolsões, sob grande pressão, a partir de animais e plantas que viveram há 300 milhões de anos. Sem dúvida, é a substância mais útil que já encontramos: tudo o que é de plástico vem do petróleo, sem falar do combustível de carros e aviões.

Quando estudamos plantas e animais fossilizados, podemos vislumbrar um mundo que já se foi. É um simples vislumbre e as informações são bem menos completas do que gostaríamos, mas a nossa compreensão aumenta a cada nova descoberta.

Até os fósseis mais comuns podem ser fascinantes. Segure um pedaço de sílex contra a luz e veja criaturas que rastejaram antes que o homem saísse das cavernas — antes de Napoleão Bonaparte, antes de Cristóvão Colombo, antes de Moisés. Isso dá asas à imaginação.

Eis aqui algumas formas clássicas de fósseis.

Amonite. Criatura marinha de concha que se extinguiu entre o período Cretáceo e o Terciário, há 65 milhões de anos (ver Dinossauros). Variam muito de tamanho e podem ter cores bonitas.

AMONITE

TRILOBITE

Trilobite. Esses também são bem fáceis de encontrar, embora em geral seja preciso quebrar a pedra para vê-los. Os caçadores de fósseis levam martelinhos para quebrar amostras de pedra.

Ouriço-do-mar. Fósseis de ouriços-do-mar e de organismos simples como as estrelas-do-mar são ótimos, mas já encontraram partes de esqueletos de sauropódes no interior do Maranhão, assim como fósseis do período Cretáceo.

Encontrar um esqueleto do Jurássico seria a maior descoberta da sua vida. Mas, é claro, se você não procurar não vai achar.

COMO CONSTRUIR UMA CASA NA ÁRVORE

Vamos ser francos. Construir uma casa decente numa árvore é bem difícil. São necessárias umas 60 horas-homem do início ao fim da obra, com um custo alto em madeira e outros materiais. Em outras palavras, é serviço para pais. Você poderia gastar o dinheiro com alguns jogos novos de videogame, mas a casa na árvore não vai sair de moda — e, francamente, é bem mais saudável. Sabemos muito bem como é gostoso pregar pedaços de madeira numa árvore, mas, para conseguir uma casa que tenha boa aparência, que seja forte e segura e dure mais do que alguns meses, é preciso um pouco mais do que isso.

Junto com uma canoa ou um barquinho a vela, a casa na árvore é uma das melhores coisas que se pode ter. Vale a pena o esforço, o suor, o custo e até mesmo o sangue, se quem constrói for descuidado com as ferramentas. É uma coisa linda. Devia até ter uma caveira com ossos cruzados, também.

VOCÊ VAI PRECISAR DE

- Trinta parafusos para madeira (autoatarraxantes) de 15 cm, de cabeça hexagonal, com arruelas boas e fortes.
- Oito parafusos autoatarraxantes de 20 cm, de cabeça hexagonal, com arruelas.
- Trinta e dois parafusos autoatarraxantes de 10 cm, de cabeça hexagonal e com arruelas.
- Vigas de 7,5 × 10 cm; pelo menos 5 m, mas é melhor arranjar 6.
- 20 metros de tábuas de pinho com 5 × 15 cm.
- Vigas com 5 × 10 cm para sustentar o telhado e as paredes: 10 m + 46 m = 56 m.
- Assoalho de pinho para cobrir a área da plataforma: 4,5 m^2.
- Assoalho de pinho para a escada: 2,5 m^2.
- Serra de fita elétrica, furadeira elétrica, serrote (de preferência, uma serra elétrica de mesa).
- Nível.
- Brocas grandes de 14, 16 e 18 mm.
- Escada de armar e escada comprida.
- Corda de segurança.
- Um saco de pregos e um martelo.
- Lambri ou forro suficiente para cobrir quatro meias-paredes, com área total de 7,8 m^2. Acrescente aproximadamente 4,5 m^2 para o telhado.
- Chaves de boca para apertar os parafusos de cabeça hexagonal.
- Formão para abrir as cavidades das dobradiças da porta alçapão. Duas dobradiças.
- Quatro pitões grandes que possam ser aparafusados no tronco da árvore.
- Saco de pano para o contrapeso do alçapão.

Para construir a plataforma, precisa-se de tábuas de pinho de 5 × 15 cm, encontradas em qualquer loja de madeira. A nossa base tinha 2,1 m × 2,1 m e, assim, usamos oito pedaços de 2,1 m e um a mais para as guardas. No total: 19,5 m com 5 × 15 cm.

A maioria dos pais vai ter o cuidado de construir a casa do jeito mais seguro possível. Ninguém vai querer que uma coisa tão pesada caia com as crianças dentro. Sempre que possível, preferimos exagerar no material, trabalhando com base no princípio de que "se houver uma guerra nuclear, esta casa na árvore vai continuar de pé".

Escolha a sua árvore e verifique se a casa dará para o quintal do vizinho. Pois, se ele não gostar, pode pedir que você a derrube. Escolha a que altura a base da casa ficará do chão. Isso vai depender, entre outras coisas, da idade da criança; fizemos a nossa dois metros e meio do chão. É claro que casas mais altas impressionam mais, porém, por outro lado, são mais difíceis de fazer. Se o chão for macio, use uma tábua para impedir que os pés da escada afundem.

A PLATAFORMA

É preciso abrir um furo para os parafusos autoatarraxantes; para isso, é preciso ter uma furadeira com a broca adequada e um fio de extensão com comprimento suficiente para chegar à árvore. Acabamos usando três extensões, uma ligada na outra, com uma tomada dupla na ponta. Para um serviço anterior, tínhamos prendido uma serra elétrica numa mesa velha, o que foi muito útil para cortar madeira quando necessário.

Construa a plataforma de acordo com os diagramas abaixo. Use a corda de segurança para sustentar as tábuas até que estejam bem presas em seu lugar; passe a corda por um galho mais alto e amarre-as quando estiverem na posição certa. Não experimente a plataforma nem ande sobre ela antes de estar presa nos quatro cantos. Para a plataforma cair seria preciso arrancar vários parafusos de aço; mas a força giratória de alguém de pé num canto é imensa e pode ser desastrosa. Em termos técnicos, a sustentação da plataforma é a parte mais difícil do serviço.

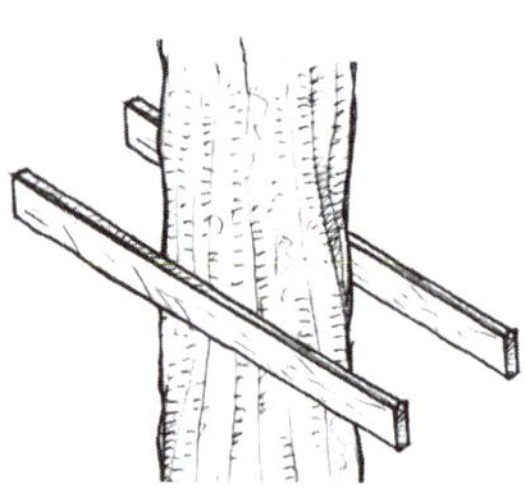

1. TÁBUAS DE 5 X 15 CM. 2,10 M DE COMPRIMENTO. PRESAS POR TRÊS PARAFUSOS DE 15 CM. DESENHO FORA DE ESCALA.

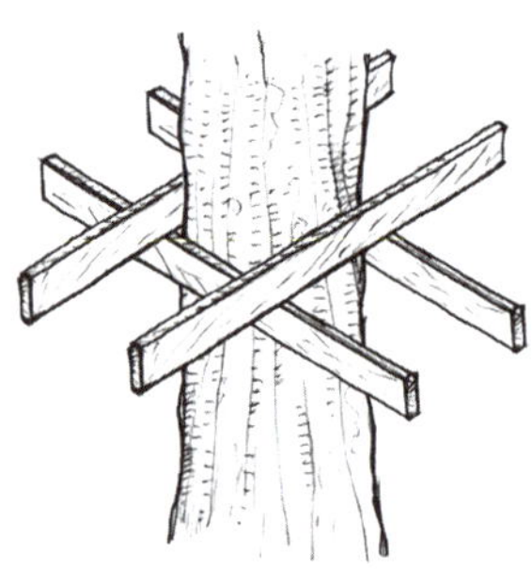

2. CRUZAR AS TÁBUAS DE 5 X 15 CM A 90 GRAUS

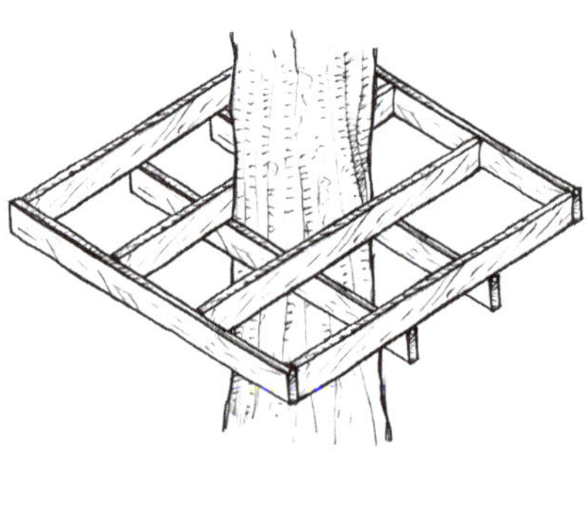

3. QUADRADO DE 2,10 M CONSTRUÍDO EM VOLTA DO PAR SUPERIOR DE TÁBUAS. DOIS PARAFUSOS DE 15 CM EM CADA CANTO.

Os esteios feitos com as vigas de 7,5 × 10 cm são muito fortes, provavelmente fortes demais para o serviço. Como o tronco é irregular, provavelmente precisarão ter comprimentos diferentes. Primeiro corte-os mais ou menos do tamanho e seja generoso. A parte mais difícil é cortar a junta onde a parte de cima do esteio se junta à plataforma.

A força vem do fato de que a plataforma descansa sobre uma superfície plana nos quatro cantos. A junta usada lembra a boca aberta de um pássaro. Corte-a à mão, fazendo a marcação com o máximo de cuidado. A primeira tarefa é retirar um triângulo retângulo com dois cortes de serrote.

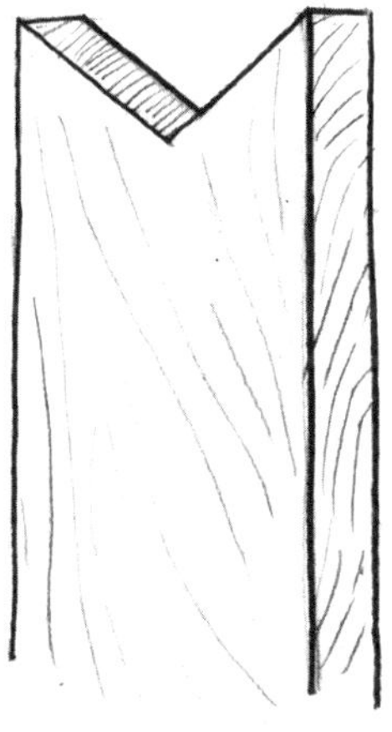

10 CM

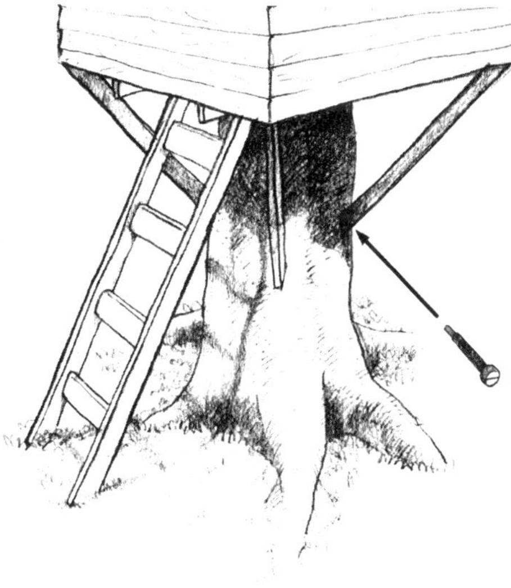

PARAFUSOS DE 20 CM

Marque um ponto a 10 cm da ponta, de ambos os lados, e depois faça uma linha até ele vindo da ponta oposta. Repita o procedimento para que tenha duas linhas diagonais. Onde elas se encontrarem, será o ponto central. Meça tudo duas vezes. Corte da borda para dentro.

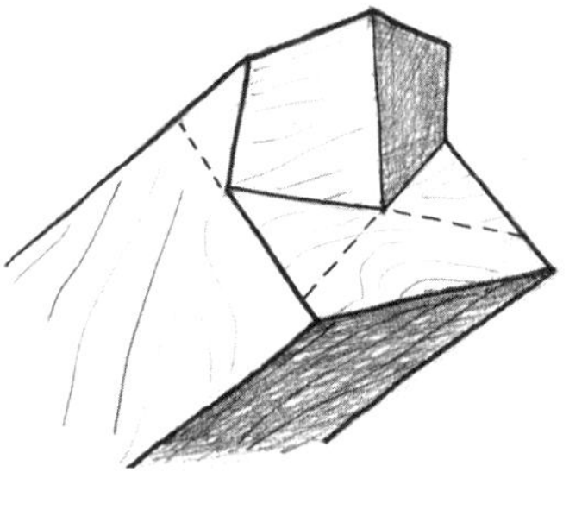

O segundo corte, o mais difícil em termos espaciais, desce reto de um dos lados cortados na direção do outro. Mais uma vez, meça com muito cuidado e corte. Vale a pena treinar primeiro num pedaço de madeira qualquer. No final, você terá quatro pontas que se encaixam direitinho por dentro do canto da plataforma principal e também a sustentam.

Os parafusos de 20 cm podem parecer grandes demais para prender os quatro esteios ao tronco, mas lembre-se que tudo vai se apoiar sobre eles. Fure toda a extensão dos 10 cm do esteio, de modo que mais 10 cm de aço entrem na árvore. Não se preocupe, você não vai matá-la. As árvores são muito resistentes e a poda de um jardineiro causa-lhes mais mal do que isso.

Quando os quatro esteios estiverem no seu lugar, a plataforma não poderá se inclinar sem quebrar um deles. Isso é praticamente impossível. Testamos a resistência colocando seis adultos na casa pronta, com um peso total em conjunto de mais de 380 kg.

Usamos restos das tábuas de 5 × 15 cm para fazer reforços nos espaços que sobraram na plataforma. Mais do que o nosso exagero de sempre, isso serve para apoiar o assoalho. Deixe uma abertura livre para o alçapão. Usamos assoalho de pinho padronizado, que pode ser encontrado em lojas de madeira. Tem a vantagem de ser tratado contra umidade, como todas as madeiras que usamos. Madeira tratada é um pouco mais cara, mas faz diferença na duração da casa — se vão ser dez ou vinte anos. Aparafusamos o assoalho diretamente nos suportes e vigas da plataforma, usando a serra de fita para cortar os pedaços de modo a contornar o tronco. Deixe uma folga para permitir o movimento da árvore e para ter onde jogar a poeira e as folhas secas quando varrer.

AS PAREDES

É mais fácil montar os retângulos no chão e depois içá-los até o seu lugar. O problema é que são muito pesados, portanto, use cordas e pelo menos duas pessoas. Não tente levantar as paredes se não estiverem presas numa corda forte.

Para cada parede, usamos vigas de 10 × 5 cm, com parafusos de dez centímetros para uni-las. Planejamos cobrir a parte inferior de cada parede com lambri, a não ser num dos lados, que ficou aberto, tendo só tela de arame para impedir que as crianças caiam. Foi importantíssimo ter uma furadeira/parafusadeira com força suficiente para enfiar os parafusos diretamente na madeira sem abrir furos antes. Se tivéssemos de abrir cada furo primeiro, provavelmente ainda estaríamos lá trabalhando.

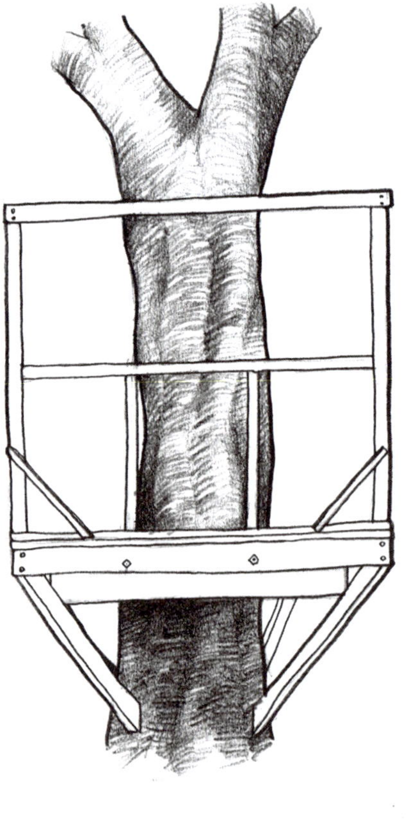

O formato conseguido foi um retângulo simples com uma divisória e uns suportes verticais. Na hora de decidir a altura, lembre-se que a casa na árvore é para crianças. Fizemos com 1,70 m, o que certamente foi bem generoso.

Cada parede foi colocada em cima do assoalho e aparafusada de cima para baixo. Observe que tudo vai parecer meio bambo neste estágio. As quatro paredes vão apoiar-se umas nas outras e, quando você colocar a última delas, o conjunto ficará extremamente sólido. O telhado também vai aumentar a estabilidade.

Observe ainda que duas paredes são mais baixas que as outras duas, portanto, planeje e meça com o máximo cuidado, senão vai passar por maus pedaços. Talvez a cabeça dos parafusos também atrapalhe. Embora isso leve tempo, seria bom fazer um orifício embutido para elas, com uma broca para madeira de 3/4 de polegada (16 ou 18 mm). Além dos parafusos autoatarraxantes de 10 cm, usamos quatro parafusos de 15 cm, com porcas, para juntar as laterais.

O TELHADO

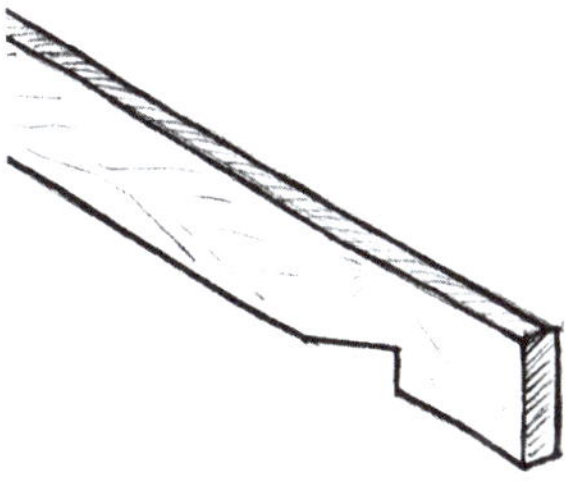

Depois que as quatro paredes estiverem bem firmes no seu lugar, é hora de pensar no telhado. Usamos oito vigas de 5 × 10 cm. O comprimento vai depender dos ângulos envolvidos, mas calcule pelo menos 1,20 m para cada uma.

Corte um pouco maior que o tamanho desejado e, depois, corte fora um triângulo perto da ponta, de modo que se encaixem direitinho sobre o canto superior das paredes. Em teoria, seria exatamente o contrário dos esteios de baixo, mas achamos que não valia a pena cortar mais juntas "boca de andorinha".

Meça e corte aqui com o máximo cuidado, já que uma das pontas vai ficar em contato com um tronco irregular. Use 8 parafusos autoatarraxantes de 15 cm para prendê-las à árvore. O telhado só sustenta o seu próprio peso.

Depois de colocar as quatro traves diagonais nos cantos, ponha mais quatro entre elas, uma de cada lado. Use o nível para garantir que estão todas na mesma altura, senão o telhado ficará torto.

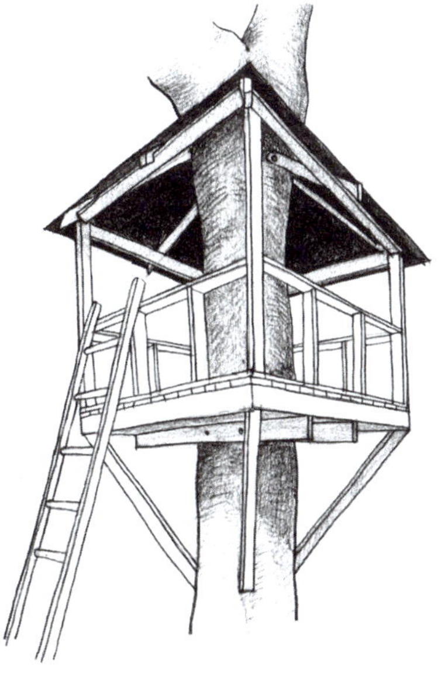

É claro que há várias maneiras de recobrir um telhado. Usamos folha plástica para telhados, presa com pregos às quatro vigas. Sobre ela, pregamos tiras sobrepostas de lambri de madeira. Ficou bem natural, mas cada pedaço teve de ser cortado do tamanho certo e depois levado até o alto da árvore. Também pregamos ripas fininhas nas diagonais para dar um efeito estético.

Com certeza, o telhado foi a parte mais demorada de toda a obra, e, naquela altura, uma boa corda de segurança foi absolutamente essencial. De fato, para chegar ao ponto mais alto do telhado tivemos de ficar em pé no parapeito das janelas, dar um laço na corda e sentar no laço enquanto nos inclinávamos. No mínimo dos mínimos, isso é coisa bastante perigosa e só para adultos.

Finalmente, usamos o mesmo lambri para cobrir a parte de baixo das paredes e depois fizemos uma escada com tábuas que sobraram do assoalho. Prendemos o alto da escada com parafusos e porcas meio frouxos, para poder puxá-la para cima depois. É provável que isso nunca aconteça; ela é pesada demais.

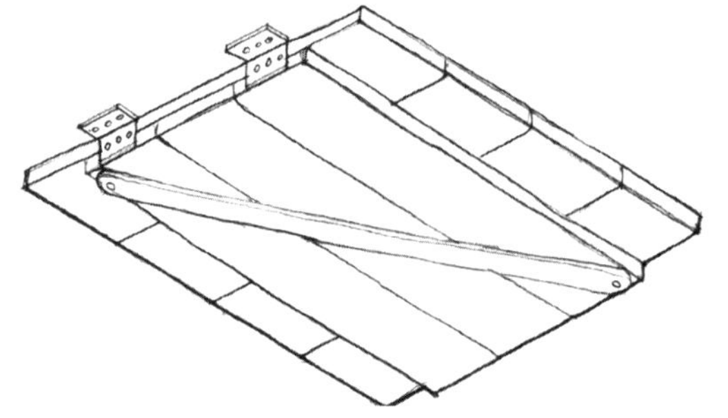

Fizemos o alçapão com restos de assoalho e algumas tábuas de pinho e aparafusamos tudo. Para fechar o alçapão depois de sair, um pedaço de corda, passando por um pitão, é perfeito.

Para impedir que a porta do alçapão caia em cima de alguns dedinhos, usar um contrapeso é uma boa ideia. Para isso, arranje um saco de pano, do tipo que se usa para guardar sapatos. Passe uma corda pela porta do alçapão, com um nó embaixo. A outra ponta deve passar por um pitão preso mais acima no tronco e por mais um terceiro na parede. Encha o saco de pedras e amarre-o na outra ponta da corda; deixe-o pendurado onde as crianças possam alcançá-lo. Para abrir o alçapão por baixo, basta puxar o saco. Para fechá-lo, é só puxar a corda com nós pendurada na porta do alçapão. É claro que vai ser preciso ajustar o peso do saco à força da criança e que, depois que alguém subir, vai ser necessário fechar o alçapão com o pé. Mas assim é bem mais seguro.

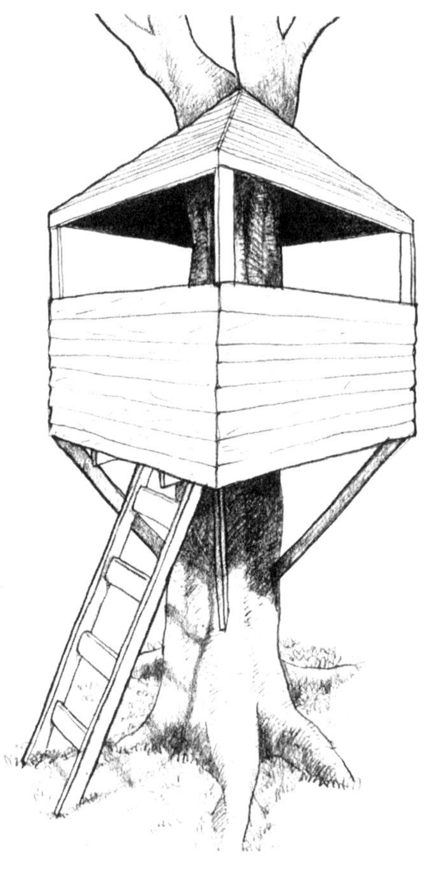

O importante, quando tudo estiver pronto, é só esperar uma linda noite de verão, pegar algumas almofadas, cobertores e uma lanterna e passar a noite lá em cima, sob as estrelas. Leve um lanche, todo esse ar fresco vai dar fome.

AS REGRAS DO FUTEBOL

É ótimo que as principais regras do jogo mais popular do planeta sejam apenas 17. Baseiam-se nos regulamentos determinados na Inglaterra, ainda em 1863, e ratificados formalmente pelo IFAB (International Football Association Board), em 1886.

1. O campo. Comprimento: Entre 90 m e 120 m. Largura: Entre 45 m e 90 m. As duas linhas mais compridas são as laterais, as duas mais curtas são as linhas de fundo. O campo é dividido pela linha do meio de campo, com um ponto central de onde se dá o "pontapé inicial" para começar o jogo. Em cada linha de fundo, há um retângulo de 5,5 m conhecido como pequena área. Por fora, há um retângulo de 16,5 m conhecido como grande área. A marca do pênalti fica pintada 11 m na frente das traves do gol. As traves têm 7,32 m de distância entre elas e o travessão fica a 2,44 m de altura.

2. A bola. Circunferência: entre 68 e 70 cm. Peso: entre 410 e 450 g.

3. Os times. Cada time só pode ter em campo onze jogadores no máximo, contando o goleiro. Dependendo da competição, podem ser feitas de três a sete substituições. Além disso, qualquer jogador pode trocar de lugar com o goleiro, desde que o juiz seja avisado e a mudança aconteça quando o jogo estiver parado.

4. Uniforme. Os jogadores usam camisetas, calções, caneleiras debaixo das meias três-quartos e chuteiras. Os goleiros usam uniformes de cor diferente.

5. O árbitro. Todas as decisões do árbitro são definitivas. Entre os seus poderes, está o de fazer advertências verbais, advertência mais grave, com um cartão amarelo, e a mais grave de todas, com o cartão vermelho, que resulta em expulsão imediata do jogador. Um segundo cartão amarelo no mesmo jogo equivale a um cartão vermelho. O árbitro também marca o tempo do jogo e controla todos os reinícios cada vez que o jogo para.

6. Árbitros auxiliares (bandeirinhas). Indicam, com uma bandeirola levantada, que a bola cruzou as linhas e saiu do jogo e informam ao árbitro que lado vai cobrar o escanteio, o tiro de meta ou o arremesso lateral. Também levantam a bandeira para indicar que um jogador deve ser punido por estar em posição de impedimento.

7. Duração. Dois tempos de 45 minutos com um intervalo que não pode ultrapassar 15 minutos.

8. Início. O time que ganhar no cara ou coroa dá o pontapé inicial e começa o jogo. A bola volta ao ponto central depois de um gol marcado e no início do segundo tempo. Todos os jogadores adversários devem ficar no seu próprio campo, a pelo menos 9,15 m da bola.

9. Jogo parado. A bola fica fora de jogo quando passa pelas linhas laterais ou pela linha de fundo ou quando o jogo é interrompido pelo árbitro. Durante todo o resto do tempo, deve estar em jogo.

10. Gol. A bola inteira tem de cruzar a linha do gol. Se um jogador do time que está na defesa chutou a bola por acidente, é um "gol contra", que também é válido. Quem marcar mais gols ganha.

11. Impedimento. A regra do impedimento visa a impedir que os jogadores fiquem em volta da meta do adversário esperando que a bola chutada de longe chegue até eles. O jogador está em impedimento caso a bola lhe seja passada quando estiver mais perto do gol do que a bola e do que o penúltimo defensor. Observe que os jogadores podem até sentar-se na linha do gol se quiserem, mas a bola não pode chegar a eles sem que o árbitro declare impedimento. A "linha de impedimento" acontece quando a defesa deliberadamente avança em campo para deixar um jogador atacante numa posição em que não possa receber a bola sem ficar impedido. Se a bola chegar ao jogador por meio do arremesso lateral, do tiro de meta ou da cobrança de escanteio não há impedimento.

12. Faltas. Tiros livres diretos e indiretos podem ser concedidos a um dos times se o árbitro achar que foi cometida uma falta pelo outro. O chute é dado do ponto onde aconteceu a falta e, se for perto do gol adversário, o jogo pode virar com facilidade. As faltas variam desde tocar a bola com as mãos até chutar o adversário. Além disso, o jogador pode ser advertido ou expulso, dependendo da falta cometida.

13. Tiros livres. Os tiros livres diretos podem ser um chute a gol, se o ponto for suficientemente perto, e, assim, são concedidos devido a faltas mais graves. A bola tem de estar parada ao ser chutada. Os jogadores adversários não podem ficar a menos de 9,15 m da bola. Isso levou à prática de colocar uma barreira de jogadores exatamente nesta distância para atrapalhar a visão de quem cobra a falta.

Os tiros livres indiretos não podem ser dados diretamente a gol, antes a bola tem de ser passada a outro jogador.

14. Pênaltis. São cobrados devido às mesmas faltas que os tiros livres diretos, se a falta acontecer dentro da área do time adversário. Isso é para impedir as chamadas "faltas propositais", em que o atacante é derrubado de propósito para que não possa fazer o gol.

O goleiro tem de ficar na linha do gol, entre as traves, até que a bola seja chutada. Os outros jogadores têm de ficar fora da grande área, pelo menos a 9,15 m da marca do pênalti; é por isso que existe a meia-lua.

O pênalti tem de ser um único chute a gol. A bola pode atingir as traves, o travessão ou o goleiro. No jogo normal, a bola da cobrança de pênalti que bater no goleiro volta ao jogo e pode ser chutada outra vez. Quando se decide um jogo nos pênaltis, isso não se aplica e só há uma chance de marcar o gol para cada bola chutada.

15. Arremesso lateral. O jogador deve estar de frente para o campo e ficar com ambos os pés no chão, em cima da linha lateral ou atrás dela. No arremesso, é preciso usar ambas as mãos e a bola tem de partir de trás da cabeça. O cobrador tem que passar a bola a outro jogador antes de tocá-la de novo.

16. Tiros de meta. Acontecem quando o time adversário chuta a bola por cima da linha de fundo, como, por exemplo, quando perde um gol. O tiro de meta é dado de qualquer lugar dentro da pequena área e a bola precisa sair da grande área antes que outro jogador a toque.

17. Escanteios. Acontecem quando um jogador do time que está na defesa joga a bola por cima da sua própria linha de fundo. O goleiro pode fazê-lo ao defender o gol, por exemplo, ou um defensor pode jogar a bola de propósito para impedir que um chute atinja o gol. Muitos gols são marcados de escanteio e há sempre muita tensão quando se cobra um deles.

Os defensores têm de ficar a 9,15 m ou mais da bola até que seja chutada. Na prática, amontoam-se na boca do gol. Eles se esforçam muito para impedir que os atacantes encontrem espaço livre. Os atacantes se esforçam para livrar-se dos marcadores, alcançar a bola quando vier e cabeceá-la ou chutá-la a gol. O goleiro é muito pressionado nos escanteios. A visibilidade é pouca devido à quantidade de jogadores reunidos e a bola pode vir de qualquer lado, com pouquíssimo tempo para o goleiro reagir.

CURIOSIDADES

O goleiro é o único jogador que pode pegar a bola com as mãos. Os demais só podem fazê-lo fora o arremesso lateral e, fora as mãos e os antebraços, qualquer outra parte do corpo pode ser usada para ajudar a controlar a bola.

Se o jogo não puder empatar (numa Copa do Mundo, por exemplo), é possível haver prorrogações, mais dois tempos de 15 minutos. Se o jogo ainda estiver empatado no final da prorrogação, haverá cobranças de pênaltis para decidir quem é o vencedor. Cinco jogadores escolhidos de cada equipe se alternam chutando a gol. Se ainda assim o jogo ficar empatado, passa-se à chamada morte súbita: os pênaltis são cobrados um após o outro até que haja um vencedor.

Uma vantagem que o futebol tem é que para praticá-lo basta ter uma bola. Há muitas habilidades com a bola que só se aprendem com a prática. É lindo ler que se pode dar efeito na bola para que ela desvie da direita para a esquerda no ar, chutando a metade inferior do lado direito da bola com a parte interna do pé, ou da esquerda para a direita, usando o lado de fora do pé na metade inferior do lado esquerdo da bola. Mas, para isso funcionar de fato, é preciso passar muitas e muitas horas treinando. Isso acontece em todos os esportes; na verdade, acontece com todo tipo de atividade. Quem quiser ser bom em alguma coisa, deve fazê-la regularmente. Um ditado antiquíssimo, "o hábito faz o monge", é tão verdadeiro hoje quanto há centenas de anos. O talento natural é ótimo, mas tem limites contra alguém que treinou todos os dias da vida algo que adora fazer.

Charles Miller foi o precursor do futebol no país. Brasileiro, filho de um britânico, foi estudar na Europa no final do século XIX, onde conheceu o esporte. Ao retornar ao Brasil, em 1894, trouxe duas bolas na bagagem. A primeira partida oficial em solo brasileiro aconteceu em 1895, entre o São Paulo Railway e a Companhia de Gás, com a vitória do São Paulo, capitaneado pelo próprio Charles Miller, por 4 a 2.

O Brasil é o único país a ter participado das 21 Copas do Mundo disputadas até o lançamento deste livro, tendo conquistado o maior número de títulos na competição: cinco. Logo atrás vem a Itália e a Alemanha, que venceram quatro Copas. Argentina, Uruguai e França venceram duas vezes, e Inglaterra e Espanha têm um título.

O sucesso do futebol no Brasil fez com que outros esportes com características parecidas fossem criados. São eles: o futsal, esporte regulamentado no país nos anos 1950, mas praticado desde a década de 1930; o futebol de areia, que teve, em 2005, seu primeiro mundial chancelado pela Fifa, mesma entidade que organiza a Copa do Mundo; e o futevôlei, que tem regras semelhantes ao vôlei de praia mas é disputado com os pés, o qual nasceu nas areias de Copacabana, em 1965.

Apenas dois jogadores no mundo já atingiram a marca dos 1.000 gols, ambos brasileiros: o craque Pelé, que de pênalti fez seu milésimo gol no dia 19 de novembro de 1969, na vitória do Santos sobre o Vasco, no Maracanã; e, no dia 20 de maio de 2007, Romário, que marcou seu gol mil, também de pênalti, com a camisa do Vasco na vitória sobre o Sport, em São Januário.

Desde 1991, a Fifa, órgão máximo do futebol, escolhe o melhor jogador de cada ano. Cinco brasileiros já ganharam o prêmio. O primeiro deles foi Romário, em 1994. Ronaldo conquistou-o três vezes (1997, 1998, 2002), Ronaldinho Gaúcho, duas (2004, 2005), enquanto Rivaldo foi o escolhido em 1999. Kaká ganhou em 2007.

DINOSSAUROS

A palavra "dinossauro" significa "lagarto terrível" e foi cunhada por Richard Owen, cientista britânico, em 1842. Esses répteis habitaram a terra durante mais de 150 milhões de anos e depois se extinguiram misteriosamente. Variavam de ferozes matadores a herbívoros tranquilos.

Os dinossauros maiores também foram os maiores animais terrestres que já existiram. Em 1907, os ossos imensos de um Braquiossauro foram encontrados na África oriental. Quando vivo, o animal tinha 23 metros de comprimento e pesava entre 50 e 90 toneladas. As ilhargas ficavam 6,4 metros acima do chão. Esses gigantes rivalizavam com as maiores baleias dos oceanos de hoje em dia. Como termo de comparação, os elefantes, maiores animais terrestres vivos atualmente, pesam apenas 5 toneladas!

BRAQUIOSSAURO: "O LAGARTO COM BRAÇOS"

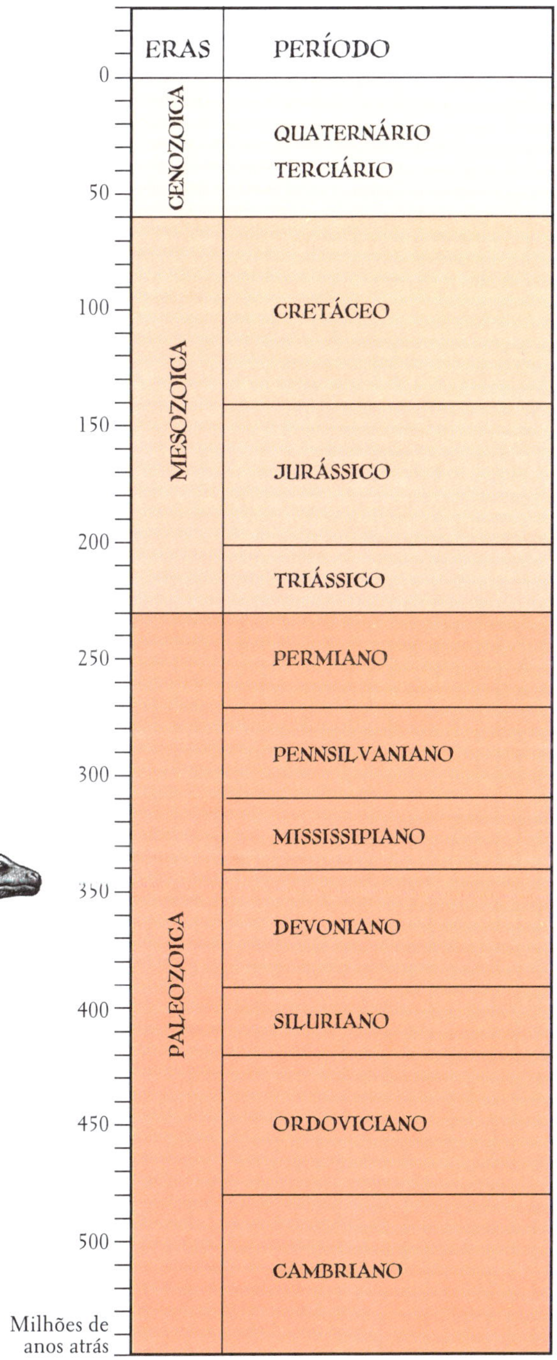

A ÉPOCA DOS DINOSSAUROS

A época dos dinossauros é conhecida como Era Mesozoica (248 a 65 milhões de anos atrás). Divide-se em três períodos: Triássico, Jurássico e Cretáceo. No início da Era Mesozoica, todos os continentes da Terra estavam reunidos num supercontinente: Pangeia. Este era cercado por um oceano imenso chamado Pantalassa. Esses nomes parecem bem impressionantes até a gente perceber que significam "a terra toda" e "todo o mar". O geofísico alemão Alfred Wegener foi o primeiro a imaginar a teoria das placas tectônicas móveis, ou "deriva continental", em 1912. Ele examinou semelhanças entre rochas encontradas a grande distância, como aqui no Brasil e no sul da África, e percebeu que vinham de uma única massa terrestre.

No mundo Triássico surgiram os primeiros dinossauros, que eram pequenos e caminhavam sobre as patas traseiras. Este período ocorreu de 248 a 206 milhões de anos atrás. No decorrer de milhões de anos, Pangeia dividiu-se em continentes que se afastaram. Depois da separação, grupos diferentes de dinossauros evoluíram em cada continente durante o período Jurássico, de 206 a 144 milhões de anos atrás. Foi essa a época dos gigantes. Imensos dinossauros herbívoros percorriam florestas e prados que cobriam continentes inteiros.

As "placas" continentais ainda estão em movimento hoje em dia. Quando uma região tem muitos terremotos ou vulcões, quase sempre, é porque uma placa empurra outra, às vezes, lá no fundo do mar. As enormes cadeias de montanhas dos Andes e das Rochosas foram formadas assim.

O período Cretáceo foi de 144 a 65 milhões de anos atrás. Esta época incluiu herbívoros blindados como o Triceratopes, dinossauros que pastavam como o Hadrossauro e carnívoros imensos como o Tiranossauro Rex.

Os mares também estavam cheios de predadores e presas bem diferentes dos habitantes de hoje, a não ser, por incrível que pareça, pelos tubarões, que parecem, já nessa época, ter chegado ao estado de evolução perfeita e neles estão há milhões de anos. Os crocodilos são outro exemplo de dinossauro que sobreviveu até os dias de hoje. Os crocodilos modernos são menores que os seus primos pré-históricos, mas em essência são os mesmos animais. Os crocodilos do período Cretáceo podiam ter até 15 m de comprimento!

TIRANOSSAURO: PREDADOR FEROZ DE 15 M. OBSERVE QUE NÃO TEMOS A MÍNIMA IDEIA DA COR DA SUA PELE

O MUNDO DOS DINOSSAUROS

O mundo era quente e tropical e dinossauros de vários tamanhos e formatos percorreram a Terra pré-histórica. Uma das coisas mais interessantes no estudo dos dinossauros é ver como a evolução seguiu caminhos diferentes antes que a experiência fracassasse 65 milhões de anos atrás. Os carnívoros transformaram-se em máquinas de matar eficazes e as suas presas ficaram mais rápidas ou mais blindadas com o passar das eras; foi, de fato, a primeira corrida armamentista. Herbívoros imensos conseguiam mastigar as folhas de cima de árvores tão altas quanto prédios de cinco andares. O maior deles era tão imenso que ninguém ousaria atacar um adulto saudável, ainda mais quando andavam em manadas. Os herbívoros deviam comer todo dia quantidades enormes de folhas para encher o seu corpo descomunal — talvez com pedras junto, para ajudar a moer a comida no estômago.

Além dos gigantes, a era dos dinossauros tinha um número menor de predadores e presas. O Compsognato era mais ou menos do tamanho de um gato doméstico. Sabemos que comia lagartos menores porque um deles foi achado inteiro no estômago de um Compsognato.

Provavelmente, o grupo de dinossauros mais velozes eram os bípedes ornitomimídeos — os "imitadores de avestruzes". É sempre difícil adivinhar a velocidade só com base no registro fóssil, mas, com pernas mais compridas que o Compsognato, deviam ser tão velozes quanto um cavalo a galope hoje em dia. Foram encontrados em lugares tão distantes entre si como a América do Norte e a Mongólia.

COMPSOGNATO — SIGNIFICA "QUEIXO BONITO"

ORNITOMIMÍDEO

CARNÍVOROS E VEGETARIANOS

Durante o período Cretáceo, carnívoros gigantescos como o Tiranossauro, o Daspletossauro e o Tarbossauro dominavam a Terra. O Tiranossauro Rex tinha mais de sessenta dentes compridos como facas, muito bem afiados. Embora fosse um caçador feroz, o seu enorme tamanho devia impedir que se movesse depressa. É possível que se lançasse de cabeça sobre a presa para deixá-la tonta e depois usasse os braços curtos para agarrá-la enquanto a comia viva, embora seja difícil avaliar comportamentos somente pelo registro fóssil. Boa parte do estudo dos dinossauros se baseia em suposições e adivinhações e, enquanto as viagens no tempo não virarem realidade, é assim que vai ser!

O Velociráptor ficou famoso com o filme *Jurassic Park*: era uma versão menor do Tiranossauro, que caçava em bandos. Devia usar o trabalho em equipe para isolar e atacar as vítimas. Com certeza os velociráptores estavam bem equipados para matar, com garras e dentes afiados e corpo ágil.

Pelo que conhecemos da evolução e do mundo moderno, os caçadores carnívoros costumam ser mais inteligentes do que os herbívoros. No mundo moderno, por exemplo, as vacas precisam de pouquíssima inteligência para sobreviver, enquanto os lobos e leopardos precisam ter comportamento muito mais complexo. Aplicamos os padrões que conhecemos para preencher as lacunas do registro fóssil, mas a inteligência é um daqueles fatores quase impossíveis de adivinhar. Se fosse simplesmente uma questão de tamanho do cérebro, os elefantes dominariam a Terra e as baleias dominariam o mar.

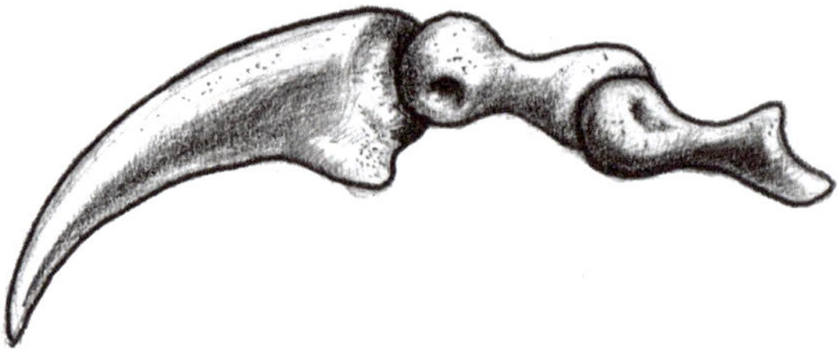

GARRA E OSSOS DE ARTELHO DE VELOCIRÁPTOR

BLINDAGEM

Um aspecto da época dos dinossauros que praticamente desapareceu hoje em dia é o uso de blindagem para a defesa. Sobrevive nas tartarugas, jabutis e besouros mas, fora isso, sumiu como reação adequada aos predadores. No final da Era Mesozoica, a "corrida armamentista" entre predador e presa produziu alguns exemplos extraordinários de herbívoros blindados. O Estegossauro, que significa "lagarto coberto" ou "com telhado", é um dos exemplos mais conhecidos e evoluiu na segunda metade do período Jurássico, há uns 170 milhões de anos.

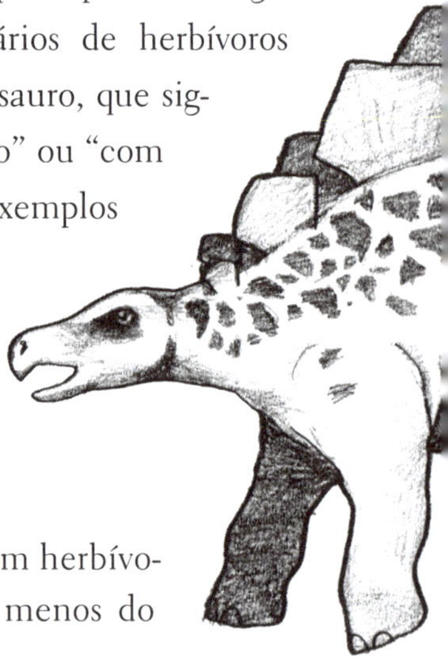

O Estegossauro era um herbívoro imenso, mais ou menos do

tamanho de um caminhão moderno com carreta de quatro eixos. As placas das costas deviam tornar dificílimo, para o predador, danificar a sua coluna vertebral. Além disso, na ponta do rabo, possuía espinhos terríveis para açoitar os inimigos. Alguns dinossauros, como o Anquilossauro, tinham até as pálpebras blindadas.

Tricerátops significa "cara com três chifres" e quem o batizou foi Othniel C. Marsh, caçador de fósseis norte-americano. Parecia blindado para ataque e defesa. Pesava até 10 toneladas e a proteção do pescoço era uma placa sólida de osso, que servia claramente para impedir mordidas naquela região vulnerável. Era muito comum entre 65 e 70 milhões de anos atrás, no final do período Cretáceo.

Não conhecemos as camuflagens que os dinossauros usavam. A pele não sobrevive como os ossos e, pelo que sabemos, alguns dinossauros podiam ter penas ou até mesmo pelos. No entanto, os animais de hoje dão algumas pistas. Parentes vivos dos dinossauros, como os pássaros e crocodilos, mostram como podiam ser as cores de alguns deles. Provavelmente os grandes herbívoros, como o Iguanodonte, tinham a pele verde e escamosa e seria difícil para os predadores encontrá-los na floresta de avencas, como acontece com os lagartos de hoje em dia. Talvez alguns carnívoros também fossem verdes ou marrons, para ajudá-los a se aproximar da presa sem serem vistos. Caçadores bem-sucedidos como o Velociráptor podem ter desenvolvido pele clara, cor de areia, se caçavam em regiões desertas ou na savana castanha, como os leopardos de hoje.

ESTEGOSSAURO

Como os crocodilos modernos, os dinossauros punham ovos. Alguns deles cuidavam dos ovos até se romperem, como o Maiassauro, que significa "lagarto mãe". Os indícios disso vêm do primeiro exemplar encontrado no estado norte-americano de Montana, num ninho conservado que continha material vegetal regurgitado, indicando, assim, que os pais voltavam para alimentar os filhotes, como os pássaros de hoje. Além disso, os ossos da perna dos filhotes fossilizados não parecem bastante fortes para sustentá-los depois do nascimento, o que demonstra um período vulnerável passado dentro do ninho. Em comparação, os crocodilos de hoje saem do ovo numa versão menor dos pais, que funciona tão bem quanto eles e é capaz de nadar e caçar.

Nos céus do Mesozoico, dominavam os ancestrais répteis dos pássaros. As variedades eram muitas, embora a maioria esteja agrupada no gênero chamado de Pterodáctilo, que significa "dedos alados". De todas as espécies do planeta, o vínculo entre os pássaros e a Era Mesozoica é muito fácil de ver: pernas escamosas, ossos ocos, asas e bicos. Muitos lembravam os morcegos modernos, com os ossos dos dedos claramente visíveis nas asas. No entanto, como seria de esperar, o período Jurássico produziu algumas variantes enormes. O maior animal voador que já existiu devia pesar o mesmo que um ser humano grande. Chamava-se Quetzalcoatlo, devido ao deus-serpente emplumado da lenda mexicana. Para levantar tamanho peso, tinha uma envergadura de 12 metros, a mesma de um avião pequeno. Quase com certeza planava mais do que voava, já que os músculos necessários para bater asas desse tamanho, mesmo que por pouco tempo, seriam pesados demais para que o animal se erguesse no ar.

Não havia icebergs nos mares Mesozoicos. No sentido estrito da palavra, também não havia dinossauros, já que os dinossauros eram animais terrestres. No entanto, os oceanos pré-históricos estavam apinhados de répteis diferentes, estranhos e maravilhosos, como o Elasmossauro, gigantesco animal do mar. Só o pescoço chegava a medir 7 metros de comprimento. Hoje há quem acredite que "Nessie", o monstro do Lago Ness, que fica nas Terras Altas da Escócia, descenda do Elasmossauro ou de algum outro plessiossauro parecido.

EXTINÇÃO

Centenas de tipos diferentes de dinossauro percorriam a Terra há 75 milhões de anos, mas 10 milhões de anos depois todos estavam extintos. Só sobreviveram as aves, suas descendentes. Ainda não se sabe com certeza o que aconteceu. É bem possível que a enorme cratera do Golfo do México seja resultado do choque de um asteroide gigante com a Terra. O impacto aconteceu há 65 milhões de anos, na mesma época em que os dinossauros desapareceram. As amostras de solo da fronteira entre os períodos Cretáceo e Terciário — momento no tempo geológico conhecido como fronteira K-T — são ricas em irídio, elemento comum em meteoros e asteroides.

O asteroide teria atingido a Terra com incrível velocidade e mudado violentamente a atmosfera do planeta. Nuvens imensas de rocha e poeira devem ter coberto o sol, bloqueando a luz e, o que é mais importante, o calor. Alguns animais suportaram a mudança: escorpiões, tartarugas, pássaros e insetos são apenas alguns dos que tinham resistência bastante para sobreviver. Não há explicação definitiva para o sumiço dos dinossauros, embora o choque do asteroide tenha boa aceitação na comunidade científica, pelo menos por enquanto.

QUADRINHOS QUE TODO GAROTO DEVERIA LER

X-Men

Criada por Stan Lee e Jack Kirby em 1963, a série de histórias em quadrinhos sobre os poderosos mutantes que lutavam para defender a humanidade é até hoje uma das HQs de maior sucesso no mundo, unindo superpoderes a temas como preconceito, política e racismo. Unidos pelo professor Charles Xavier, os X-Men originais eram a Garota Marvel (ou Jean Gray, que mais tarde se tornaria a Fênix), o Fera, o Homem de Gelo, o Ciclope e o Anjo. Muitos outros se somaram à equipe mais tarde, como os famosos Wolverine e Tempestade.

Asterix

Asterix e seu companheiro inseparável Obelix são dois gauleses que, junto com sua aldeia de "irredutíveis", resistem à dominação romana. Eles conseguem tal feito bebendo uma poderosa poção preparada pelo druida Panoramix, que lhes dá força sobre-humana. A série, criada pelos franceses Albert Uderzo e René Goscinny em 1959, tem mais de 30 álbuns publicados, além de 2 filmes e 8 animações.

Disney

O principal personagem dessa grande franquia é o famoso Mickey Mouse, criado em 1928. Até 1946, o próprio Walt Disney dublava o personagem. Seu cachorro, Pluto, sua namorada, Minnie, e os amigos Pato Donald e Pateta, entre outros, participavam de suas histórias e acabaram mais tarde também tendo suas próprias revistas. Eles também foram estrelas de filmes, desenhos animados e muitos outros produtos, como os manuais Disney.

Sandman

Sonho é o governante de Sonhar, o mundo dos sonhos. Ele é um dos Perpétuos, irmão de Destino, Morte, Destruição, Desejo, Desespero e Delírio. Criada em 1988, a série Sandman é uma das mais importantes HQs adultas. A tarefa de Sonho é equilibrar as necessidades de Sonhar e as dos seres humanos e de todas as criaturas.

Calvin e Haroldo

Calvin and Hobbes foi criada por Bill Watterson em 1985, e publicada até 1995 em mais de 2 mil jornais em todo o mundo. Calvin é um menino de 6 anos, muito esperto, mas também bastante solitário, e que tem como melhor amigo o tigre Haroldo. Para todas as pessoas, Haroldo é só um bicho de pelúcia, mas, para Calvin, é um companheiro muito inteligente e sarcástico. Depois de ser criticado pelo professor de Educação Física por ser muito fraco, o menino inventou o Calvinbol, no qual a única regra é nunca repetir a mesma regra!

Homem-Aranha

Criado por Stan Lee, em 1962, o Homem--Aranha foi um herói inovador em vários aspectos, principalmente por viver, não em uma cidade fictícia como Metrópolis ou Gotham City, mas em Nova York, e também por ser muito atormentado pela culpa de não ter impedido a fuga de um assaltante que depois viria a assassinar seu tio. Antes de ser picado por uma aranha (que nas primeiras histórias havia sido exposta à radioatividade e depois passou a ser uma aranha modificada geneticamente), Peter Parker era um adolescente muito tímido e desajeitado, mas bastante inteligente – o típico *nerd*.

Turma da Mônica

Apesar do nome, o primeiro personagem da turma foi o Bidu, que surgiu nas primeiras tiras de jornal de Mauricio de Sousa. A turma da Mônica, na verdade, se refere tanto à turminha do bairro do Limoeiro quanto a todos os outros personagens já criados por Mauricio. Impossível não conhecer a Mônica, baixinha, gorducha e dentuça, o Cebolinha, que fala errado (ou "elado") e só tem cinco fios de cabelo, o sujinho Cascão e a comilona Magali. Além deles, também existem as turmas do Chico Bento, o caipira que adora goiabas, do Piteco, com aventuras da Pré-História, a turma da Tina, do Horácio, do Penadinho, do Jotalhão...

Maus

Esta *graphic novel* do americano Art Spigelman conta de maneira ficcional a história de seu pai, um judeu polonês, que lutou para sobreviver ao Holocausto. Misturando ficção à realidade brutal da história, Spigelman retrata cada grupo como um animal diferente: os judeus como ratos (*Maus* em alemão), os alemães como gatos, franceses como sapos, poloneses como porcos, americanos como cachorros etc. Esta ironia se refere às propagandas nazistas que retratavam os judeus e poloneses exatamente desta maneira. Em 1992, a *graphic novel* ganhou um "Prêmio Especial Pulitzer", pois o comitê do prêmio não conseguiu decidir se a encaixava como ficção ou biografia.

Spawn

Criado em 1992 por Todd McFarlane, Spawn era o agente da CIA Al Simmons que, após ser morto em uma armadilha feita pelo seu chefe, é enviado ao inferno por conta de sua vida de assassino. Para poder voltar a ver sua mulher, Al faz um acordo com o demônio Malebolgia. Mas parte do trato é que ele se tornasse um Spawn, um soldado do inferno, com direito a um corpo coberto por queimaduras e um uniforme simbionte com poderes do além.

Tintim

As aventuras de Tintim (*Les aventures de Tintin*, em francês) foi uma série criada em 1929 pelo desenhista belga Hergé. Tintim é um jovem jornalista que viaja o mundo com seu fiel cãozinho Milu, envolvendo-se em diversos casos de investigação e em conspirações políticas. O personagem tem mais de 20 livros e ganhou um desenho animado na década de 1990.

Liga da Justiça

A Liga da Justiça é uma série de HQs que une vários super-heróis da DC Comics. Desde a primeira formação, eles já tiveram vários membros e os mais variados quartéis-generais, desde estações lunares até cavernas e armazéns. A formação original da Liga era Super-Homem, Batman, Aquaman, Mulher Maravilha, Lanterna Verde, Flash, Ajax (ou Caçador de Marte) e Canário Negro. Mas muitos outros foram se unindo à Liga com o passar do tempo, como a Mulher Gavião, a Caçadora, o Capitão Átomo, entre outros. Por unir vários heróis do universo DC, os vilões não poderiam deixar por menos e constantemente se uniam em "anti-Ligas", como a Sociedade Secreta dos Super-Vilões e a Gangue da Injustiça.

MAD

A MAD na verdade é uma revista que reúne as mais variadas histórias e tirinhas. Criada por William Gaines e pelo editor Harvey Kurtzman, em 1952, a revista faz piada com tudo e com todos, com um humor irreverente e agressivo. Aquele garoto banguela que sempre aparece nas revistas se chama Alfred E. Neuman, e aqui no Brasil a revista era editada pelo Ota, que começou a produzir material nacional e misturá-lo com traduções e adaptações da revista estrangeira.

Peanuts

Talvez você não conheça por esse nome, mas com toda certeza já ouviu falar do cachorro mais esperto do mundo. Enquanto seu dono, Charlie Brown, suspira em vão pela linda garotinha ruiva, Snoopy ganha toneladas de cartões de dia dos namorados. No fim das contas, Charlie Brown é na verdade muito menos *cool* do que o seu cachorro. Criada em 1950 pelo cartunista Charles Schulz, Peanuts é a tirinha que mais foi publicada em todo o mundo, em mais de 2.600 jornais.

Surfista Prateado

Ele surgiu como um vilão na revista do Quarteto Fantástico, em 1966. Mas logo esse extraterrestre com poder de transmutar a matéria se tornou um grande herói, por conta de seus princípios e personalidade nobres. Chegando à Terra como arauto do perverso Galáctus, que queria devorar o planeta, o Surfista acaba defendendo os terráqueos, que se provaram um povo de fibra que luta por uma causa considerada perdida pelo herói. Sem contar que seu poder de controlar o "po-

der cósmico" é um dos mais legais já inventados no universo Marvel.

Garfield

Garfield é um gato gordo, muito sarcástico e preguiçoso. As três coisas que ele mais ama na vida são lasanha, dormir e Pooky, seu ursinho de pelúcia, não necessariamente nesta ordem. Garfield divide sua casa com Jon, um cartunista que nunca consegue arrumar uma namorada, e Odie, o cachorro mais burro do mundo, ou, segundo o gato, "uma língua com olhos e patas". É a segunda tira mais publicada no mundo, só perdendo para *Peanuts*.

Recruta Zero

Criado por Mort Walker, inicialmente o Zero era um estudante universitário, mas a tira só começou a fazer sucesso quando seu autor teve a ideia de alistar o personagem no exército, em 1951. O Recruta Zero está sempre com os olhos cobertos pelo seu capacete, e é conhecido pela sua infinita preguiça e vontade de escapar do trabalho. Sua sabedoria inclui frases como "nunca deixe para amanhã o que você pode fazer depois de amanhã" e "é incrível como o tempo voa quando se está de folga".

Mafalda

Pode-se dizer que a Mafalda é um Charlie Brown de saias – é uma garotinha muito inteligente, preocupada com a humanidade e a paz mundial. Criada pelo desenhista argentino Quino em 1962, Mafalda odeia sopa, adora os Beatles (veja nossa lista de discos!) e o desenho do Pica-pau. Mas seu passatempo favorito com certeza é observar e questionar o mundo à sua volta. Quino parou de produzir as histórias em 1973, mas todos os livros da personagem ainda são publicados no Brasil.

Batman (O cavaleiro das trevas)

Criado em 1939 pelo desenhista Bob Kane e pelo escritor Bill Finger, Batman é, na verdade, Bruce Wayne, um milionário que resolveu combater o crime após testemunhar, quando criança, a trágica morte dos pais. Diferentemente de outros super-heróis, Batman não tem nenhum poder sobre-humano, contando somente com sua inteligência, força, muito dinheiro e tecnologia. Seus principais inimigos são o Coringa, a Mulher-Gato, o Pinguim, o Charada e o Duas-Caras, entre outros.

Groo, o Errante

Groo é uma sátira ao guerreiro Conan que, com suas características ingenuidade e burrice extremas, acaba em várias situações hilárias. Este guerreiro possui um apetite voraz por queijo derretido e uma habilidade incrível com espadas, que já o fez derrotar um exército inteiro sozinho. Criado na década de 1980 por Sérgio Aragonés, um clássico colaborador da revista MAD, e pelo escritor dos desenhos de Garfield, Mark Evanier, Groo adora uma peleja, mas nem sempre sabe de que lado está lutando.

Hulk

Seu nome verdadeiro é Dr. Bruce Banner, um cientista que, ao ser atingido por raios gama, sofre uma transformação semelhante à do Dr. Jekyll, de *O médico e o monstro*. O cientista acaba tendo de conviver com seu lado mais sombrio, que emerge cada vez que ele fica com muita raiva. Ao contrário do que muita gente pensa, o tamanho gigantesco de Hulk não afeta sua velocidade. Ele é considerado o personagem mortal mais forte da Marvel, já tendo vencido o Coisa, do Quarteto Fantástico, e o Fanático, o *juggernaut* da série dos X-Men.

COMO FAZER ARCO E FLECHA

Alguma vez você já deve ter pensado em fazer arco e flecha; talvez por causa de Robin Hood ou dos índios que caçavam e pescavam utilizando arco e flecha antes da chegada dos europeus em território brasileiro. Atirar uma flecha pode ser maravilhoso — mesmo que não seja para atingir nada, só para vê-la voar e depois medir a distância. O arco deste capítulo lançou uma flecha de ponta pesada a 41 metros de distância, que caiu com a ponta virada para a frente e ainda bem firme.

Embora os índios possam ter lançado flechas a uma distância bem maior do que essa, foi um momento glorioso. O recorde mundial atual é do norte-americano Harry Drake, que, em 1971, atirou uma flecha, deitado de costas, a uma distância de 1.854 metros — quase dois quilômetros!

Não estrague esses bons momentos fazendo alguma coisa idiota com a sua flecha. O arco e flecha aqui mostrado pode ser usado para caçar ou praticar tiro ao alvo no quintal. Lembre-se sempre de que é uma arma. Nunca aponte uma arma para outras pessoas.

FLECHAS E PONTAS DE FLECHA

VOCÊ VAI PRECISAR DE

- Sílex, osso ou lata para as pontas de flecha.
- Lata de conserva.
- Tesoura grande e forte e canivete.
- Pedaços retos de 1,2 metro de madeira flexível: ipê-roxo, por exemplo, também conhecido como pau-d'arco.
- Pedaços retos de 1 metro para as flechas.
- Linha, cola.
- Chave phillips.
- Barbante.
- Penas, achadas ou compradas numa granja.
- Tira de couro para proteger os dedos.

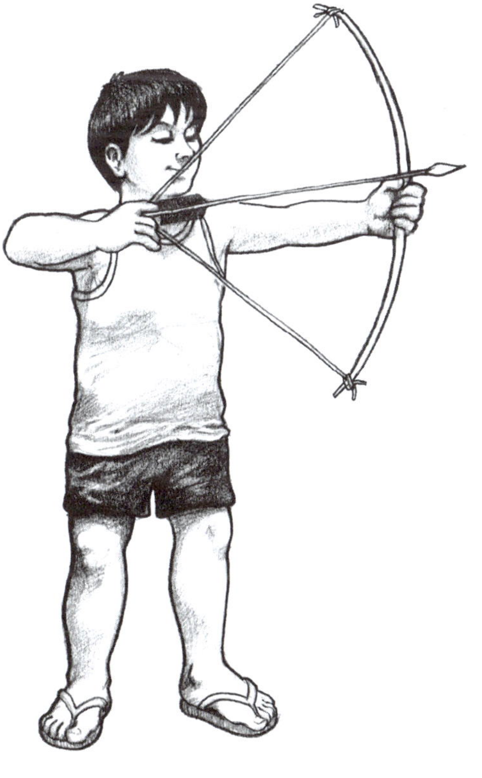

Há várias maneiras de fazer pontas de flecha. O homem da Idade da Pedra usava sílex e ainda é fascinante fazer uma ponta de flecha simples com este material. O sílex é formado por restos fossilizados de pequenos organismos. As pedras que escolhemos vieram de um campo recém-arado e lotadíssimo de pedaços maiores que um punho. É comum achá-lo junto do giz em terrenos que, milhões de anos atrás, estiveram no leito do oceano.

No Brasil é mais fácil procurar por calcedônia — o sílex é, na verdade, um tipo de calcedônia compacta. É um mineral abundante em vários estados brasileiros e apropriado para uso como ponta de flecha.

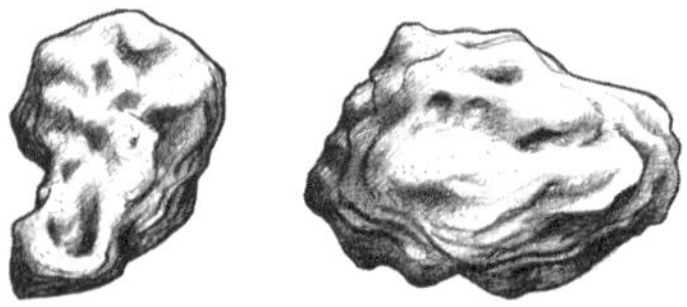

Procure um bom pedaço, como o que está à direita na figura. Um dos pouquíssimos benefícios de usar óculos é que protegem melhor os olhos dos estilhaços. Se você não usa óculos, quando bater dois pedaços de sílex tome muito cuidado ou use óculos de segurança.

Você vai ver que, com impacto suficiente, o sílex quebra feito vidro, formando bordas afiadas que na mesma hora vão lembrar pontas de flecha. Descobrimos que, com um pouco de sorte, cinco ou dez impactos desses produzem um punhado de bons estilhaços, já quase com a forma certa.

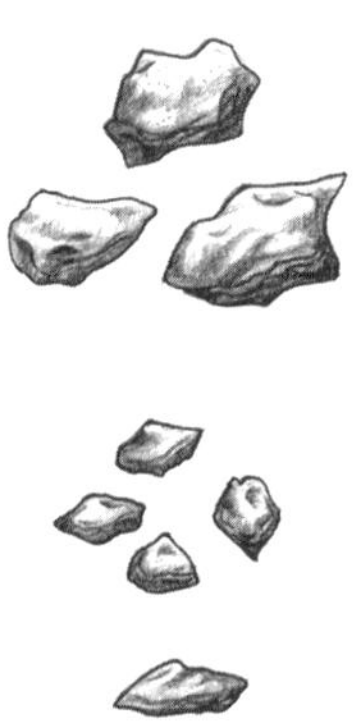

Talvez você já tenha visto fotos de pedaços de sílex da Idade da Pedra com uma série de semicírculos em volta da borda. Esses círculos são formados "lascando a pedra", que é uma coisa difícil de fazer. Muita gente faz isso por passatempo e fabricando pontas de flecha como enfeite ou para usar de verdade.

Com uma ferramenta pontuda, uma pequena chave phillips, por exemplo, é possível ir dando pancadinhas na borda afiada do pedaço de sílex até conseguir a forma desejada. Coloque o pedaço de sílex em cima de uma tábua macia, com a borda tocando a madeira, e pressione a ponta da chave philips bem em cima da borda.

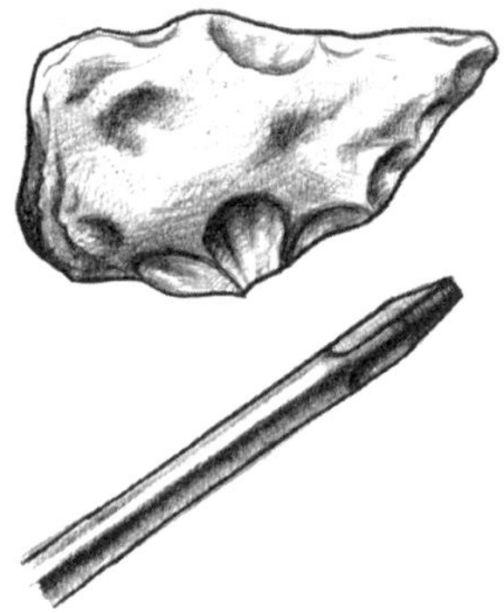

É um processo lento e cansativo, mas funciona. Com esmeril, paciência e atenção também é possível produzir pontas de flecha bem decentes, embora sem a mesma aparência clássica. Combinar as técnicas também dá certo.

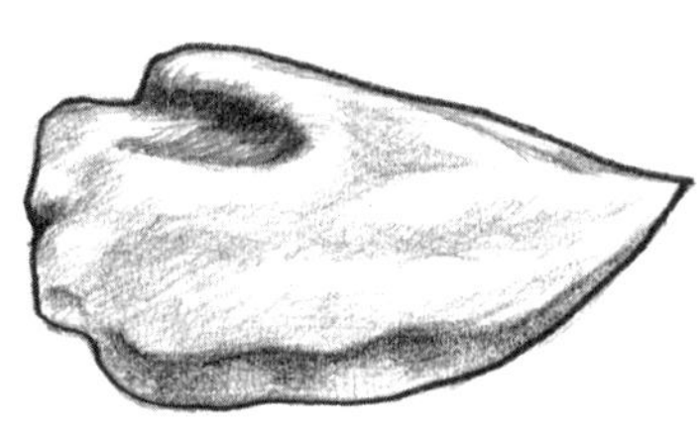

Não se esqueça de deixar um "cabo" suficiente para prender a ponta à haste da flecha; e se prepare, porque várias delas vão quebrar ao meio e se estragar antes que você consiga produzir uma que preste.

A ponta a seguir fizemos só com o esmeril. É bem pequena, com 17 mm de comprimento, mas se for muito maior o alcance da flecha vai se reduzir.

Osso também funciona bem e pode ser esculpido com facilidade usando um taco lixador. Descobrimos que, se você der um osso de carneiro a um cachorro grande, as lascas que ele vai soltar podem ser transformadas em pontas de flecha sem muito trabalho.

As pontas de flecha mais fáceis de fazer são as de lata de conserva. A base e a tampa são superfícies metálicas planas. Use um bom par de tesouras. Cuidado: você pode descobrir como é fácil se cortar e passar o resto do dia no pronto-socorro. Peça ajuda a um adulto nessa hora. Deixe um "cabo" comprido, como na figura. Vai ajudar a prender a ponta bem firme no lugar.

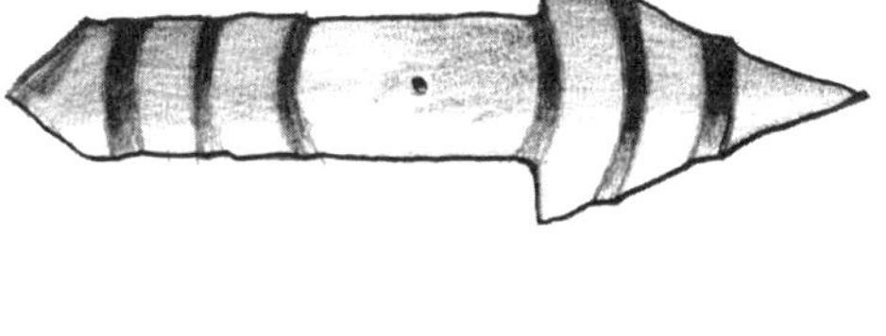

Essas pontas de lata não são muito boas para praticar tiro ao alvo, porque ficam amassadas. Talvez sejam melhores para caçar mas a gente descobriu que o movimento de puxar uma flecha assustou todas as criaturas vivas num círculo de meio quilômetro. Para praticar tiro ao alvo, o melhor é simplesmente afiar a ponta da haste de madeira com o canivete e usar um alvo macio, como um suéter velho cheio de jornal ou de palha.

Na tradição, as flechas propriamente ditas são feitas de galhos bem finos e retos, desbastados, alisados e lixados até ficarem bem lisos. No entanto, em qualquer boa loja de artefatos de madeira, você pode comprar varetas cilíndricas já perfeitamente retas e lisas. A flecha que fizemos é de olmo inglês, mas qualquer madeira que não rache com facilidade vai servir.

Há três estágios importantes na produção de uma flecha: deixá-la reta, prender a ponta e prender as penas. Colocar as penas na flecha exige talento.

Se a sua ponta for de metal, basta abrir uma fenda na extremidade da haste, enfiar ali a ponta e amarrar bem firme com linha forte para manter a ponta presa. Só é possível colocar uma ponta de sílex desse jeito se a peça for plana.

Para terminar a sua flecha você vai precisar de penas. Usamos penas de faisão porque achamos um faisão morto ao lado da estrada. Se isso não for possível, você pode ir a uma granja ou procurar penas de pombo nos parques. As mais usadas são as penas de ganso, que não são fáceis de achar. Tenha à mão um bom estoque de penas. São muito mais leves do que plástico e ainda são usadas pelos arqueiros profissionais de hoje em dia.

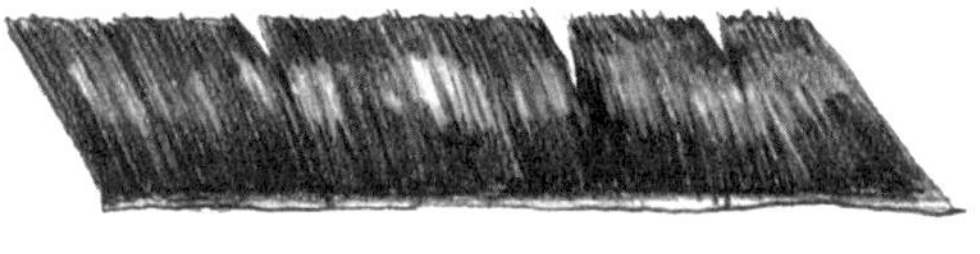

Com canivete ou mesmo tesoura, corte a pena no formato da figura, deixando um pouco do cálamo central para que ela não se desmanche. Depois de pronta, você pode apará-la; assim, por enquanto não é preciso fazer um corte muito exato.

Deixe uns 2,5 centímetros de madeira nua na extremidade da flecha para ter onde segurá-la na hora de puxar. Nós esquecemos disso até a hora de testar o arco.

Observe também que as três penas são colocadas a 120° uma da outra (3 × 120 = 360). A "pena-guia" é aquela que fica a 90° da fenda para a corda do arco, como na figura abaixo. Use o olho para encontrar o lugar certo de colá-la na haste. Na hora de atirar, a flecha descansa do lado de fora da mão que segura o arco e a pena-guia aponta para o rosto do arqueiro. Assim, as outras duas penas podem passar velozmente pelo arco sem tocá-lo.

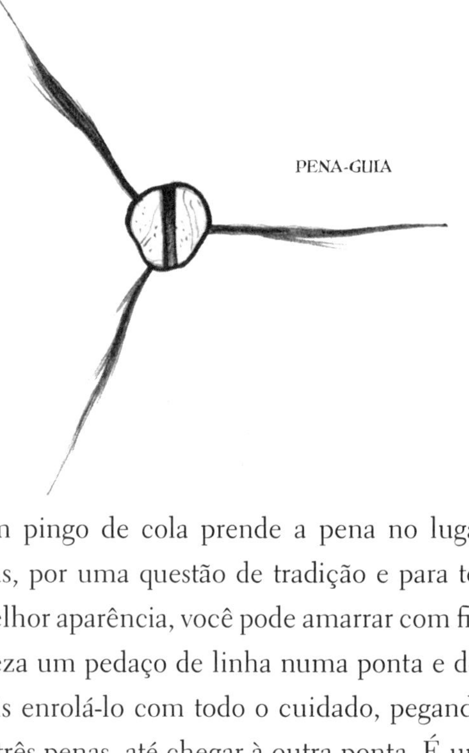

Um pingo de cola prende a pena no lugar mas, por uma questão de tradição e para ter melhor aparência, você pode amarrar com firmeza um pedaço de linha numa ponta e depois enrolá-lo com todo o cuidado, pegando as três penas, até chegar à outra ponta. É um trabalho meio complicado, mas com linha forte pode-se fazer uma flecha que vai ficar uma beleza de se olhar. Amarre com atenção as duas pontas de linha e apare-as.

É uma boa ideia fazer cinco ou seis flechas. A possibilidade de quebrar uma ou duas, ou de perdê-las, é enorme. Use um pouco de bom senso e não as atire onde possam sumir, no quintal dos outros, por exemplo.

O ARCO

Em termos ideais, a madeira do arco deveria ser reta e flexível. Deveria ser cortada ainda verde e depois deixada para secar durante um ano. No entanto, a nossa experiência infantil com arcos sempre foi cortar e fazer no mesmo dia e assim agimos outra vez. Ipê-roxo funciona bem, assim como jatobá e aroeira. Os arcos de maior potência são feitos com uma combinação de alburno e cerne de teixo, árvore usada nas sebes densas de todas as igrejas da Grã-Bretanha. Antigamente, os druidas consideravam os teixos sagrados e construíam templos perto deles, dando início à ligação que existe até hoje entre esta árvore e os lugares de veneração. As frutinhas vermelhas do teixo são venenosíssimas. E eles são muito antigos.

Uma curiosidade brasileira: a árvore de pau-brasil, que atinge até 30 metros de altura, na época do descobrimento era utilizada pelos índios brasileiros para a confecção de arcos e flechas e para a pintura de enfeites, com um corante vermelho intenso extraído de seu cerne. Quando os portugueses chegaram aqui, o pau-brasil crescia naturalmente no trecho que hoje vai do Rio Grande do Norte ao Rio de Janeiro, uma faixa de cerca de 3 mil quilômetros. Atualmente, os poucos exemplares nascidos na natureza encontram-se no Rio de Janeiro, Espírito Santo, Bahia, Alagoas, Pernambuco e Rio Grande do Norte.

Os arcos recém-cortados perdem a força em um ou dois dias. Só devem ser encordoados se você for atirar naquela mesma hora. É bom experimentar tipos diferentes de madeiras locais para descobrir qual é a mais flexível.

É preciso lembrar que o arco precisa mesmo curvar-se. É tentador escolher um ramo grosso para conseguir maior potência, mas se tiver mais de dois centímetros de diâmetro será grosso demais.

Se você tem acesso a ferramentas de carpintaria, prenda o arco com cuidado no torno e use a plaina para afinar as pontas. A maioria dos galhos já terá mesmo uma das pontas mais finas e isso pode ser ajustado neste estágio.

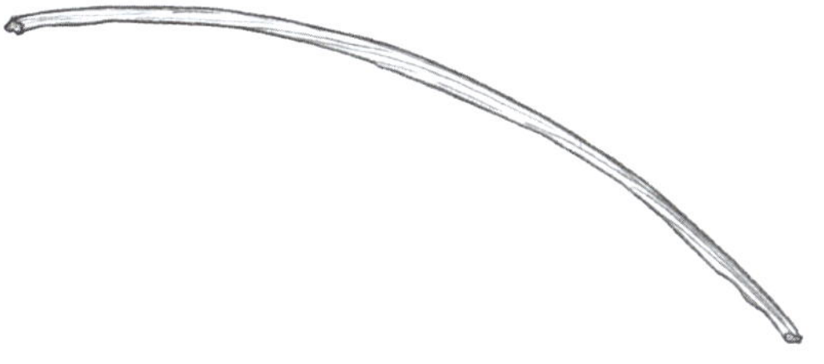

Fizemos todas as fendas e ranhuras do arco e das flechas com o serrotinho que vem nos canivetes suíços. Mas uma faca de pão serrilhada também pode servir.

Faça ranhuras na extremidade de cima e de baixo do arco, a cinco centímetros da ponta. Use aqui um pouco de bom senso. Só é preciso cortar o bastante para prender a corda do arco sem que ela escorregue.

Você vai precisar de um cordão fino e bem forte; achamos que os de nylon são os melhores. Linha de pesca arrebenta com muita facilidade. As cordas de arco tradicionais eram feitas de linho encerado ou crina de cavalo trançada, formando cabos bem finos e fortíssimos. Os romanos usavam crina até para fazer as excelentes molas que tensionavam as suas catapultas de guerra!

O nó que você vai usar é conhecidíssimo e serve tanto para atracar uma balsa quanto para encordoar um arco. A vantagem é que esse nó não se aperta sob pressão e é sempre fácil soltá-lo quando necessário. Chama-se "volta redonda com dois cotes".

Primeiro dê uma volta completa com a corda em torno da ponta do arco, como na figura. Esta é a "volta redonda". Depois, passe a ponta sob a corda e de volta pela alça: um cote. Aperte. Finalmente, faça outro cote do mesmo jeito: por debaixo da corda, volte pela alça e pronto. Você vai ficar com um nó que não encosta na madeira do arco mas que é muito sólido.

Uma última nota: usar luva na mão que segura o arco na hora de puxar a corda é uma boa ideia. A flecha passa por cima dela com rapidez e pode esfolar a pele. Também achamos muito mais fácil puxar a corda usando uma tira de couro enrolada em volta do segundo e do terceiro dedos. Tente conseguir um pedaço de couro, pode ser uma amostra antiga ou um retalho. Ou então, use outra luva. Talvez você goste de saber que o gesto inglês grosseiro de mostrar a alguém dois dedos levantados vem dos arqueiros ingleses na batalha de Agincourt. Essa batalha faz parte da série de conflitos que aconteceu entre a França e a Inglaterra, durante os séculos XIV e XV, período que ficou conhecido como a Guerra dos Cem Anos. Os franceses tinham dito que, quando vencessem, iam lhes cortar os dedos de puxar a flecha. Mas os franceses foram derrotados e os arqueiros zombaram deles mostrando-lhes os dedos, ainda presos à mão.

O arco e flecha é um esporte fascinante que exige grande habilidade; este é um bom jeito de começar.

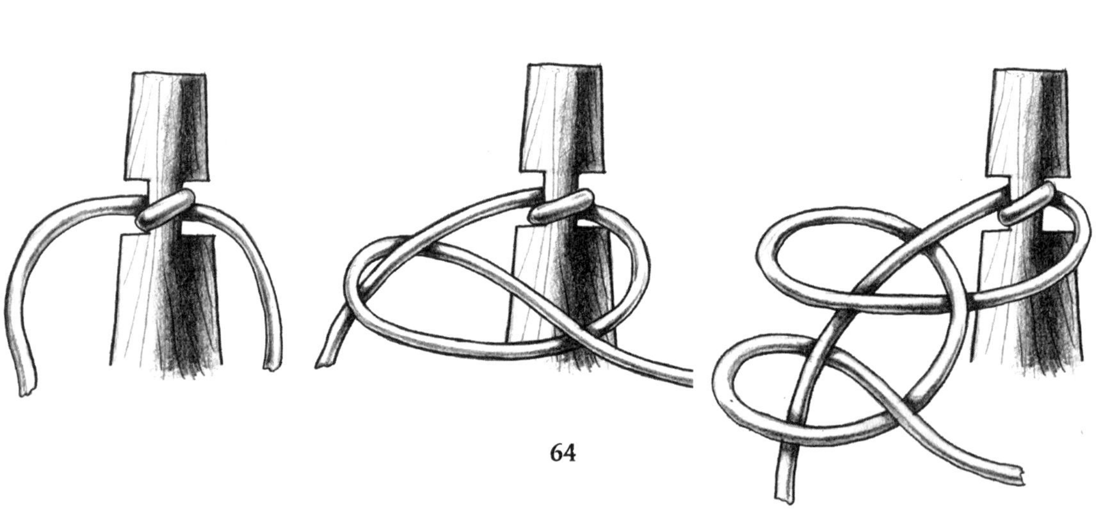

ENTENDENDO GRAMÁTICA — PARTE I

É estranho o quão satisfatório pode ser distinguir o certo do errado. Gramática trata de tudo sobre regras e estruturas. É sempre "entre você e mim", por exemplo. Se você ouvir alguém dizendo "entre você e eu", não é questão de opinião, está errado.

A gramática da Língua Portuguesa é mais complexa do que está contido nas três partes deste livro, mas a estrutura básica está ao nosso alcance. Você não usaria um lápis sem saber como segurá-lo. Da mesma forma, você deve realmente distinguir a "ponta afiada" da "ponta cega" em tudo mais que você usar — incluindo sua língua. A língua portuguesa é falada em vários países do mundo e em nove deles é o idioma oficial.

A primeira coisa a saber é que há somente 10 tipos de palavras. Apenas 10.

SUBSTANTIVO

1) **Substantivos** são os nomes das coisas e dos seres. Há quatro classificações. **Substantivos próprios** têm letras maiúsculas: exemplo, Brasil. **Substantivos comuns** são as palavras para designar seres e coisas em geral: cadeira, olhos, cachorro, carro etc. **Substantivos abstratos** são as coisas que existem, mas não podem ser tocadas: coragem, lealdade, crueldade, gentileza. Já os **substantivos concretos** designam as coisas que podem ser tocadas como panela, vestido, dentre outras.

VERBO

2) **Verbos** são palavras usadas para ação ou mudança de estado: lavar, comer, estar, ficar, entre outros. Há seis flexões em cada verbo, conhecidas como primeira pessoa do singular, segunda pessoa do singular, terceira pessoa do singular, primeira pessoa do plural, segunda pessoa do plural e terceira pessoa do plural.

Muitos verbos seguem este simples padrão, dependendo do modelo de conjugação a que o verbo pertença:

ANDAR (1ª conjugação) / VENDER (2ª conjugação) / PARTIR (3ª conjugação)

Primeira pessoa do singular

Eu ando / Eu vendo / Eu parto

Segunda pessoa do singular

Tu andas / Tu vendes / Tu partes

Terceira pessoa do singular

Ele/ela anda / Ele/ela vende / Ele/ela parte

Primeira pessoa do plural

Nós andamos / Nós vendemos / Nós partimos

Segunda pessoa do plural

Vós andais / Vós vendeis / Vós partis

Terceira pessoa do plural

Eles/elas andam / Eles/elas vendem / Eles/elas partem

Pode-se determinar a conjugação de um verbo através da vogal que aparece quando ele está no infinitivo: andAr e cantAr — 1ª conjugação, vendEr e escrevEr — 2ª conjugação, partIr e saIr — 3ª conjugação.

Verbos irregulares como "ser" e "ter" não são como... bem, não são regulares. Devem ser aprendidos separadamente.

SER / TER

Eu sou / Eu tenho
Tu és / Tu tens
Ele/ela é / Ele/ela tem
Nós somos / Nós temos
Vós sois / Vós tendes
Eles/elas são / Eles/elas têm

Note que a segunda pessoa do plural (vós) não é utilizada cotidianamente no português falado no Brasil. Geralmente, substituímos as palavras tu e vós por você e vocês. O tu ainda está em uso, mas algumas vezes, de forma bem descontraída, percebe-se que o verbo é usado sem o "s" final, por exemplo "tu sabe onde está a minha bolsa?" Essa construção é condenada pelos princípios gramaticais.

ADVÉRBIO

3) **Advérbios** são palavras que modificam verbos, adjetivos e outros advérbios. Eles são importantes já que há uma grande diferença entre "sorrir sarcasticamente" e "sorrir alegremente". Claramente o verbo sozinho não é suficiente para exprimir uma ideia completa.

Muitos advérbios terminam em –MENTE, como nos exemplos acima. Mas se você disser "Eu vou às compras amanhã", entretanto, "amanhã" é um advérbio, porque ele adiciona um "detalhe" ao verbo "ir". Palavras como "cedo" e "frequentemente" também pertencem a essa categoria. Como um grupo, essas palavras são conhecidas como advérbios de tempo.

Um advérbio pode também modificar um adjetivo. Na frase: "Isto é realmente grande", "realmente" funciona como um advérbio. Em: "Isto é bastante pequeno", "bastante" é usado como um advérbio. E em "Ele andou muito rapidamente", "muito" é usado como um advérbio para outro advérbio! Isso não é uma ciência exata. Observe com cuidado e aprenda aos poucos.

ADJETIVO

4) **Adjetivos** são palavras que modificam substantivos. Em "a enorme cobra", "enorme" é o adjetivo. Vários adjetivos podem ser usados juntos, como em "a cobra pequena e verde". Note o "e" entre os dois adjetivos. É possível enumerar adjetivos.

Como uma regra geral, adjetivos vêm depois de substantivos. Entretanto, em português, a colocação do adjetivo também pode ser antes do substantivo.

Note que a posição do adjetivo em relação ao substantivo pode, em alguns casos, promover uma mudança de significado como em "amigo grande" — pessoa de grande estatura e "grande amigo" — amigo muito importante.

PRONOME

5) **Pronomes** são palavras que substituem substantivos numa sentença. Soaria estranho dizer "João olhou no bolso de João". Em vez disso, dizemos "João olhou em seu bolso". "Seu" é um pronome.

Aqui estão alguns exemplos: eu, tu, você, ele, ela, nós, vós, eles, elas — me, te, se, nos, vos — meu, minha, teu, tua, seu, sua, dele, dela, nosso, nossa, vosso, vossa.

A expressão "a gente", apesar de não ser pronome, é também usada para designar um grupo de pessoas e mais o falante como na seguinte sentença: "A gente deve sempre ter atenção ao atravessar." Entretanto, tal expressão é mais descontraída. Em casos de mais formalidade e, até mesmo, na modalidade escrita, recomenda-se o uso do pronome "nós".

CONJUNÇÃO

6) Uma **conjunção** é uma palavra que liga partes de um mesmo período. Elas podem ligar orações dependentes entre si ou independentes. Esses conectivos também podem juntar palavras, como adjetivos, "pequeno e esperto ", ou advérbios, "hoje ou amanhã". Exemplos: e, nem, então, mas, ou, se, embora, porque, quando, como, conforme.

Geralmente, as conjunções não iniciam período, mas isso não é uma regra. Sim, você vai encontrar exemplos em que períodos começam com uma conjunção. Dá um pouquinho mais de trabalho quando uma conjunção é usada para introduzir uma construção frasal. Isso não é um problema, como você pode perceber nos exemplos abaixo:

"Embora ele seja meu único amigo, eu o odiei" (embora)

"Já que estou aqui, vou tomar alguma coisa" (já que)

Nesses dois exemplos, a sequência foi reordenada para trocar a ênfase. Seria mais claro, talvez, escrever "Eu o odiei, embora ele seja meu único amigo" ou "Vou tomar alguma coisa, já que estou aqui". É mais fácil ver que "embora" e "já que" estão sendo usadas como palavras de ligação dessa forma, mas muitos períodos começam com uma oração subordinada. (Orações serão tratadas na parte II)

ARTIGO

7) **Artigos** são talvez os mais fáceis de lembrar: "o", "a", "os", "as", "um", "uma", "uns", "umas". É isso.

"Um"/"uma"/"uns"/"umas" são artigos indefinidos e são usados quando o elemento for desconhecido. "Um cachorro está no meu jardim." "Um elefante está sentando no meu pai."

"O"/"a"/"os"/"as" são artigos definidos. "O cachorro está no jardim" pode-se referir a um cachorro em particular. "O elefante está sentando no meu pai." pode significar somente um elefante — um que nós já conhecemos: um animal de estimação da família, talvez.

PREPOSIÇÃO

8) **Preposições** são palavras que marcam posição ou relação de uma coisa em respeito à outra. Exemplos: a, após, até, para, com, de, em, por, sem, sobre. "Ele caiu em pecado." mostra "em" como uma preposição. Outro exemplo é "Ele se casou com Joana", ou "A mãe olhou para o filho afetuosamente".

É possível que você já tenha ouvido falar em crase (do grego *krasis*, mistura). Esse fenômeno lingüístico advém da junção de dois "a", sendo um deles, necessariamente, a preposição "a". Como não se pode dizer, por exemplo, "Vou aa praia" ou "Fiz referência aaquela moça", usa-se um acento grave (`) para indicar a junção/crase das letras iguais. Assim substituímos "aa" por "à" e "aaquela" por "àquela" e teremos: "Vou à praia" e "Fiz referência àquela moça".

INTERJEIÇÃO

9) Este caso é outro das classes mais fáceis. **Interjeições** são simples sons usados para expressar um sentimento interno como tristeza, surpresa, dor ou raiva. Isso pode constituir um grupo grande, já que quase tudo pode ser dito dessa forma. Exemplos óbvios são: "Oh!", "quê?", "inferno!", "graças a Deus!"

Note o último exemplo — interjeições não têm que ser uma única palavra, podem ser até uma frase inteira como: "Pelas barbas do Profeta!" ou uma expressão mais complexa. Elas tendem a ficar sozinhas e frequentemente são seguidas de exclamação.

NUMERAL

10) A classe de palavra **numeral** funciona, basicamente, como um quantificador de substantivos. Pode ser de quatro tipos: cardinal (um, dois, três...), ordinal (primeiro, segundo, terceiro...), fracionário (meio, um terço, dois quartos...) e multiplicativo (dobro, triplo, quádruplo...).

Podem-se usar os numerais para acompanhar ou substituir os substantivos: "Duas meninas atravessaram a rua" e "As duas atravessaram a rua".

No indicativo do nome dos dias da semana, os numerais aparecem como elemento de composição: segunda-feira, terça-feira, quarta-feira... Você já se perguntou porque a sexta-feira é o quinto dia útil da semana e não a quinta-feira? Na verdade, consideramos o primeiro dia da semana como sendo o domingo, daí termos a segunda-feira com esse nome e os demais dias na sequência.

E estas são as dez!

Considerando a variedade de palavras que a Língua Portuguesa possui, é incrível que haja somente dez classes gramaticais. A primeira parte de estudo gramatical é aprender essas dez classes bem e estar apto a identificá-las numa sentença. Se você conseguiu, você deve poder nomear cada um dos nove tipos de palavras usadas na seguinte sentença. Se ajudar, não usamos nenhuma conjunção.

"Não! Eu vi dois velhos lobos uivando fortemente para a lua."

(RESPOSTA: "NÃO!" — INTERJEIÇÃO, "EU" — PRONOME, "VI" — VERBO, "DOIS" — NUMERAL, "VELHOS" — ADJETIVO, "LOBOS" — SUBSTANTIVO COMUM, "UIVANDO" — VERBO, "FORTEMENTE" — ADVÉRBIO, "PARA" — PREPOSIÇÃO, "A" — ARTIGO DEFINIDO E "LUA" — SUBSTANTIVO COMUM)

FUTEBOL DE MESA

Este é um jogo simples, mas exige alguma habilidade e prática. Costumava nos manter ocupados durante as aulas de francês.

VOCÊ VAI PRECISAR DE

- Uma superfície plana e lisa; o tampo da carteira da escola, por exemplo.
- Três moedas de 25 centavos são ótimas.

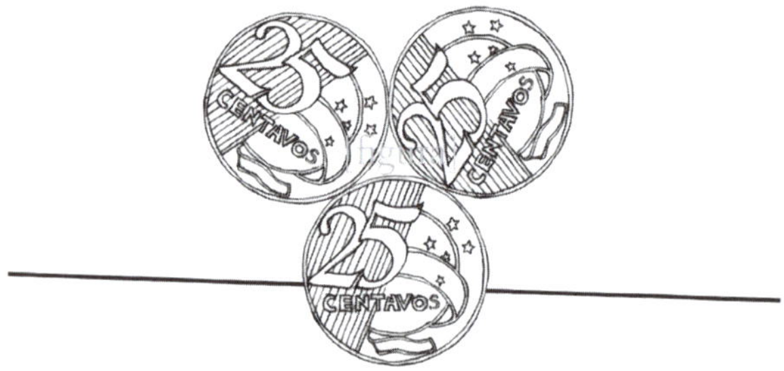

1. Coloque as moedas na borda mais próxima da mesa, como no desenho. O primeiro golpe deve ser dado com a base ou "calcanhar" da mão na moeda que está um pouco para fora da borda. As três moedas vão se separar. A partir daí, só é permitido tocar na moeda que estiver mais perto do jogador.

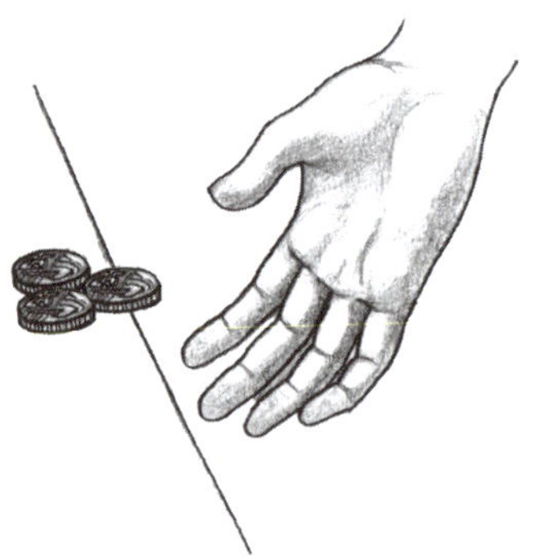

2. O objetivo do jogo é passar as moedas pela mesa jogando a que está mais perto entre as outras duas que estão mais longe. Se a moeda não passar, você perde a vez e o seu adversário começa de novo do lado dele. Em geral só se usa um dedo para dar o peteleco na moeda. Elas têm de estar sempre em contato com a mesa e, assim, é preciso muita habilidade para avaliar a força e planejar com antecedência.

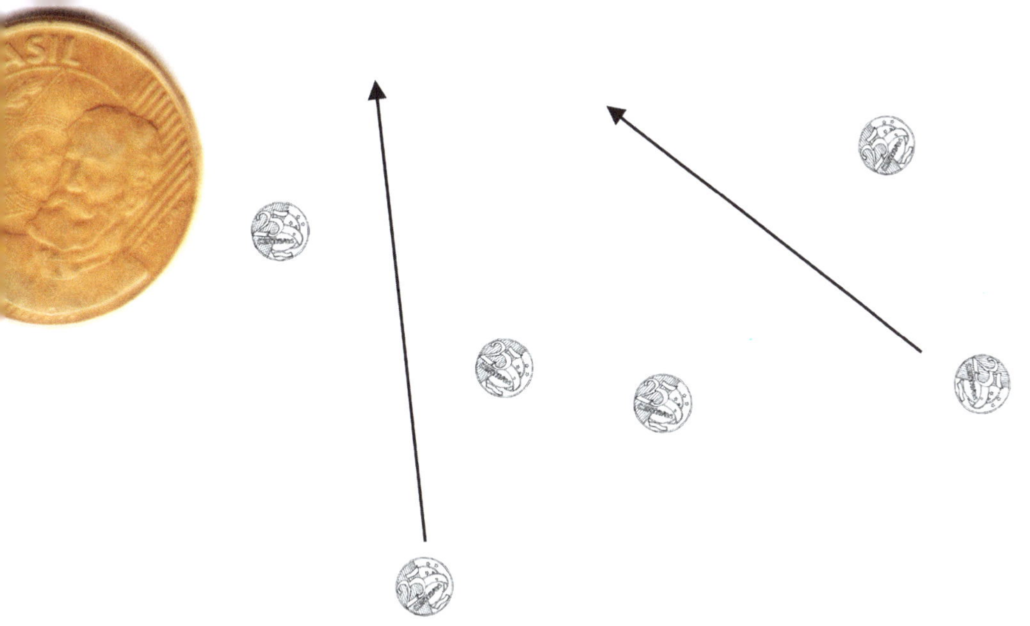

3. Depois de alguns "passes", a meta adversária fica ao alcance da moeda. A meta é formada pelo outro jogador, como na figura.

4. Se o jogador perder o tiro a gol, perde o jogo. Se a moeda bater nas outras duas, o jogador também perde o jogo.

Há uma versão do jogo na qual marcam-se "vantagens" em vez de gols — ganha a vantagem quem chegar na pequena área do adversário — e cada uma vale cinco pontos. Aí o jogador tem a possibilidade de ganhar mais dois pontos convertendo a vantagem. Isso é, no mínimo, bem difícil de conseguir.

1. O jogador adversário forma o seu gol posicionando as traves como indicado na figura.

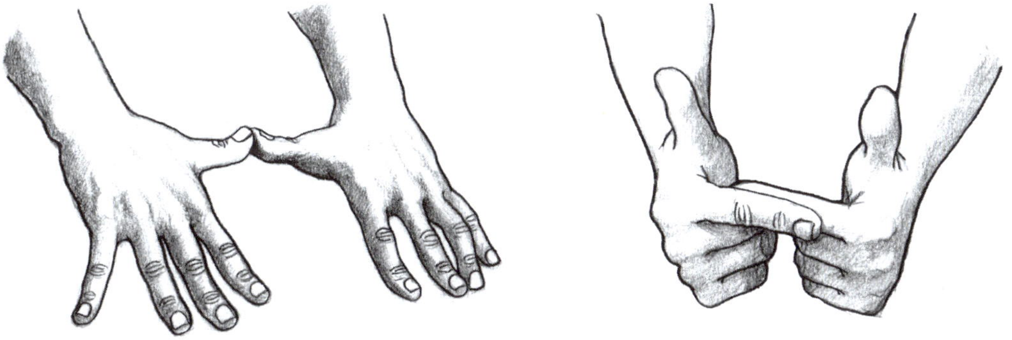

2. A moeda é posta a girar no lugar. Enquanto estiver girando, deve ser agarrada e jogada sobre as traves num só movimento. Não se pode hesitar na hora de mirar. Isso não é nada fácil de conseguir, mas assim é que é bom.

3. Jogue até marcar o número de pontos combinado; quem ganhar pode ficar com as moedas.

PESCARIA

Pescadores são pacientes. Os preparativos e a concentração podem fazer da pescaria um esporte cansativo. É uma ocupação bastante solitária. É raro ver pessoas pescando em grupos, rindo e conversando ou bebendo e cantando. Pescadores podem passar o dia inteiro em silêncio. Mesmo que você nunca pegue nada, as tardes tranquilas de pescaria no verão podem ser relaxantes, compensadoras e viciantes.

Você vai precisar comprar o equipamento básico — vara, iscas, boia, peso de chumbo e anzol. Também será preciso tirar uma licença. No Brasil, por exigência legal, o pescador amador – que pratica a pesca com finalidade de lazer, turismo ou desporto, o que deve ser o seu caso – precisa de Licença para Pesca Amadora, emitida por órgão público competente. Atualmente, além do IBAMA (Instituto Brasileiro do Meio Ambiente e dos Recursos Naturais Renováveis), cinco estados (Mato Grosso, Mato Grosso do Sul, Tocantins, Minas Gerais e Goiás) já concedem essa autorização.

A vantagem da licença do Ibama é ser válida em todo o Território Nacional pelo período de um ano, a partir da data da autenticação bancária. O formulário pode ser encontrado nas agências do Banco do Brasil, Caixa Econômica Federal, Correios e Telégrafos, casas lotéricas e no site do Ibama (www.ibama.gov.br), e pago em qualquer banco ou casa lotérica, sendo que há diferença entre os valores para o pescador embarcado (Categoria A) e para o pescador desembarcado (Categoria B). A licença, acompanhada de documento de identificação, é pessoal e intransferível, devendo, inclusive, acompanhar o transporte interestadual do pescado.

É preciso observar que o pescador amador desembarcado que utiliza somente linha de mão ou vara, linha e anzol é dispensado da Licença de Pesca Amadora do Ibama. O aposentado que é maior de 65 anos (60 anos no caso de mulheres) e o menor de 18 anos também são dispensados do pagamento da taxa, desde que não sejam filiados a clube ou associação de pesca, e podem obter uma Licença Especial nas unidades do Ibama.

O limite de captura e transporte de pescado é de 30kg mais um exemplar de qualquer peso, ou o limite estipulado por legislação estadual, quando inferior a 30kg, respeitados os tamanhos mínimos de captura. O IBAMA aceita os tamanhos mínimos estabelecidos por legislação estadual, desde que mais restritivos. Os tamanhos mínimos não se aplicam a peixes de piscicultura. Nesse caso, é necessário comprovar a origem do pescado. Os petrechos permitidos pelo IBAMA nas categorias A e B são linha de mão, puçá, caniço simples, caniço com molinete/carretilha, tarrafa (somente no mar com malha mínima de 25mm) e espingarda de mergulho.

Você pode achar bastante chato ter que seguir todas essas regrinhas, mas não deixe de observá-las, elas são fundamentais para o sucesso de sua pescaria.

Um dos métodos de pesca é com boia. Colocam-se minhocas ou pedaços de peixe num anzol suspenso numa boia que flutua na superfície. Enfia-se o anzol numa extremidade da minhoca, tomando cuidado para não arrebentá-la, porque assim ela morre mais depressa.

Geralmente é necessário colocar uns chumbinhos redondos na linha para manter a boia em pé. Se não souber como se faz, pergunte numa loja de pesca.

Lance o anzol com cuidado, porque se ele fisgar a sua sobrancelha não vai ser nada agradável. Cuidado com fios ou galhos de árvore acima da sua cabeça. O molinete tem dois ajustes, um para lançar, outro para puxar o anzol de volta. Deixe-o solto e lance o anzol e a boia rio acima; deixe o anzol vir com a corrente na sua direção. O momento em que a boia afunda é uma experiência que merece ser lembrada. Se você não conseguir, puxe de volta devagar e tente outra vez, trocando as minhocas se elas não se mexerem mais. Se for um dia bonito, escolha um lugar para sentar-se e goze da paz que, geralmente, dura até alguém vir lhe perguntar se teve sorte.

Um outro método é conhecido como “chumbada”. Usa-se um peso de chumbo maior, que mantém o anzol no fundo. O peixe que morde a isca não sente resistência. Funciona bem com carpas.

É bom deixar claro que o método certo depende do peixe. Truta e traíra tendem a atacar peixes feridos ou moribundos. Assim, podem ser pegos com uma isca “spinner”, isca artificial que faz um movimento que lembra um peixe ferido a se mover na água. Muitos pescadores usam iscas complexas que imitam insetos na superfície. No entanto, como iniciante é preciso que você conheça alguns tipos de peixes comuns no Brasil, para que, no caso de pescá-los, saiba reconhecê-los:

PACU

Nome científico: Piaractus mesopotamicus

Seu local de origem é a Bacia do Prata/ Pantanal. É um dos peixes mais pescados no Brasil. Dependendo da época do ano e da qualidade da água, apresenta hábitos alimentares que vão do canibalismo ao consumo de frutas. Possui boa produtividade e aceitação na piscicultura.

PACU

TAMBAQUI

TAMBAQUI

Nome científico: Colossoma macropomum

É o segundo maior peixe de escamas no Brasil (o primeiro é o pirarucu), podendo atingir até 55 kg. No ambiente natural, alimenta-se de frutos, folhas e caules. Esta espécie apresenta bom desempenho em cultivo, principalmente em regiões de clima quente. O cruzamento do macho do Pacu com a fêmea do Tambaqui produz o Tambacu, um híbrido interessante para o cultivo.

PESCADA

PESCADA

Nome científico: Cynoscion sp

Na costa brasileira ocorrem mais de 30 espécies de pescada. Entre as características desse grupo está a capacidade de produzir sons por músculos associados à bexiga natatória. As espécies mais comuns são a pescada-amarela, que pode alcançar o tamanho de 1 m e o peso de 30 kg, e a pescada-olhuda, de coloração prateada e olhos grandes, que chega a no máximo 50 cm. As iscas ideais para esses peixes são camarões vivos, manjubas e moreias do manguezal.

ANCHOVA

Nome científico: Pornatomus saltador

É um peixe de escamas, com corpo alongado, fusiforme e comprido. A cabeça é grande e a boca larga tem a mandíbula saliente, os dentes são afiados. Sua coloração é azulada no dorso e prateada nos flancos e ventre. Pode alcançar 1,5 m de comprimento total e 20 kg. Por frequentar águas salgadas agitadas, é uma espécie que tem muita força. Para se capturar um exemplar de porte regular (mais de 5 kg) é preciso muita briga porque ele não se entrega facilmente.

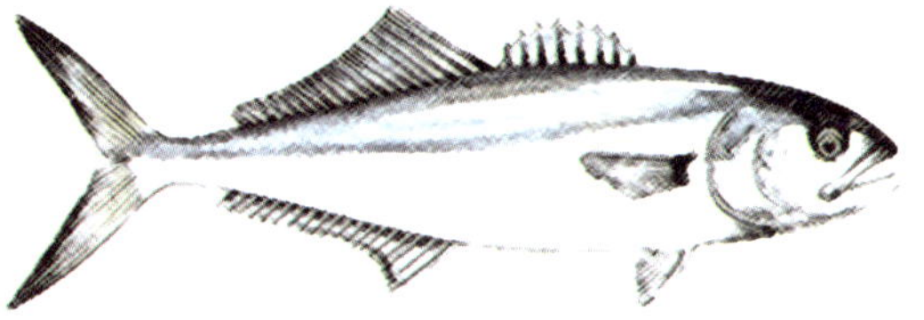

ANCHOVA

Há tipos demais de peixes para incluir aqui; os rios, lagos, praias, baías, canais e mangues estão cheios deles.

Pode-se dizer, numa visão simplista, que a evolução da pesca amadora é a "pesca esportiva". Uma atividade que deixou de ser apenas um hobby para tornar-se uma modalidade de esporte, cujo crescimento é constante.

A pesca esportiva pode ser praticada no mar, em pesca oceânica e no litoral, assim como em águas interiores, nos rios e lagos. Por isso a Amazônia Brasileira é a nova fronteira deste esporte. Além de contar com uma janela para o Oceano Atlântico, possui uma imensa bacia hidrográfica de invejável biodiversidade, hábitat natural de milhares de espécies de peixes.

A prática da pesca esportiva no hemisfério Norte, onde se encontram águas frias, está ligada aos salmonídeos: salmão, truta, truta do Ártico etc. Já no Brasil, engloba uma variedade bem maior de peixes, tanto de água doce (tucunaré, pintado, dourado etc.) como de água salgada (robalo, garoupa, atum etc.).

Os praticantes deste esporte têm se mostrado cada vez mais preocupados com a preservação do meio ambiente e das espécies. O interesse por isso é tal que, entre as várias modalidades da pesca esportiva, a que mais tem crescido é a chamada Catch & Release, que consiste basicamente em pescar e soltar. Isso mesmo, pescar pelo simples e indescritível prazer de "brigar" com o peixe. Depois de vencer a briga, o pescador devolve a presa para seu habitat, como forma de não interferir no ecossistema.

Realmente pegar um peixe pode ser emocionante. A verdadeira habilidade não é fisgá-lo, mas tirá-lo da água sem romper a linha nem perder o peixe. Como última observação, não deixe de ler *O velho e o mar*, história clássica de Ernest Hemingway. Boa pescaria.

TEMPORIZADORES E FIOS DISPARADORES

VOCÊ VAI PRECISAR DE

- **Um despertador velho.**
- **Lâmpada.**
- **Dois pedaços de fio elétrico encapado com as pontas de cobre desencapadas.**
- **Fita adesiva.**
- **Uma pilha, tamanho C ou D.**

São muito simples de fazer e dão muita satisfação. Para o temporizador, qualquer despertador de corda serve, de preferência que tenha ponteiros de plástico. A ideia é usar o relógio para fechar o circuito e acender a lâmpada. Vamos fazer a lâmpada acender dentro de vinte minutos, para ganhar uma aposta, quem sabe, ou assustar a sua irmãzinha com a ideia de que tem um assassino louco com um machado escondido em algum lugar.

Primeiro, remova a frente de plástico do relógio. Com a fita, prenda um fio em cada ponteiro, de modo que, quando um passar sob o outro, as pontas de cobre se toquem. Agora já deu para ver que é possível fazer um circuito que, para se fechar, vai levar o tempo necessário para o ponteiro dos minutos encontrar o ponteiro das horas.

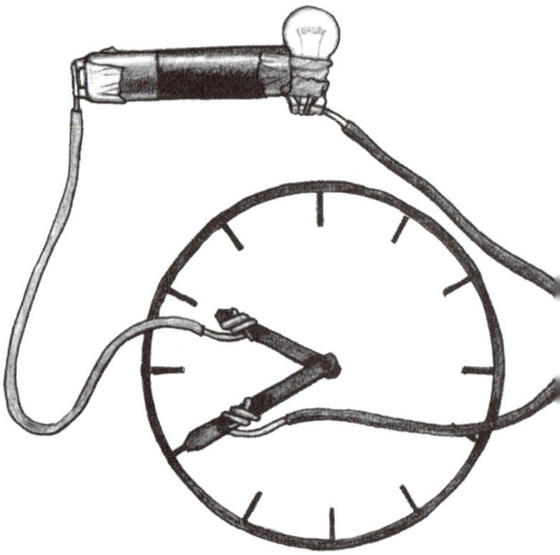

Prenda um dos fios no terminal positivo da pilha. Prenda uma lâmpada de lanterna no terminal negativo com fita adesiva e a ponta do outro fio na ponta da lâmpada. Verifique se o dispositivo funciona encostando os ponteiros do relógio. A lâmpada tem que acender quando os fios se tocarem nos ponteiros e fecharem o circuito.

Não se esqueça de que o ponteiro das horas terá se movido quando o ponteiro dos minutos chegar até ele, assim vale a pena marcar quanto tempo a lâmpada demora para acender, depois de ajustar o ponteiro dos minutos para, digamos, quinze minutos antes da hora desejada. Aí você vai poder apavorar a sua irmã menor com histórias de vampiros e fantasmas.

FIO DISPARADOR

É quase a mesma coisa que fazer um temporizador, porque usa um circuito com uma pilha e uma lâmpada presa a um interruptor, que, neste caso, é um disparador. Com um fio de tamanho suficiente, é possível acender a lâmpada a uma boa distância do interruptor e ser alertado com bastante antecedência.

VOCÊ VAI PRECISAR DE

- **Pregador de roupa.**
- **Rolha de garrafa.**
- **Papel de alumínio.**
- **Linha de pescar ou barbante.**
- **Pilha, lâmpada e fio encapado, como no dispositivo de tempo.**
- **Fita adesiva.**

Enrole o papel de alumínio nas pontas do pregador de roupa de madeira ou plástico. Com fita adesiva, prenda os fios nessas pontas cobertas de papel de alumínio, indo até a pilha e a lâmpada exatamente do mesmo jeito que você fez com o despertador.

O importante é colocar alguma coisa isolante entre as garras do pregador de roupa. No nosso caso, uma rolha de garrafa funcionou muito bem. A linha ou barbante também precisa ser suficientemente forte para arrancar a rolha dali; se arrebentar, a lâmpada não vai acender. Linha de pesca é ótima para isso, porque é forte e difícil de ver. Também é importante firmar o pregador de roupa debaixo de um peso qualquer. Ao puxar o fio, só a rolha deve se mover.

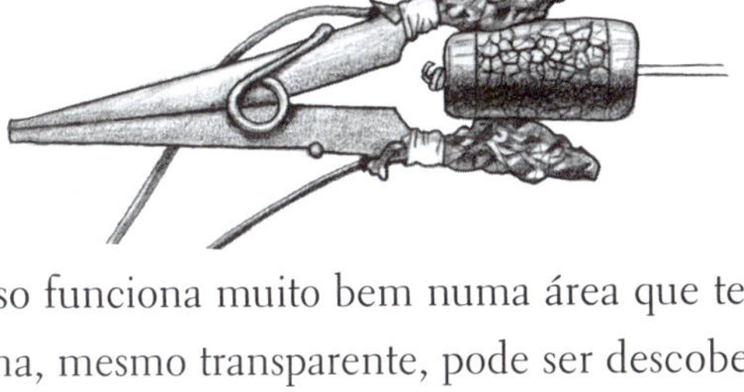

Quando a rolha for puxada, o pregador de roupa vai se fechar, as pontas cobertas de alumínio vão se tocar e o circuito vai se completar e acender a lâmpada para avisá-lo.

Isso funciona muito bem numa área que tenha capim, mas a principal desvantagem é que a linha, mesmo transparente, pode ser descoberta por alguém que tropeça nela. Então, os soldados inimigos vão ficar atentos, sabendo que correm perigo. É claro que num conflito de verdade o fio teria puxado o pino de uma granada.

PLACA DE PRESSÃO

Um jeito de disparar o seu alerta secreto sem que alguém perceba é usando a placa de pressão. Mais uma vez, a ideia básica é um circuito simples com lâmpada, mas desta vez os fios vão até dois pedaços de cartão separados por um pedaço de espuma macia, de um colchão velho ou travesseiro. Um pedaço de esponja também funciona perfeitamente.

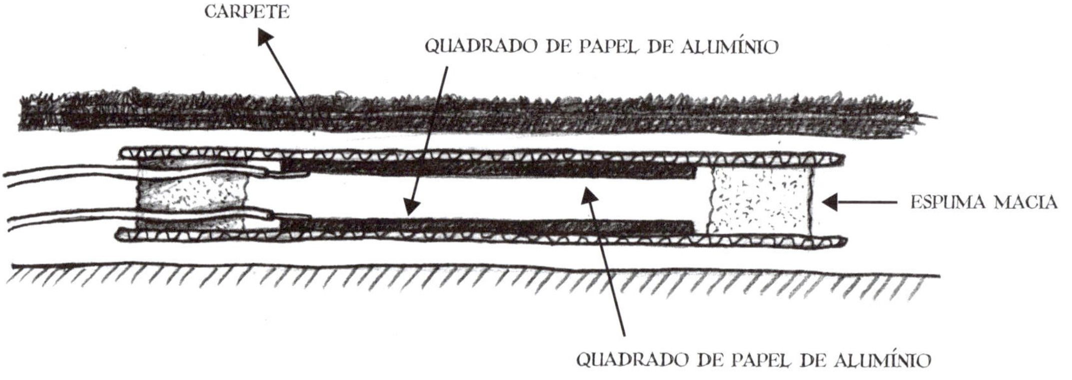

Desta vez, prenda o papel de alumínio com a fita adesiva por cima da ponta desencapada dos fios, sobre a superfície interna do cartão, e, como antes, monte um circuito simples com pilha e lâmpada. Com pequena pressão de cima para baixo, os dois pedaços de cartão se juntam, pondo em contato os quadrados de papel de alumínio. O circuito se fecha e a lâmpada de alerta se acende. Divirta-se.

BATALHAS FAMOSAS DA ANTIGUIDADE

Em geral, a história nasce tanto das fontes nobres quanto das fontes plebeias, tanto da inveja e do homicídio quanto dos sonhos de grandes homens e mulheres. Além de brotar de novas leis e movimentos culturais que marcam época, a história se faz no campo de batalha, quando o futuro como um todo depende do resultado desses eventos. Você vai descobrir que estudar melhor esses exemplos é, ao mesmo tempo, instrutivo e compensador. Cada um deles é, por si só, uma história extraordinária. Todos eles tiveram repercussões que ajudaram a mudar o mundo.

1. Termópilas — 480 a.C.

Dario, o Grande, governava as terras persas, conhecidas hoje como Irã e Iraque, e mantinha uma política agressiva de expansão. Enviou seus arautos às cidades gregas para exigir delas a submissão. Muitas aceitaram, mas Atenas mandou executar o arauto e Esparta jogou num poço o mensageiro que foi até lá. Seguiu-se a guerra, e a ambição de Dario de repente chegou ao fim quando ele foi derrotado na Batalha de Maratona, na Grécia. Embora planejasse outra grande invasão, a sua morte impediu que voltasse. Caberia ao seu filho Xerxes invadir o norte da Grécia com um exército imenso, com mais de 2 milhões de soldados, na primavera de 480 a.C.

A esquadra persa já conquistara o domínio do mar e os gregos não conseguiram defender a região Norte contra tropas tão numerosas. Em vez disso, preferiram defender o desfiladeiro das Termópilas, ao Sul. Ali, o caminho entre as montanhas era uma trilha minúscula, com menos de quatro metros e meio de largura no ponto mais estreito. Termópilas significa "Portas Quentes" devido às fontes termais que ali existem.

Leônidas, o rei de Esparta, levou a sua guarda pessoal de trezentos nobres espartanos e mais uns 7 mil arqueiros e soldados de infantaria até o desfiladeiro. De todos os líderes gregos, parece que só ele entendia a grande importância de resistir à horda inimiga. Quando chegaram ao desfiladeiro, os seus homens reconstruíram um muro antigo e 6 mil deles esperaram no portão do meio, os outros mil ficaram guardando uma trilha mais para o alto da montanha. Eles não tinham esperança de sobreviver, mas os espartanos eram treinados desde pequenos para desdenhar o medo e as dificuldades. Orgulhavam-se de ser guerreiros de elite. Todos os integrantes da Guarda Real tinham filhos e só recebiam permissão de auxiliar o rei depois de contribuírem para o "reservatório gênico" de Esparta. Eles reverenciavam a coragem acima de tudo.

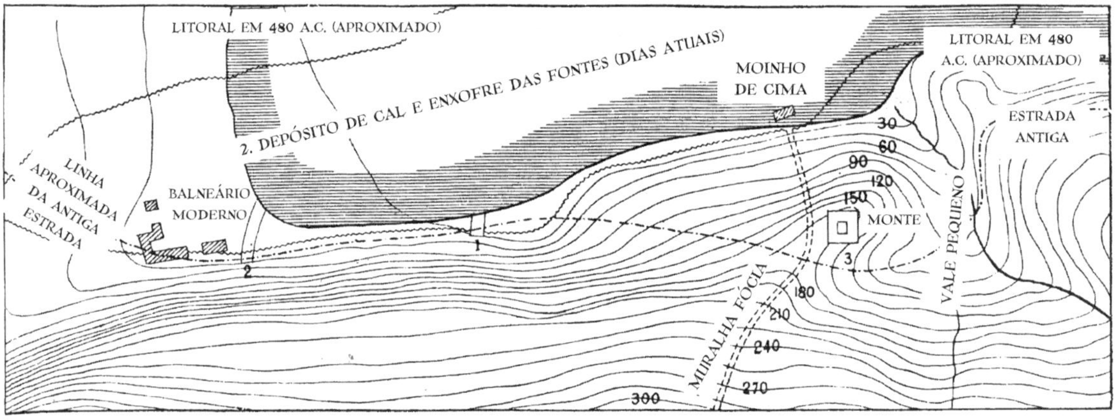

O LITORAL NA PORTA MÉDIA DAS TERMÓPILAS, EM 480 A.C.
ESCALA: 12,5 CM PARA 1 QUILÔMETRO.
1, 2 E 3 MARCAM AS POSIÇÕES DOS DEFENSORES DO DESFILADEIRO.

O rei persa mandou batedores investigarem a passagem. Ficou surpreso ao saber que os espartanos estavam com as armas em riste e trançando os cabelos — um gesto que mostrava que estavam à espera da batalha. Sem acreditar que um grupo tão pequeno quisesse mesmo lutar, mandou-lhes um aviso para que recuassem, senão seriam destruídos. Os espartanos deixaram-no esperando durante quatro dias sem resposta. No quinto dia, o exército persa atacou. Desde o princípio, num espaço tão limitado, o combate foi bastante violento. Os espartanos e os outros gregos lutaram três dias inteiros, rechaçando os persas várias vezes. Xerxes foi obrigado a enviar os "Imortais", os seus melhores guerreiros. Os espartanos provaram assim que o nome deles não se justificava, porque mataram vários inimigos. Dois irmãos de Xerxes também morreram na batalha.

No final, Leônidas foi traído por um grego. O homem procurou Xerxes e lhe falou de uma trilha na montanha que contornava o desfiladeiro das Termópilas. Leônidas guardara uma das trilhas, mas para os que conheciam a região havia outras. Xerxes mandou mais "Imortais" pelo caminho secreto e eles atacaram ao amanhecer. Os outros soldados gregos foram logo derrotados, mas Leônidas e os espartanos continuaram lutando.

Quando Leônidas finalmente caiu, estava isolado do resto dos espartanos. Um pequeno grupo de guardas abriu caminho pela massa agitada, recuperou o seu corpo e o levou para onde os outros estavam cercados, lutando durante todo o caminho. Os persas não conseguiram romper a defesa e, no final, Xerxes ordenou que os derrubassem com saraivadas e saraivadas de flechas pesadas. Ele ficou tão furioso com as baixas sofridas pelo seu exército que mandou decapitar Leônidas e pregar o seu corpo numa cruz.

Os espartanos continuaram a ter papel importantíssimo na guerra contra os persas. Leônidas e a sua pequena guarda conquistaram extraordinária reputação e exércitos espartanos maiores aterrorizaram os persas em batalhas posteriores. Depois de ver o que apenas 300 foram capazes de fazer, ninguém queria enfrentar 10 mil nem 20 mil deles. Os gregos venceram batalhas navais clássicas, em Salamis e Eurimedon, e destruíram a esquadra persa. Nos oito anos seguintes, venceram as tropas persas em terra, com batalhas em Plateia e Micale. Duas vezes Atenas foi perdida para o inimigo e os gregos a viram ser totalmente destruída. Boa parte da guerra foi esquecida, mas a batalha das Termópilas ainda inspira escritores e leitores hoje em dia. Quando a paz voltou, os espartanos puseram um leão de pedra nas "Portas Quentes" para marcar onde Leônidas dera início a uma lenda. O epitáfio diz: "Ide dizer aos espartanos, passante desconhecido, que aqui, obedientes às suas leis, jazemos nós."

2. Canas — 216 a.C.

Quando a tribo dos latinos consolidou o seu domínio sobre o sul da Itália, dois povoados foram unidos numa cidade chamada Roma, instalada sobre sete colinas. Nos séculos seguintes, continuaram a explorar suas terras e fronteiras, ao Norte e ao Sul, e cruzaram o mar até a Sicília. Lá, viram-se frente a frente com um posto avançado do antigo e sofisticado império cartaginês. Foi um choque de forças e culturas que lançou gerações num conflito violento que ficou conhecido como as Guerras Púnicas: a primeira vez em que Roma foi mesmo posta à prova.

Entre outras razões, a Batalha de Canas ficou famosa porque as legiões romanas foram totalmente aniquiladas. Foi um fato raro e surpreendente. Na história, são muito mais comuns os exemplos de batalhas em que é permitido que o inimigo derrotado deixe o campo de batalha, às vezes, quase intato. Em Canas, houve a destruição total de um exército num único dia. Foi quase um toque fúnebre para a própria Roma.

Na verdade, os romanos tinham vencido a Primeira Guerra Púnica, que durou 23 anos (264-241 a.C.), mas não foi uma derrota esmagadora dos cartagineses. Estes tinham um general talentosíssimo, Amílcar Barca, que pôs o sul da Espanha sob o domínio de Cartago. Mas foi o seu filho Aníbal que, partindo da Espanha, cruzou os Alpes com elefantes, invadiu a Itália e ameaçou os portões de Roma. Foi ele que comandou as tropas cartaginesas na Segunda Guerra Púnica (218-201 a.C.).

Canas fica no sul da Itália, perto do calcanhar da "bota". Aníbal fora para o Sul no ano anterior, depois de destruir exércitos romanos de 40 mil e de 25 mil soldados. Roma corria muito perigo. O senado nomeou um ditador, Fábio, que tentou desgastar as tropas de Aníbal cortando-lhes as linhas de suprimento. Foi uma política bem-sucedida, mas impopular numa cidade vingativa que queria ver o inimigo destruído e não morto de fome. Novos

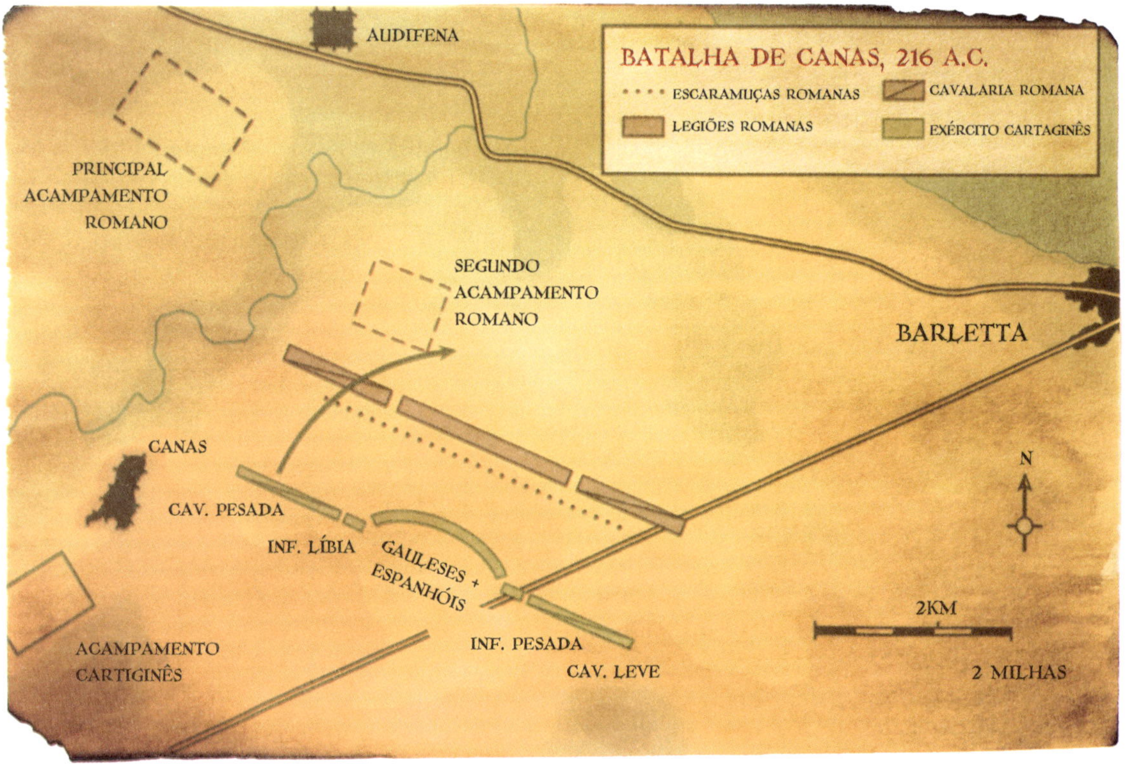

cônsules foram eleitos: Gaio Terêncio Varrão e Lúcio Emílio Paulo. O senado reuniu um exército de 80 mil soldados de infantaria e 6 mil de cavalaria, cujo comando conjunto foi assumido pelos cônsules.

O exército de Aníbal tinha poucos cartagineses de verdade. Quando invadiu o norte da Itália de hoje, a sua tropa compunha-se de 20 mil soldados de infantaria (da África e da Espanha) e 6 mil de cavalaria. Ele recrutou mais combatentes nas tribos gálicas do Norte, mas esteve sempre em desvantagem numérica. Na verdade, os romanos tinham todas as vantagens possíveis.

Os dois exércitos se encontraram em 2 de agosto de 216 a.C. Aníbal e sua tropa se aproximaram pelo leito de um rio para que não pudessem ser flanqueados com facilidade. Ele deixou 8 mil homens para proteger o acampamento. A cavalaria foi colocada nas laterais e a infantaria tomou posição no centro.

Naquele dia, Varrão comandava o lado romano. Ele não era um comandante imaginoso e levou a força romana diretamente contra as tropas de Aníbal, para tentar esmagá-las. Varrão achou que tinha conseguido proteger sua periferia contra ataques laterais, com a sua própria cavalaria. Mas o exército de Aníbal era muito superior. Esmagou um flanco romano quase imediatamente, dando a volta por trás do próprio para destruir também o outro flanco. E então levou o caos às linhas romanas, de trás para a frente.

No entanto, Varrão continuou pressionando, com a sua linha de frente empurrando as forças de Cartago cada vez mais para trás, como um arco a se curvar. A linha de frente de Aníbal tinha ficado completamente côncava e Varrão não imaginou que isso fazia parte do plano. Os soldados romanos avançaram ainda mais para dentro da "cumbuca" que Aníbal criara para eles. Acharam que estavam ganhando.

Aníbal fez um sinal para que os flancos se movessem e a "cumbuca" começou a se fechar. A cavalaria de Aníbal completou por trás o cerco das legiões romanas, que ficaram tão apertadas a ponto de mal poderem se mexer e a sua vantagem numérica foi totalmente eliminada. Mais de 60 mil homens morreram nas horas subsequentes, massacrados, incapazes de fugir. Aníbal perdeu 6 mil soldados.

Um dos resultados desta batalha foi que os romanos aprenderam com ela. Três anos depois, tinham mais de 200 mil homens em armas e reiniciaram a luta. Houve sucessos e desastres dos dois lados, e Roma oscilou à beira da destruição até pôr no comando Públio Cornélio Cipião, conhecido como Cipião Africano. Ele tinha discernimento e talento tático para enfrentar Aníbal. Embora Roma estivesse quase falida e a Itália passasse fome, foi aí que a sorte dos romanos começou a mudar.

3. Crécy – 26 de agosto de 1346

Esta batalha aconteceu durante a Guerra dos Cem Anos. A luta, entre 1337 e 1453, foi intermitente, mas houve oito grandes guerras entre a França e a Inglaterra neste período. Além disso, os franceses apoiaram os escoceses em suas guerras quase constantes com os ingleses. Foi uma época muito movimentada; é um período fascinante e vale a pena procurar conhecer mais detalhes do que podemos dar aqui.

Eduardo III da Inglaterra tinha-se declarado rei da França em 1338; essa atitude não pegou nada bem para o rei francês, Filipe VI. Para concretizar a sua pretensão, Eduardo invadiu a França com um exército profissional e experiente de 3 mil homens na cavalaria pesada, 10 mil arqueiros e 4 mil soldados galeses na infantaria leve. Além disso, havia mais 3 mil escudeiros, artesãos e mulheres junto com eles. Vale notar que, para aprender direito a usar o arco longo inglês, era preciso mais de dez anos de prática. Não se podia simplesmente pegá-lo e sair atirando, nem mesmo depois de semanas de treinamento. Só se conseguia a força necessária para lançar uma flecha que pudesse perfurar armaduras de ferro depois de anos desenvolvendo a musculatura dos ombros. Era preciso começar bem novinho como arqueiro para chegar à habilidade e à potência dos que lutaram em Crécy.

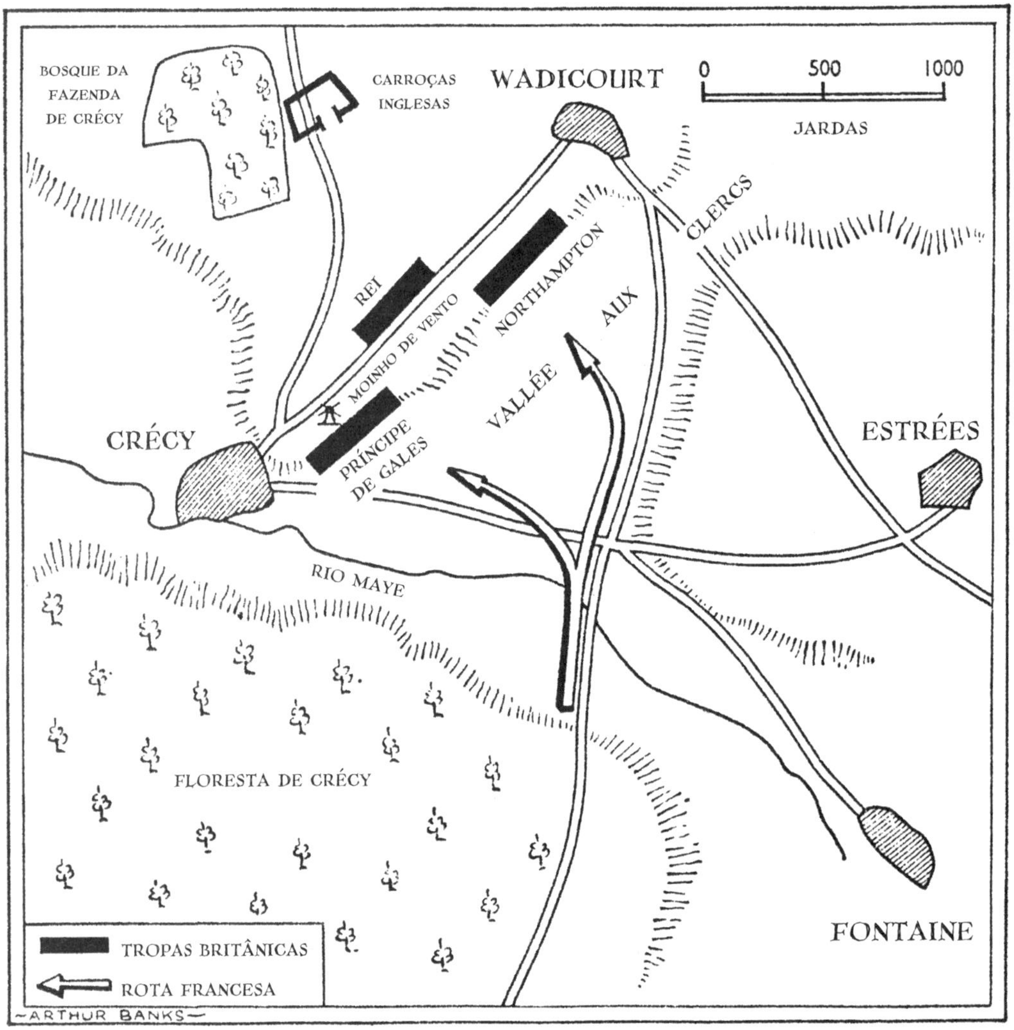

Em duas ocasiões anteriores, Eduardo não conseguira levar Filipe à batalha. Em 1346, desembarcou perto de Cherburgo e pôs em prática a política deliberada de destruir totalmente todas as aldeias e cidades francesas que encontrasse. Deste modo, Filipe teve que reagir e, no alto verão, o seu exército marchou contra os ingleses.

(A história das primeiras manobras é excelente leitura, principalmente a travessia do rio Somme por Eduardo, só possibilitada por seus arqueiros e pela escolha do momento certo. Vale a pena procurar livros de História, que relatem o episódio.)

Para enfrentar os arcos longos ingleses, Filipe contava com besteiros italianos. No entanto, para se protegerem enquanto recarregavam, eles precisavam de escudos de vime que ainda estavam nas carroças de bagagens durante a batalha e isso os deixou vulneráveis. Mesmo assim, o exército francês era mais numeroso que o inglês numa razão de três para um, com 12 mil cavaleiros e homens em armas, 6 mil besteiros, 17 mil soldados na cavalaria leve e até 25 mil infantes conscritos. Porém, não estavam bem preparados quando enfrentaram as linhas inglesas.

A primeira ação de Filipe foi mandar os seus besteiros lançarem suas setas. Eles avançaram e lançaram a 140 metros de distância. Erraram a maioria das setas e, então, avançaram para lançá-las de novo. Com isso, ficaram ao alcance dos arcos longos ingleses e foram atingidos por uma tempestade de flechas.

Os cavaleiros franceses viram os besteiros italianos titubearem e acharam que eles haviam perdido a coragem. A vontade de atacar era tamanha que atropelaram os próprios aliados, matando muitos deles, para chegar à linha de frente. Eles também ficaram ao alcance dos arqueiros ingleses e a carga de cavalaria se esfacelou. Os que conseguiram chegar às linhas inglesas tiveram de enfrentar veteranos carrancudos com machados e espadas.

Cada ataque a seguir foi rechaçado pelos arqueiros e pelos guerreiros ferozes que ficaram atrás deles. O príncipe de Gales, filho de Eduardo, teve o seu papel, embora, em certo momento, sua posição quase tenha sido ultrapassada pelos franceses enlouquecidos. O pai recusou-se a mandar-lhe ajuda, dizendo que o filho precisava merecer as suas esporas.

Sabemos o número exato de nobres franceses mortos porque houve registros detalhados: 1.542 cavaleiros morreram naquele dia. O número de plebeus mortos não é tão exato — a melhor estimativa fica entre 10 e 12 mil. Em comparação, as tropas inglesas perderam duzentos homens, inclusive dois cavaleiros nobres e quarenta homens em armas; o restante era da infantaria galesa.

Crécy foi uma humilhação para Filipe, o rei francês. Mostrou que Eduardo era capaz de avançar até capturar Calais, no litoral norte da França, que ficou na posse dos ingleses durante quase dois séculos.

Filipe morreu em 1350 e foi sucedido pelo filho João, capturado pelo príncipe de Gales, em 1356, na Batalha de Poitiers. Depois, foi levado para Londres e pediram por ele um resgate de 3 milhões de coroas de ouro. Ele nunca recuperou o trono do pai.

Essa não foi a última batalha em que a cavalaria teve o seu papel, longe disso. Afinal de contas, Winston Churchill participou de uma carga de cavalaria quando jovem, uns quinhentos anos depois. Mas Crécy marca o final do domínio da cavalaria. Mostrou que o futuro era da infantaria e das armas que disparavam projéteis, pelo menos até que inventassem o carro de combate.

ESPIÕES: CÓDIGOS E CIFRAS

A prática de mandar mensagens secretas é conhecida como "esteganografia", outra palavra de origem grega que significa "escrita escondida". O problema de esconder uma mensagem no forro do casaco ou de tatuá-la no couro cabeludo é que qualquer um pode ler. Assim, é bem sensato praticar também a "criptografia", outra palavra de origem grega que quer dizer "escrita obscura". A criptografia é a arte de escrever ou decifrar códigos e cifras.

Às vezes, usamos as palavras "código" e "cifra" como se significassem a mesma coisa. Mas não é bem assim. O código é uma substituição, como na frase seguinte: "Queijão desembarca em Retão amanhã". Não sabemos quem é "Queijão" nem onde fica "Retão". Os espiões da Segunda Guerra Mundial costumavam usar códigos; os grupos de números só podiam ser traduzidos por quem conhecesse o código certo. É impossível decifrar um código sem ter a sua chave ou sem conhecer muito bem as pessoas envolvidas. No entanto, se você espionasse o grupo durante alguns meses e notasse que o presidente de um país tinha desembarcado num aeroporto específico no dia seguinte ao daquela mensagem, talvez entendesse o padrão usado.

Por outro lado, "cifras" são mensagens embaralhadas e não uma linguagem secreta. Numa cifra, uma mensagem de texto simples é disfarçada substituindo-se as letras de acordo com um padrão. Na verdade, o Código Morse é uma cifra. As cifras são fascinantes e até perigosas. Algumas pessoas já morreram sem revelar o segredo de alguma cifra específica. Tesouros se perderam e alguns passaram a vida procurando por eles. Em tempo de guerra, milhares de vidas podem depender do segredo das cifras ou da sua decifração.

O escritor Edgar Allan Poe, na primeira metade do século XIX, deixou uma cifra que só foi decifrada em 2000. O compositor inglês Elgar, que morreu em 1934, deixou uma mensagem para uma moça que até hoje não foi totalmente entendida. Existem códigos de tesouros que mostram o caminho para quantidades enormes de ouro, bastando que a seqüência de símbolos possa ser decifrada.

Quando este livro foi escrito, a cifra mais moderna era uma sequência computadorizada de 2.048 caracteres, sendo que cada um pode ser um número, uma letra ou um símbolo. As combinações são trilhões e trilhões e calcula-se que o computador mais rápido do mundo levaria pelo menos 30 bilhões de anos para decifrá-la. É impressionante que tenha sido criada por um garoto inglês de 17 anos chamado Peter Parkinson. Ele está muito satisfeito com ela. Como termo de comparação, nos Estados Unidos é proibido exportar programas de encriptação com mais de quarenta dígitos sem fornecer a chave. São necessários três dias para descobrir uma cifra de 56 bits.

Bom, uma coisa são as combinações para proteger computadores, outra bem diferente são as cifras clássicas contidas neste capítulo, começando com a que Júlio César usava para enviar mensagens aos seus generais.

1. A cifra de substituição de Júlio César. É uma cifra alfabética simples, mas difícil de decifrar quando não se tem a chave. Cada letra é deslocada um número de vezes; digamos, quatro. A vira E, J vira N, Z vira D e assim por diante. Aqui, a chave da cifra é o número. César podia combinar antes o número com os seus generais e mandar mensagens encriptadas, sabendo que ninguém conseguiria lê-las se não conhecesse o número certo.

"O cão está doente" vira "R FDR HVWD GRHQWH" se a chave for 3.

Como cifra inicial funciona bem, mas o problema é que só há 25 números possíveis (26 levaria a pessoa de volta à letra com que começou). Assim, quem quiser mesmo decifrar o código pode simplesmente verificar todas as 25 combinações. É claro que primeiro seria preciso identificar o código de César, mas isso só aumenta um ponto no nível de dificuldade; afinal de contas, o código tem mais de 2 mil anos.

2. Números. A = 1, B = 2, C = 3 etc., até Z = 26. Podem-se escrever mensagens usando esses números. Sozinha, esta cifra é simples demais para ser usada; mas associada ao código de César, de repente, pode ficar bem complicadinha.

No método básico, "O cão está melhor" ficaria "15 – 3 1 15 – 5 19 20 1 – 13 5 12 8 15 18", que parece difícil mas não é. No entanto, se você juntar uma cifra 3 de César, a mensagem vira "3 18 – 6 4 18 – 8 22 23 4 – 16 8 15 11 18 21", que vai superaquecer o cérebro dos irmãos e irmãs menores que tentarem decifrar a mensagem. Observe que incluímos o número-chave no princípio. Ele pode ser combinado antes, em particular, para deixar ainda mais difícil a decifração. (Com a combinação César, dois pontos de dificuldade a mais.)

3. Cifras alfabéticas. Essas são incontáveis. A maioria delas depende da maneira como se escreve o alfabeto, combinada antes entre os espiões.

A B C D E F G H I J K L M

N O P Q R S T U V W X Y Z

Com esta sequência, "Como vai?" vira "PBZB INV?"

A B C D E F G H I J K L M N O P Q R S T U V W X Y Z

Z Y X W V U T S R Q P O N M L K J I H G F E D C B A

Com esta, "Como vai?" vira "XLNL EZR?" Vale lembrar que até as cifras mais simples não são óbvias à primeira vista. Cifras alfabéticas básicas podem ser suficientes para proteger um diário e têm a vantagem de serem fáceis de usar e de lembrar.

4. A variação alfabética mais famosa é a vareta de código, outra que os romanos usavam. Comece com uma tira de papel e enrole-a em volta de uma vareta. É importante que remetente e destinatário tenham varetas iguais. Dois pedaços do mesmo cabo de vassoura são perfeitos, mas a maioria das pessoas acaba usando um lápis. (Veja a figura.)

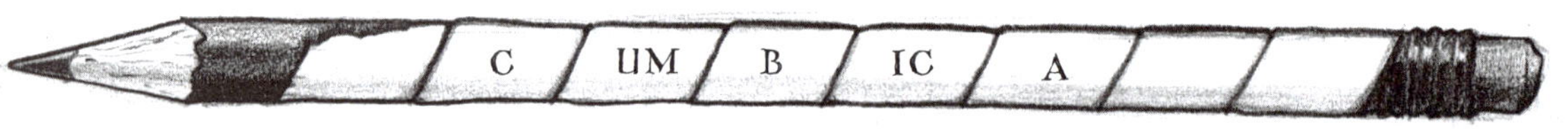

Aqui a palavra "Cumbica", nome do aeroporto internacional de São Paulo, foi escrita no comprimento do lápis, com letras a cada volta da tira. (É preciso prender bem o papel com fita adesiva ou, melhor ainda, massinha adesiva de contato.) Depois de desenrolar a tira, use a mesma caneta para preencher o espaço entre as letras com outras letras e números. Vai ficar parecendo um texto incompreensível. A ideia é que, quando a tira for enrolada de novo numa vareta igual, a mensagem possa ser lida. É uma cifra que exige um pouco de preparação mas pode ser bem satisfatória. No entanto, num caso de vida ou morte, talvez o próximo método seja melhor.

5. Substituição alfabética com palavra-chave. Talvez você já tenha percebido o que estamos desenvolvendo aqui. Para fazer uma cifra decente, é bom que seja feita uma combinação antes. A chave pode ser um número, uma data, o nome de um livro, uma palavra ou até uma vareta. É este tipo de complexidade a mais que pode tornar muito difícil decifrar até o código mais simples.

Vamos voltar a um dos nossos primeiros exemplos:

A B C D E F G H I J K L M N O P Q R S T U V W X Y Z

Z Y X W V U T S R Q P O N M L K J I H G F E D C B A

Se acrescentarmos a palavra "JANELA", teremos a sequência abaixo. Observe que não há letras repetidas e, assim, ainda são vinte e seis letras na sequência de baixo, o segundo "A" de JANELA não é usado.

A B C D E F G H I J K L M N O P Q R S T U V W X Y Z

J A N E L B C D F G H I K M O P Q R S T U V W X Y Z

É uma cifra inteiramente nova e, sem conhecer a palavra-chave, são três pontos a mais de dificuldade.

6. Rodas cifradas. Usando o compasso, risque e corte quatro círculos de cartolina, dois grandes e dois pequenos, 12 cm e 10 cm de diâmetro são bons tamanhos. Coloque cada disco menor em cima de um disco maior, faça um furo no meio dos dois conjuntos e prenda cada um deles com um grampo bailarina. É preciso que girem com facilidade.

O círculo tem 360 graus. Com o alfabeto de 26 letras, o espaço de cada segmento terá mais ou menos 14 graus. Marque os segmentos com a maior exatidão possível nos quatro círculos. Quando estiver tudo pronto, escreva o alfabeto normal na borda dos dois círculos maiores, na ordem comum, de A a Z. Nos círculos menores, escreva as letras numa ordem aleatória. Contanto que as duas rodas cifradas sejam feitas do mesmo modo, o lugar de cada letra não importa. A sequência codificada vai começar com a combinação de duas letras que mostra a posição inicial dos círculos: AQ, por exemplo.

Você vai ter um codificador de roda cifrada cuja mensagem só pode ser lida por quem tiver a outra roda. Temos agora quatro pontos de dificuldade.

7. O Código Morse é a cifra de substituição mais famosa que já se inventou. Foi criada pelo inventor norte-americano Samuel F. B. Morse, que patenteou um sistema de telégrafo e viu a sua popularidade explodir. Ele percebeu que os impulsos elétricos podiam agir sobre um eletroímã e mover uma alavanca simples, transmitindo um sinal longo ou curto. Fez com que uma tira de papel passasse por baixo da ponta de metal e criou um novo método de comunicação. Em 1844, usando a sua cifra, mandou a primeira mensagem interurbana de Washington para Baltimore. O mais incrível é que o código pode ser transmitido usando luz, se você tiver uma lanterna, ou som, como a buzina de um carro; até um semáforo pode ser usado, embora este seja meio complicado.

A primeira mensagem que Morse enviou foi "What hath God wrought?", ou seja, "O que Deus criou?", o que dá uma ideia de como era impressionante receber mensagens na mesma hora em que eram escritas do outro lado dos Estados Unidos. Durante sua vida, Morse chegou a ver os cabos telegráficos se estenderem por sob o oceano Atlântico.

O exemplo que todo mundo conhece é SOS, o pedido internacional de socorro. ("May-day" também é usado, e é muito comum em filmes de guerra. Vem do francês "M'aidez", "me ajude".)

A seqüência SOS no código Morse é pi-pi-pi – paa-paa-paa – pi-pi-pi.

CÓDIGO MORSE		
A •-	N -•	1 •----
B -•••	O ---	2 ••---
C -•-•	P •--•	3 •••--
D -••	Q --•-	4 ••••-
E •	R •-•	5 •••••
F ••-•	S •••	6 -••••
G --•	T -	7 --•••
H ••••	U ••-	8 ---••
I ••	V •••-	9 ----•
J •---	W •--	0 -----
K -•-	X -••-	
L •-••	Y -•--	
M --	Z --••	

Vale a pena mesmo aprender o Código Morse. Já aconteceu de pessoas serem salvas porque alguém escutou a sua mensagem em batidinhas debaixo de prédios desmoronados, ouviu apitos ou viu a lanterna piscando num barco virado. Desde que foi inventada, esta cifra salvou muitas vidas com o passar dos anos. Também já serviu para transmitir muitos horários de trem.

Se você tiver uma bandeira, o traço é bandeira à esquerda, o ponto é bandeira à direita. Nem todo mundo sabe disso.

8. O último item que vamos citar aqui, na verdade, foi criado para tornar mais claro o que se quer dizer e não para ocultá-lo. É útil conhecer o *Alfabeto fonético da OTAN*, Organização do Tratado do Atlântico Norte, que é um acordo internacional de colaboração militar entre os Estados Unidos, Canadá e alguns países da Europa, portanto...

ALFABÉTICO FONÉTICO DA OTAN			
A	Alpha	N	November
B	Bravo	O	Oscar
C	Charlie	P	Papa
D	Delta	Q	Quebec
E	Echo	R	Romeo
F	Foxtrot	S	Sierra
G	Golf	T	Tango
H	Hotel	U	Uniform
I	India	V	Victor
J	Juliet	W	Whiskey
K	Kilo	X	X-ray
L	Lima	Y	Yankee
M	Mike	Z	Zulu

A versão anterior da RAF, a Real Força Aérea da Grã-Bretanha (1924-1942), era Ace, Beer, Charlie, Don, Edward, Freddie, George, Harry, Ink, Jolmnie, King, London, Monkey, Nuts, Orange, Pip, Queen, Robert, Sugar, Toe, Uncle, Vie, William, X-ray, Yorker, Zebra. Parece que era mais adequado para o sotaque britânico. Mas a versão da Otan foi criada em 1956 e tornou-se o alfabeto fonético padronizado aceito por todos. É usado para minimizar a confusão quando se leem letras em voz alta pelo rádio ou pelo telefone. "P" e "B" soam bem parecidos, mas "Papa" e "Bravo" não.

COMO FAZER CRISTAIS

Pode ser bem divertido ter um cristal crescendo no parapeito da janela. Usando corante de alimentos, os cristais podem ficar com a cor que você quiser.

O problema é encontrar a substância química certa. Talvez você já tenha visto sulfato de cobre e permanganato de potássio na escola. Eles podem ser bem venenosos e, portanto, não são fáceis de achar nas farmácias. O seu professor de ciências talvez lhe arranje uma amostra, se você pedir com muito jeito.

Neste capítulo, decidimos usar sulfato duplo de alumínio e potássio, mais conhecido como alume. É uma substância química não venenosa que se costumava usar para branquear o pão. Como normalmente se recomenda para toda substância química usada em casa, não deixe que caia nos seus olhos. Você pode comprar alume, também conhecido como pedra-ume, em farmácias. Um pote de 30g é bem barato. Isso basta para fazer cristais, mas o alume também pode ser usado para bronzear a pele e tornar as coisas à prova de fogo, como discutido em outros capítulos. Se preferir, é um bom adstringente para cortes pequenos e os cristais podem ser usados nas axilas, como desodorante. Talvez você queira comprar mais. Se preferir, é possível fazer cristais com sal de cozinha ou com açúcar.

VOCÊ VAI PRECISAR DE

- **10 gramas de sulfato duplo de alumínio e potássio (alume).**
- **Um copo de vidro.**
- **Um palitinho de sorvete ou pirulito (limpo).**
- **Água morna.**
- **Linha.**
- **Pedrinhas pequenas, de preferência com arestas irregulares.**

MÉTODO

1. Observe se as pedras estão limpas; lave-as cuidadosamente em água corrente.

2. Coloque no copo água morna suficiente para cobrir as pedras. (Mais ou menos um terço do copo.) Não ponha ainda as pedras ali dentro.

3. Junte o alume e mexa rapidamente com o palitinho até que o produto pare de se dissolver facilmente. Talvez sobrem alguns grãos no fundo. Ignore-os. Agora você pode colocar as pedras, ou, para dar uma aparência mais clássica, amarre uma ponta da linha numa pedrinha e a outra no palitinho, como na figura. Fizemos as duas coisas.

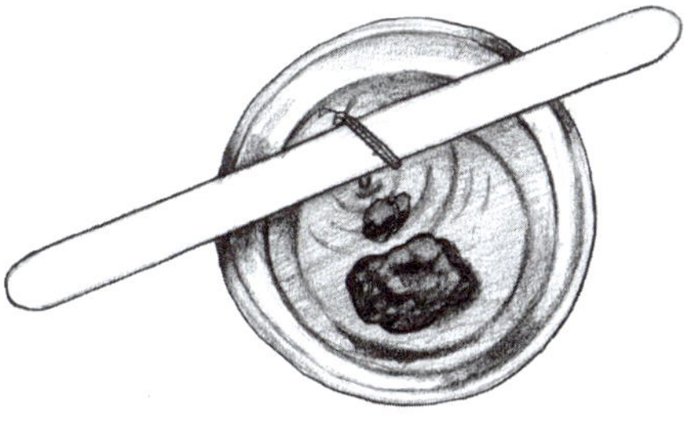

4. Se pretende acrescentar corante, faça-o agora. Mostre seu feito a seus pais, eles vão ficar orgulhosos do "geniozinho" deles.

O segredo desses cristaizinhos é a evaporação, logo, deixe o copo num lugar quente. Demora alguns dias para os primeiros cristais aparecerem e pode levar algumas semanas para chegar ao efeito máximo. É possível fazer cristais maiores repetindo o processo e amarrando um cristal pequeno na ponta da linha.

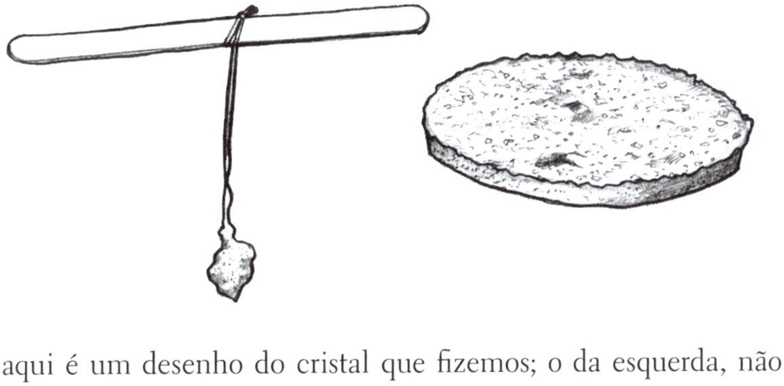

O que você vê aqui é um desenho do cristal que fizemos; o da esquerda, não o círculo grande da direita. Esse saiu do fundo do copo e, em vários pontos, impressiona mais que o cristal de verdade. Levou umas seis semanas para ficar assim; só acrescentamos alume mais uma vez.

A CONQUISTA DO POLO SUL

Há quem desdenhe da capacidade que as históras de coragem e resistência têm de inspirar entusiasmo e bons sentimentos. É verdade que nomes que já foram famosos podem sumir da lembrança das gerações, como, por exemplo, o de Robert Scott. Houve tempo em que sua vida, a sua história, era conhecida e apresentada como exemplo de fortaleza e honra. Esses valores não deixaram de ser importantes no mundo moderno nem as histórias ficaram menos emocionantes. São histórias que vale a pena conhecer e, por isso, escolhemos cinco personagens para este livro: Robert Scott, Amyr Klink, Santos-Dumont, Coronel Fawcett e os irmãos Villas Bôas.

O primeiro deles, Robert Falcon Scott, nasceu em 6 de junho de 1868. Durante a vida toda foi chamado de "Con", forma reduzida do seu segundo nome. Vinha de uma família de marinheiros, teve tios, tios-avós e avós que serviram na marinha britânica. O seu pai tinha uma pequena cervejaria em Plymouth, comprada com o dinheiro dos prêmios concedidos aos marinheiros depois das Guerras Napoleônicas.

"Con" Scott entrou aos 13 anos, como aspirante, para a tripulação do navio HMS *Boadicea*. Aquele era um mundo difícil que exigia obediência e disciplina pessoal. Com 22 anos, era tenente com certificação de primeira classe em pilotagem (a arte de conduzir a embarcação no mar), torpedos e artilharia, com as notas mais altas de sua turma em conhecimentos navais.

No cumprimento de seu ofício, encontrou mais de uma vez com Sir Clements Markham, presidente da Real Sociedade Geográfica, e impressionou-o com a sua inteligência e postura. Na virada do século, quando a Real Sociedade precisou de alguém para comandar uma expedição ao Polo Sul, Sir Clements Markham se empenhou para que Scott fosse o indicado.

Naquele ponto da sua carreira, Scott não tinha conhecimento das condições extremas que enfrentaria. Resolveu este problema consultando os que tinham mais conhecimento e foi a Oslo conversar com Fridtjof Nansen, explorador norueguês das regiões árticas que, mais tarde, seria embaixador da Noruega, em Londres. Ficaram bons amigos e Scott aceitou o conselho de Nansen de conseguir cães para puxar trenós; comprou vinte cães e três cadelas na Rússia para a sua primeira viagem ao Polo Sul.

ROBERT SCOTT

Em 1900, foram escolhidos os primeiros membros da equipe. Scott insistira em aprovar pessoalmente todos os integrantes, ele sabia tomar decisões rápidas. Com alguma idéia das dificuldades que o esperavam, formou uma tripulação composta em sua maioria por jovens em ótimas condições físicas. Mas quando Scott conheceu Edward Wilson, jovem médico e desenhista, que sofria de um furúnculo na axila, envenenamento do sangue e pulmões enfraquecidos pela tuberculose, Scott o contratou mesmo assim. Também aceitou um certo Ernest Shackleton, cuja história de coragem ficaria famosa mais tarde.

Com o dinheiro que Sir Clements Markham conseguiu, construíram o navio *Discovery*, que foi lançado ao mar em 21 de março de 1901. Scott também comprou um balão para a viagem, que custou 1.300 libras esterlinas. O jovem rei Eduardo VII, com a sua rainha Alexandra, subiu a bordo em Cowes, para conhecer o navio. Sir Clements Markham disse sobre a tripulação: "Jamais partiu destas praias conjunto melhor de homens, nem os homens jamais tiveram melhor comandante."

A viagem para o Sul foi lenta e difícil. O *Discovery* fazia água e não podia dar mais de sete nós a todo vapor. No entanto, chegaram à Nova Zelândia, consertaram o vazamento e embarcaram provisões. Viajaram até as banquisas e as elevadas latitudes do Sul. Scott e Shackleton foram as primeiras pessoas do mundo a fazer uma viagem de balão na Antártica, embora o balão também tenha vazado e, por isso, só tenha sido usado uma vez.

Em vários casos ficou patente a sua falta de experiência, desde os erros no cálculo das distâncias e a dificuldade de conduzir os cães até proteger a pele e preparar as refeições em temperatura muito baixa. Tiveram de aprender rapidamente técnicas fundamentais, num ambiente em que o suor congelava e as nevascas aconteciam sem avisar. No entanto, conseguiram aprender e passaram um ano na paisagem gelada, da qual o seu navio parecia brotar.

Em novembro de 1902, tentaram chegar ao Polo, mas os cães adoeceram. Foram os primeiros a atravessar o 80° paralelo, depois do qual todos os mapas eram vazios. Começaram a matar os cães para alimentar os que ficavam. Shackleton apresentou os primeiros sintomas de escorbuto, devido à falta de vitaminas na dieta, e a dor da cegueira da neve ficou tão forte para Wilson que ele precisava usar venda e se conduzir pela voz de Scott. Depois de uma tentativa que durou 93 dias, estavam a 770 quilômetros do Polo quando Scott deu ordem para retornar, em 31 de dezembro. Mais cães morreram no caminho de volta ao navio, mas todos os homens sobreviveram para tentar novamente.

Um navio de apoio, o *Morning*, reabasteceu a expedição e levou alguns integrantes para casa, inclusive Shackleton. As viagens de pesquisa continuaram, apesar das temperaturas de até –55°C. O *Discovery* ficara solidamente preso no gelo e foi preciso uma combinação de navios de resgate e dinamite para libertá-lo depois de dois anos na Antártica. Chegaram de volta a Portsmouth, na Inglaterra, em setembro de 1904. Ainda com licença especial da Marinha Real, Scott foi promovido a capitão devido à importância das suas realizações. Houve exposições de desenhos e de amostras científicas, palestras e viagens. Scott virou quase uma celebridade e publicou em dois volumes um relato da expedição, com os desenhos impressionantes de Wilson. Apesar do relativo sucesso, o governo ignorou os apelos de Scott para salvar o *Discovery* e o navio foi vendido.

Em 1907, Scott voltou ao mar como comandante de vários navios; em 1908, conheceu Kathleen Bruce e casou-se com ela. Shackleton tentou fazer a viagem por conta própria, mas a equipe voltou quando estavam a apenas 156 quilômetros do Polo. A magia da Antártica atingira profundamente Scott e Shackleton, mas a segunda expedição de Scott, em 1910, é que viria a ficar famosa no mundo inteiro.

Scott escreveu: "O principal objetivo da expedição é chegar ao Polo Sul e garantir para o Império Britânico a honra desta conquista." A ciência teria papel menor na segunda tentativa de atingir o Polo.

Scott aprendera com as experiências anteriores e consultou Nansen mais uma vez, enquanto arranjava dinheiro e reunia a equipe. Os recursos demoraram a chegar e mais de um integrante da expedição arranjou dinheiro para pagar pela participação. O capitão L. E. G. Oates estava encarregado dos pôneis. Wilfred Bruce, cunhado de Scott, foi mandado à Rússia para comprar os cães de puxar trenós e pôneis siberianos, ambos vitais para o projeto. Eles também experimentaram trenós motorizados.

O explorador norueguês Roald Amundsen também estava indo para o Sul. A sua intenção, a princípio, era explorar o Ártico, mas o americano Robert Peary afirmara ter chegado ao Polo Norte em 1909, então, Amundsen lançara os olhos para o Polo Sul, que ainda não fora conquistado. Tinha consigo cem cães e suprimentos para dois anos. Conhecia o clima e planejara a rota. Scott ainda lutava para conseguir recursos na Nova Zelândia e na Austrália. Os últimos suprimentos foram embarcados e o navio *Terra Nova* zarpou em 29 de novembro de 1910. Dois meses antes, Scott recebera um telegrama de Amundsen, enviado depois da partida. Dizia, apenas: "Permita informar sigo Antártica. Amundsen."

O *Terra Nova* chegou à banquisa, em 9 de dezembro, abrindo caminho por ela e ancorando finalmente em gelo sólido em janeiro de 1911. Os trenós, o equipamento básico e os suprimentos foram descarregados, mas o trenó motorizado, mais pesado, rompeu o gelo e desapareceu no mar. Começou então o processo lento de tentar chegar ao Polo, com acampamentos montados cada vez mais para o Sul. Os pôneis não aguentaram muito bem e, entre os homens, logo houve casos de congelamento de membros.

As condições climáticas estavam péssimas, com nevascas constantes prendendo-os nas barracas. Quando chegaram ao último acampamento, todos os pôneis já tinham morrido, depois de arrastar os trenós por uma geleira de 3 mil metros. Scott escolheu Wilson, Evans, Oates e Bowers para a arremetida final até o Polo, cada homem arrastando 75 quilos em trenós.

Essa equipe menor de cinco homens lutou contra as nevascas para chegar ao paralelo 89, o último antes do Polo propriamente dito. Foi pouco depois disso que cruzaram os rastros de Amundsen e seus cães. Scott e os outros encheram-se de desespero, mas continuaram mesmo assim, decididos a atingir seu objetivo, chegando ao Polo.

Finalmente, pararam no ponto mais ao Sul do mundo, em 17 de janeiro de 1912. Ali encontraram uma barraca com um pedaço de papel que trazia o nome de cinco homens: Roald Amundsen, Olav Olavson Bjaaland, Sverre Hassel, Oscar Wisting e Hilmer Hanssen. O bilhete estava datado de 14 de dezembro de 1911. O desapontamento foi imenso em todos eles; poucas corridas foram mais disputadas na história, com tanta coisa em jogo.

A viagem de volta começou bastante bem, mas Evans perdera as unhas devido ao frio, Wilson contundira um tendão da perna, o próprio Scott estava com o ombro machucado e Oates, com princípio de gangrena nos dedos dos pés. Em condições de exaustão tão extremadas, até ferimentos pequenos recusavam-se a sarar. Todos pagaram um preço terrível para serem os segundos.

CAPITÃO L. E. G. OATES

A comida começou a escassear e cada depósito de suprimentos que encontravam era uma corrida contra a fome e o frio. O combustível também estava acabando e morrer congelado tornou-se uma possibilidade concreta. Evans caiu em 16 de fevereiro e nunca se recuperou por completo. Continuou avançando no dia seguinte, mas mal conseguia ficar de pé, morrendo pouco depois.

Wilson também estava enfraquecendo e, assim, Scott e Bowers montaram sozinhos o acampamento, numa temperatura de –41°C.

Em 16 ou 17 de março, Oates disse que não podia continuar e queria ser deixado no seu saco de dormir. Sabia que estava atrasando os outros, que poderiam perder a sua única oportunidade de salvação. Na manhã seguinte, houve uma nevasca. Oates levantou-se na barraca e disse: "Vou dar uma saidinha, talvez demore."

Scott escreveu em seu diário: "Sabíamos que o pobre Oates estava indo para a morte, mas, embora tentássemos dissuadi-lo, sabíamos que era o ato de um homem corajoso e de um cavalheiro inglês." Oates não foi mais visto e o seu corpo nunca foi encontrado.

Em 20 de março, Scott soube que perderia o pé direito por congelamento. Estavam a menos de 18 quilômetros de um acampamento, mas a nevasca impediu-os de prosseguir e ficar parado seria morte lenta para os três que restavam. O combustível tinha acabado e só lhes restavam dois dias de rações de fome. Estavam sem forças e sem tempo. Scott decidiu que tentariam chegar ao depósito, mas isso era demais para eles e não conseguiram sair da última posição. O registro final de Scott em seu diário foi: "É uma pena, mas acho que não consigo mais escrever. R. Scott. Pelo amor de Deus, cuidem dos nossos."

Com o fim do diário, Scott escreveu cartas às famílias dos que morreram, inclusive uma carta para a sua esposa em que menciona o filho único.

> Esperava ajudá-la a criá-lo, mas é uma satisfação saber que ele estará em segurança com você (...) Se puder, faça o garoto se interessar pela história natural. É melhor do que jogos. Algumas escolas estimulam isso. Sei que você vai deixá-lo ao ar livre. Tente fazer com que acredite em Deus, é confortador (...) e protejao da indolência. Faça dele um homem vigo-

> roso. Tive de me obrigar a ser vigoroso, você sabe; sempre tive tendência à preguiça.

Também escreveu uma carta para o público, sabendo que o seu corpo seria encontrado.

> Corremos riscos, sabíamos que correríamos; tudo se virou contra nós e, portanto, não temos do que nos queixar, mas nos curvamos à vontade de Providência, decididos ainda a fazer o possível até o fim (...) Se tivéssemos sobrevivido, eu teria para contar histórias sobre o vigor, a resistência e a coragem dos meus companheiros que emocionariam o coração de todos os ingleses. Estas notas rápidas e os nossos corpos contarão a história mas, com certeza, com toda a certeza, um país grande e rico como o nosso cuidará para que os que dependem de nós sejam devidamente amparados.

Scott sabia que os recursos da expedição estavam esgotados, que havia muitas dívidas, e o seu último pensamento foi a preocupação com os entes queridos, que poderiam perder tudo o que ainda possuíam. Na verdade, quando a história ficou conhecida houve doações suficientes para pagar todas as dívidas e criar fundos para os filhos e esposas dos que tinham morrido.

Atkinson, o médico da equipe, encontrou os homens congelados na barraca em novembro daquele ano. O diário e as cartas foram recolhidos e, no local do seu descanso final, foi erigido um marco, feito com pedras, à espera do dia em que o movimento da banquisa os leve para o mar gelado. O grupo de buscas procurou Oates mas não teve sucesso. Finalmente, fincaram uma cruz em sua memória, com a seguinte inscrição:

POR AQUI MORREU UM CAVALHEIRO MUITO VALOROSO, CAPITÃO L. E. G. OATES, DOS DRAGÕES DE INNISKILLING. EM MARÇO DE 1912, VOLTANDO DO POLO, CAMINHOU POR VONTADE PRÓPRIA PARA A MORTE NUMA NEVASCA PARA TENTAR SALVAR OS CAMARADAS, ATINGIDOS PELAS DIFICULDADES.

COMO FAZER UM CARRINHO

A parte mais difícil da feitura de um carrinho é achar as rodas. Uma possibilidade é usar as rodas dos carrinhos de feira, outra é achar um carrinho de bebê antigo.

O PROJETO

VOCÊ VAI PRECISAR DE

- Dois eixos com rodas que girem independentemente.
- Tábua para sentar-se; usamos de pinho, com 18mm de espessura.
- Madeira para os eixos. O comprimento vai depender dos seus eixos. Usamos uma tábua de 9 cm × 4 cm.
- Corda para segurar.
- Dois pitões para prender a corda.
- Quatro braçadeiras de metal para canos ou conduítes.
- Tinta para madeira (cor à sua escolha).
- Parafusos de 11/2 polegada (40 mm)
- Vinil e espuma, se quiser acrescentar um assento.
- Parafuso para a direção (ver explicações).
- Tachinhas de estofador para o assento.

Primeiro, corte a madeira. Cortamos dois pedaços de 43 cm para os eixos, mas o tamanho pode ser diferente no seu caso. Também cortamos uma tábua central bem comprida: 114 cm. Mais uma vez, isso vai depender do tamanho das suas pernas. Deixe pelo menos alguma folga, porque você vai crescer. O melhor é deixar que um adulto corte a madeira, ainda mais se for usar ferramentas elétricas. Se ignorar o nosso conselho e cortar o dedo fora, por favor, não nos mande o dedo como prova.

No entanto, o bom é que há outras coisas que você pode usar. Encontramos os nossos dois eixos com rodas depois de muitas visitas a três ferros-velhos locais. Levamos várias semanas para encontrar as nossas rodas; assim, é melhor você começar logo, para que os empregados de todos os ferros-velhos num raio de 15 quilômetros fiquem conhecendo você. O nosso eixo traseiro veio de um carrinho de golfe e o dianteiro de um carrinho de bebê moderno de três rodas; os carrinhos usados estão começando a aparecer nos ferros-velhos e talvez você encontre o seu mais rápido do que nós. Outra possibilidade seria achar um triciclo e usar as rodas de trás. Desde que tenha um eixo que não gire junto com as rodas, vai servir, não se preocupe. Se possível, prefira rodas de metal em vez de plástico. Plástico é um material muito esquisito, que tende a se esfacelar quando sofre tensão, na descida de uma ladeira, por exemplo.

Neste estágio, também é uma boa ideia pintar ou envernizar a madeira. Nós nos esquecemos disso completamente e pintar depois foi bem mais complicado. É melhor pintar primeiro. Usamos "primer" para proteger a madeira e tinta preta fosca. Como tínhamos uma lata velha de verniz guardada, envernizamos também. É claro que você pode comprar, mas achar latas velhas com um dedo ou dois de tinta ainda boa no fundo é mais emocionante e barato.

Quando a tinta secar, prenda os eixos. Há vinte anos, usamos pregos em forma de U, que serviram perfeitamente bem. Desta vez, descobrimos que os eixos eram muito mais grossos e tivemos de encontrar uma alternativa. É o tipo de problema que talvez você tenha que resolver.

No alto da figura há uma braçadeira para conduítes elétricos, que custa barato em qualquer loja de material elétrico. Também são muito úteis para prender eixos e vêm em vários tamanhos.

Usamos três delas no eixo da frente. O plano original era usar duas, mas achamos que o furo de um dos parafusos ficou meio frouxo e queríamos que o carrinho fosse firme. Na hora de colocar as braçadeiras, tome o máximo cuidado para que os eixos fiquem bem paralelos ao pedaço de madeira. Se as braçadeiras forem idênticas, meça a distância do alto de cada uma até a borda da madeira. Dá para fazer de olho, mas é melhor medir e ter certeza.

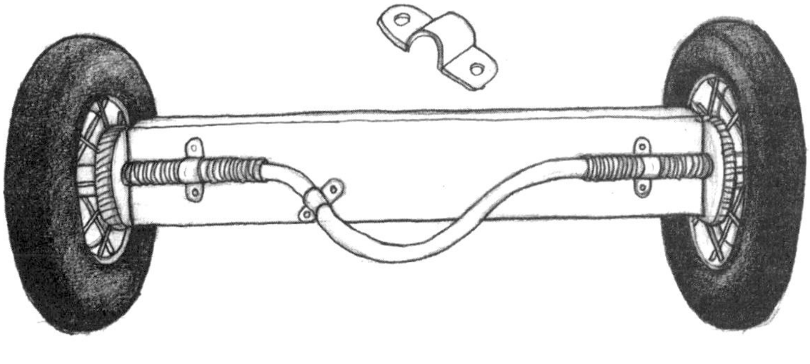

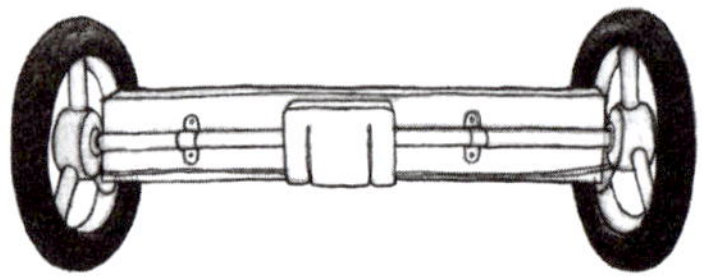

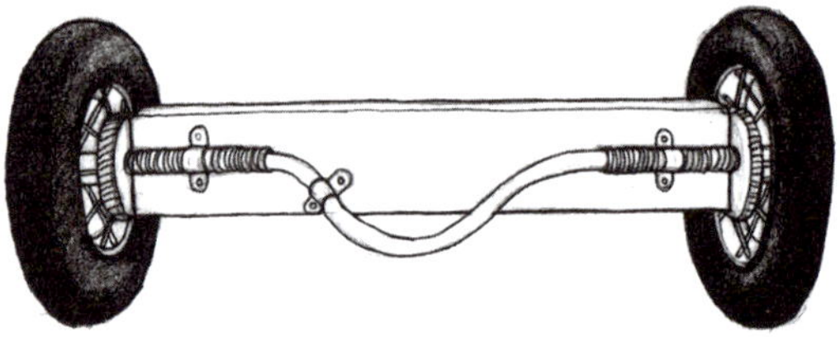

Os parafusos de 40 mm vão prender a madeira do eixo à parte de trás da tábua principal, como mostrado abaixo. Parece fácil, mas é preciso medir com atenção para que o ângulo entre a tábua principal e o pedaço de madeira do eixo seja exatamente de 90°. É preciso verificar também se os pedaços que sobram de cada lado ficaram do mesmo tamanho. Prendemos os pedaços com grampos, meio frouxos, e depois usamos um martelo de borracha para empurrá-los para o lugar certo, medimos várias vezes até ficarmos satisfeitos.

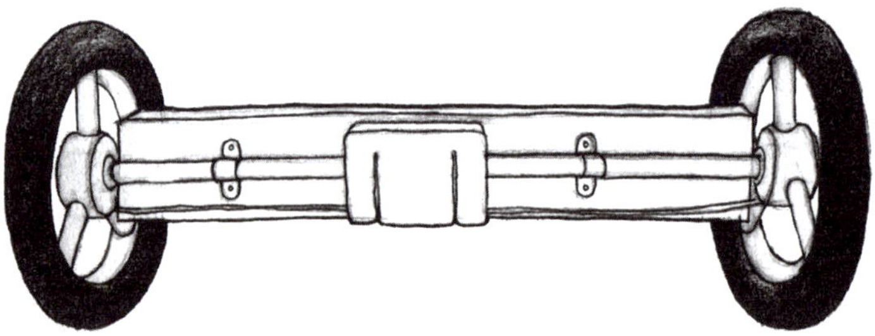

A direção é a única coisa complicada que falta fazer. Tivemos uma sorte enorme ao descobrir que o parafuso da terceira roda do carrinho de bebê era perfeito para isso, mas não dá para depender desse tipo de sorte. Você precisa achar um parafuso com rosca apenas na metade do comprimento.

PARAFUSO DO CARRINHO DE BEBÊ DE TRÊS RODAS

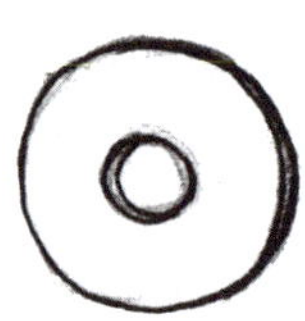

É MAIS PROVÁVEL ENCONTRAR ESTE AQUI

O bom disso é que você vai prender o parafuso com a porca mas ele ainda poderá girar livremente no furo. É fácil encontrar esse tipo de parafuso em lojas de ferragens. Procure um que seja um pouco mais longo do que o necessário e coloque uma arruela de cada lado, ou mais de uma se o parafuso for comprido demais.

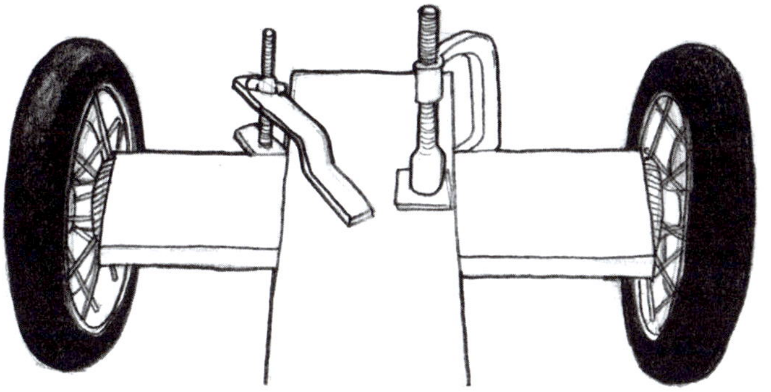

Acertar a posição do eixo da frente não foi tão difícil quanto a do eixo de trás. Como antes, era importantíssimo ter pedaços do mesmo tamanho do eixo sobrando de cada lado da tábua, mas não era preciso ficar a 90°, já que o eixo tem de girar; não fosse assim, seria impossível dirigir o carrinho. O bom deste projeto é que você fica sentado com os pés na barra de direção, segurando a corda. Assim, ele é muito fácil de manobrar.

Decidimos pôr um assento no nosso carrinho. Pedimos a um estofador que nos arranjasse, de graça, um resto de carpete e uma amostra de vinil. Dobramos o vinil em volta de um pedaço de pinho, usando o carpete para acolchoar por dentro. Depois prendemos com tachinhas de estofador, compradas numa loja de ferragens, e aparafusamos o conjunto pela parte de baixo na tábua principal. A corda foi amarrada com um lais de guia em cada ponta.

PS.: No Brasil, um tipo de carrinho muito comum é o carrinho de rolimã. É muito fácil de construir e você só precisará de pedaços de madeira, rodas de rolimã (fáceis de encontrar em ferros-velhos e em oficinas) e pregos.

INSETOS E ARANHAS

"Inseto" é uma palavra que vem do latim e significa "cortado" ou "segmentado". Qualquer criatura com cabeça, tórax, abdome e seis patas é um inseto. Costumam ter exoesqueleto, ou seja, placas protetoras do lado de fora. São de longe a maior classe do reino animal. Há centenas ou até milhares de espécies diferentes em qualquer terreno ou superfície de água no campo. Fazem parte de ecossistemas extremamente complexos e, no simples laguinho de algum povoado, podem existir, voar e perecer mais de cem mil vidas, às vezes num só dia. A sua variedade é espantosa e a vida deles pode ser infinitamente fascinante. Abelhas, besouros, cigarras, cupins, pulgas, vaga-lumes, louva-a-deus, mariposas e mosquitos são facilmente encontrados no Brasil.

Gafanhotos e grilos

Embora, com pequenas diferenças, haja mais de duas dúzias de variedades de gafanhoto, eles podem ser classificados em dois grupos principais: os de antena longa (locustídeos) e os de antena curta (acridídeos). Ambos fazem os conhecidos estalos ritmados nos dias de sol, embora as variedades de antena curta sejam muito mais comuns. O gafanhoto de antena longa pode ser até cinco vezes maior que os outros; também pode voar, embora em geral apenas distâncias curtas. Quando estão parados, são praticamente invisíveis. Para achá-los, é preciso caminhar bem devagar num capim alto, quanto mais tempo melhor. Costumam ser de cor verde bem viva (normalmente chamados de esperanças), mas também podem ser marrons e cinzentos. Se tiver sorte, poderá ver um gafanhoto grandão de antena longa. Dá para pegar os pequenos, mas os de antena longa sempre se ferem quando os seguramos com a mão.

Os grilos também são comuns no Brasil. Embora sejam parecidos com os gafanhotos (afinal, os dois pertencem à ordem Orthoptera) pertencem à subordem "ensíferos", enquanto seus primos são classificados como "celíferos". O popular grilo doméstico é bem pequeno e se esconde nas cozinhas, despensas e áreas das casas, onde se alimenta de restos de comida e também de outros insetos. Há ainda o grilo do campo; de cor negra e brilhante, que se aloja em buracos no solo, de onde só sai para comer e cantar. Esses insetos predominam em países quentes.

GRILO

Baratas

Podemos apostar que na maioria das vezes que você ouve um grito vindo da cozinha uma barata está na área. Além de temidas (o medo de barata já rendeu até estudos psicológicos), as baratas podem trazer riscos para a saúde. Das mais de 4 mil espécies, apenas um por cento é considerada praga, carregando micróbios que, quando transmitidos para o homem, causam infecções respiratórias e intestinais. Entretanto, como qualquer outro ser vivo, as baratas são um elemento importante em ecossistemas naturais, servindo de fonte de alimento de diversas espécies de animais e atuando na ciclagem dos nutrientes.

Entre as espécies mais conhecidas no Brasil, está a *Blatella germanica* (também conhecida como francesinha); mas existem muitas outras como a *Blatta orientalis* (barata oriental), a *Periplaneta americana*, a temida barata voadora, e até uma barata gigante, a *Megalablatta rufipes*, que chega a 7 cm de comprimento.

As baratas gostam de se esconder em lugares úmidos e escuros da casa (cantos de paredes, frestas de madeira, armários, gavetas, fornos, ralos e depósitos) e saem à noite para se alimentar. Têm grande capacidade de adaptação e sobrevivência — com 350 milhões de anos de existência, as baratas foram contemporâneas dos dinossauros e assistiram a sua extinção!

Cigarra

Você já ouviu um barulho estridente vindo da natureza no fim de tarde de um dia quente? Provavelmente é uma cigarra macho cortejando a fêmea. Da família dos cicadídeos, que reúne os maiores representantes dessa ordem de insetos, a cantoria das cigarras é diferente em cada espécie e pode ser ouvida a quase um quilômetro de distância. As cigarras também são reconhecidas pela forma característica e pelo tamanho e possuem um "bico" comprido para se alimentar da seiva de árvores e plantas onde normalmente vivem. No Brasil, a maioria das espécies está completamente desenvolvida aos 17 anos e, quando adultas, vive apenas por um mês ou um pouco mais.

Existem mais de 1.500 espécies de cigarras, sendo as principais *Quesada gigas*, *Fidicina pullata*, *F. mannifera*, *F. drewseni* e *Carineta fasciculata*. A maioria vive nos trópicos e tem importância no ecossistema, positiva por um lado, servindo de alimento para os predadores, e negativa, por outro, constituindo-se em pragas de algumas culturas.

Libélulas e donzelinhas

Este é outro grupo de insetos bonitos e inofensivos. As libélulas e donzelinhas pertencem à ordem Odonata, que significa "com dentes". O maxilar inferior é serrilhado, o que pode explicar o nome. Mas nem as maiores conseguem romper a pele humana. Por terem quatro asas, parecem maravilhosamente estranhas, embora sejam as suas cores vivas que atraem nossos olhos no verão. Além disso, alimentam-se de moscas e mosquitos e, assim, são presença bem-vinda no jardim.

LIBÉLULA

As libélulas passam o estágio de larva debaixo d'água, depois sobem por um junco ou planta aquática até sair da água. Ali, a pele endurece e se racha e a libélula luta para sair renascida da carcaça velha. As pequeninas donzelinhas formam uma subordem (a dos zigópteros), com quatro asas mais ou menos do mesmo tamanho. Já as libélulas (anisópteros) têm asas traseiras mais curtas e largas que as da frente. Existem no Brasil cerca de 1.200 das 5 mil espécies de libélulas que povoam o mundo inteiro. Apesar das várias denominações, como lavadeira, cavalinho do diabo e canzil, seu nome mais comum, libélula, pode ter se originado, por exemplo, do termo latino "libelulus", denominativo de livro (liber) devido à semelhança de suas asas com um livro aberto.

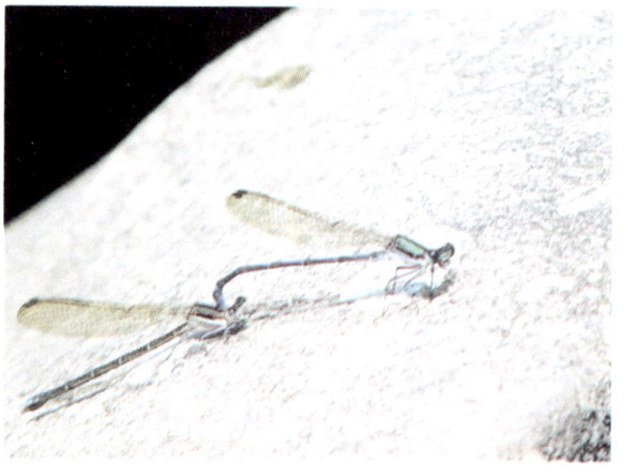

DONZELINHA

Todas as libélulas têm excelente visão e capacidade de voo, precisam disso para sobreviver aos ataques rápidos dos pássaros e aos ataques lentos dos sapos, quando descem à água para pôr ovos e para beber.

São insetos apenas do verão e não sobrevivem em tempo frio. O excesso de chuva também pode matá-los de fome, já que nem as libélulas nem as suas presas voam quando chove.

Louva-a-deus

O louva-a-deus tem esse nome porque quando está pousado, esperando sua presa, parece uma pessoa rezando. Existem mais de 2 mil espécies do inseto, que, em sua maioria, habitam ambientes tropicais e subtropicais.

Além de carnívoro, o louva-a-deus é um predador agressivo, que precisa caçar para se alimentar. A emboscada que arma para capturar sua presa é facilitada pela capacidade de camuflagem do inseto (imóvel pode ser confundido com uma folha), que conta ainda com patas dianteiras que funcionam como garras e patas traseiras bem fortes, usadas para andar e pular. Seu voo é outra característica impressionante. Se assemelha ao voo de um caça em combate, sendo ainda capaz de se desviar de ataques em pleno voo.

LOUVA-A-DEUS

Vorazes, sua presença é bem-vinda nos jardins e plantações, atuando muitas vezes como controle de pragas. O acasalamento é uma época de perigo para os machos. Muitas vezes, as fêmeas acabam matando-os depois do ato.

Na China, o louva-a-deus é um inseto venerado, e alguns estilos de kung fu são baseados em seus movimentos.

Borboletas e mariposas

Há muitas centenas de espécies em todo mundo. As mariposas voam de dia e de noite, mas as borboletas se restringem apenas às horas diurnas. Outra diferença é que as borboletas costumam deixar as asas eretas quando pousam e têm bolinhas na ponta das antenas. Embora a maioria das mariposas seja de cor marrom ou preta, algumas são tão coloridas quanto as borboletas.

Eis aqui algumas espécies encontradas no Brasil:

A borboleta-coruja (*Caligo belrao*) é típica da região Sudeste do Brasil. Já a borboleta-monarca (*Danaus plescippus*) é encontrada pelas três Américas. Comum no Brasil, a borboleta-rubi (*Memphis ryphea*) possui asas avermelhadas e semelhantes a uma folha seca na face ventral.

BORBOLETA-CORUJA

BORBOLETA-MONARCA

BORBOLETA-DA-RESTINGA

A borboleta-da-coronilha (*Morpho catenarius*), também conhecida como azulão e janeira, tem coloração branco-azulada e é encontrada no Sul do Brasil.

A borboleta-da-restinga, também conhecida como borboleta-da-praia (*Parides ascanius*), é encontrada somente em algumas restingas do Estado do Rio de Janeiro. Possui asas negras e brancas, com uma característica mancha vermelha nas asas posteriores. Foi a primeira espécie de inseto brasileiro a entrar na lista de espécies ameaçadas de extinção no Brasil.

Mariposas

É fácil ver mariposas sempre que se deixa a janela aberta à noite. A sua variedade é imensa. Na verdade, das cerca de 130 mil espécies de lepidópteros que há no mundo, cerca de 110 mil são de mariposas. Todo mundo sabe que os seus sentidos se confundem com a luz forte e elas podem passar muitas horas horríveis batendo em lâmpadas. Antigamente, a luz vinha de uma chama e a mariposa era atraída para ela e se queimava.

Assim como as borboletas, as mariposas passam algum tempo como lagartas e saem adultas das crisálidas. Algumas têm cores vivas e voam de dia e somente a falta de bolinhas na ponta das antenas mostra que são mariposas e não borboletas.

No Brasil, os espécimes de maior tamanho e de cor escura também são chamados de bruxas. A mariposa-espelho (*Rosthschildia aurota*) está distribuída por todo o Brasil, possuindo asas brilhantes, cujos tons variam entre o marrom, o castanho e o avermelhado. A mariposa-das-maçãs (*Carpocapsa possonella*), por sua vez, é de origem europeia, mas também encontrada no Brasil, próxima aos frutos de pessegueiro, ameixeira, macieira, pereira e marmeleiro.

Finalmente, uma das mariposas mais úteis do mundo é a *Bombyx mori*. A mariposa propriamente dita é quase desconhecida, mas as suas lagartas produzem a seda natural para fazer o seu casulo. São criadas na China há 5 mil anos.

Besouros

Os besouros são insetos que têm uma carapaça dura para proteger as asas. Muitos são carnívoros e têm o papel muito importante de consumir animais e pássaros mortos. A ordem Coleóptera é a que tem maior número de espécies entre todos os seres vivos, com 350 mil representantes, entre eles joaninhas e besouros.

BESOURO VACA-LOIRA

Uma das espécies é o besouro-do-esterco (*Geotrupes stercorarlus*) enterra esterco como fonte de alimento. É benigna e relativamente comum. No entanto, outras espécies são bastante destrutivas, como o caruncho-da-madeira (*Xestobium rufovillosum*), que abre furos na madeira e pode destruir vigas e prédios antigos.

O vaga-lume (*Lampyris noctiluca*, que vem do grego Lampyra e significa "portador de lanterna") não é borboleta nem mariposa. Também é um besouro. Os machos voam, mas a sua luz é muito fraca. As fêmeas não voam, mas têm luz amarelo-esverdeada muito mais brilhante, que pode ser vista em cercas de plantas ou de arbustos, durante o crepúsculo. Um fato espantoso da vida dos vaga-lumes é que as suas larvas buscam cascas habitadas de caramujos quando saem dos ovos e se alimentam dos animais indefesos lá dentro. É também conhecido como pirilampo.

VAGA-LUME

As joaninhas (Coccinelídeos) são besouros conhecidíssimos, encontrados em qualquer campo coberto de capim. Comem pulgões e são bem-vindas em todos os jardins. Quando incomodadas, lançam como defesa um fluido de gosto ruim, como o da cobra-d'água-de-colar. (Se você pegar uma cobra-d'água-de-colar, prepare-se para tomar um banho do líquido mais fedorento que já se viu. Um dos autores foi pego desprevenido quando tentou pegar uma delas e o cheiro grudou em suas mãos durante dias, apesar de lavagens intermináveis com detergente bem forte.)

JOANINHA

Dizem que o besouro vaca-loira (*Lucanus cervus*) não é lá muito raro, embora os autores só o tenham visto uma vez na vida. Ele ficou guardado numa caixa de fósforos até que conseguiu fugir. Os chifres desse besouro são totalmente inofensivos. Não dá para prender machos junto com outros machos, eles lutam até se ferir ou mesmo se matar. Além disso, os casais têm de ficar separados depois de cruzar, senão arrancam as pernas um do outro a mordidas. A vida da vaca-loira não é fácil! Podem ser criados em cativeiro, mas as pupas, um estágio das larvas dos insetos, são muito frágeis e não devem ser tocadas com a pele desprotegida.

ABELHÃO

Abelhas e vespas

As abelhas são insetos fascinantes e é muito difícil que piquem, a não ser que você as deixe com medo. Se sentar em cima de uma delas com certeza ela vai picá-lo, mas nessas circunstâncias o que mais ela poderia fazer? Fora isso, são inofensivas e, claro, produzem o delicioso mel. O abelhão (*Bombus terrestris*) pode ser visto zumbindo por aí, procurando néctar no verão, embora seja menos abundante que a abelha comum (*Apis mellifera*), selvagem ou domesticada. Só a vida das abelhas poderia ser um capítulo deste livro, mas os tipos principais são as operárias, os zangões e as rainhas. Os zangões só vivem uma estação e as rainhas vivem três ou quatro anos.

Quase ninguém gosta das vespas, no Brasil também chamadas de marimbondos ou zangões, em algumas regiões do Sul. A vespa comum (*Vespula vulgaris*) forma colônias com operárias que não se reproduzem, machos e rainhas. As rainhas são maiores que as outras. Podem ser

VESPA

VESPÃO

agressivas, se atacadas, e picam à mínima provocação. Se ficarem presas dentro da roupa, podem picar mais de uma vez.

O vespão (*Vespa crabro*) é muito maior que a variedade comum, tem faixas marrons em vez de pretas e um ferrão muito doloroso. Ainda bem que não são comuns por aqui.

A substância química que as abelhas e as vespas injetam na picada e que causa a dor chama-se "melitina". Em geral, quando a abelha pica todo o "aparelho picador" é arrancado e ela fica mortalmente ferida. Infelizmente, a vespa não tem esta desvantagem e pode sair voando feliz da vida depois de atacar.

Formigas

Há mais de 10 mil espécies de formigas distribuídas por todas as regiões do planeta, exceto nas regiões polares. No Brasil, há cerca de 2 mil espécies determinadas, sendo que a maioria delas é inofensiva. As formigas pretas e amarelas, de qualquer tamanho, tenham asas ou não, não podem causar mal aos seres humanos. No entanto, a formiga-da-madeira (*Formica rufa*), preta, lança um jato desagradável de ácido fórmico, que tem cheiro de vinagre azedo. Quem já se sentou num ninho de formigas vermelhas sabe como as suas picadas são dolorosas. As formigas vermelhas (*Myrmica ruginodis*) são agressivas e, infelizmente, parecem que gostam tanto do hábitat dos jardins quanto as suas primas pretas (*Lasius niger*). Populares por sua organização social, muitas espécies de formigas constroem formigueiros que são verdadeiras obras de engenharia, normalmente subterrâneos, com um sistema de túneis e câmaras complexo.

MOSCA-DAS-FLORES

Moscas e mosquitos

As varejeiras azuis (*Calliphora vomitoria*) e verdes (*Lucilia caesar*) põem ovos de onde saem larvas. São úteis na pesca, mas

disseminam sujeira e doenças e, se possível, devem ficar bem longe da comida. São atraídas pela carne podre, pelo lixo doméstico e por todo tipo de excremento. Na verdade, não há nada agradável a dizer sobre elas.

As moscas-das-flores (sirfídeos) parecem vespas pequenas, mas podem ser reconhecidas pelo jeito como pairam no ar e de repente saem voando. São inofensivas. Já as mutucas (tabanídeos) são uma ameaça terrível, como descobriu um dos autores certa vez numa encosta escocesa. A sua mordida deixa um buraquinho que sangra. Na Escócia, ambos os autores foram submetidos às atenções dos maruins (ceratopogonídeos). Deixam marcas vermelhas que coçam na pele e formam um enxame em volta d'água em quantidade extraordinária.

O pernilongo doméstico (*Culex quinquefasciatus*) é muito parecido com o perigoso mosquito-da-malária (*Anopheles*) e com o não menos nocivo mosquito-da-dengue (*Aedes aegypti*, também vetor da febre amarela). Ambos fazem parte da mesma família e as fêmeas de ambas as espécies se alimentam, quando podem, do sangue dos seres humanos, fazendo um zumbido característico bem na hora que a gente está tentando dormir. A malária, transmitida pelo mosquito anófeles, ainda é uma doença terrível e assassina em regiões da África. No Brasil, atualmente, está praticamente restrita à Amazônia legal (Acre, Amapá, Amazonas, Maranhão, Mato Grosso, Pará, Rondônia, Roraima e Tocantins). Já a dengue é uma doença disseminada nas regiões tropicais e subtropicais. O mosquito está adaptado a áreas urbanas e costuma picar durante o dia. A OMS (Organização Mundial da Saúde) estima que entre 50 a 100 milhões de pessoas se infectam anualmente em mais de 100 países, de todos os continentes, exceto a Europa.

PERNILONGO

MUTUCA

Tatuzinho

O tatuzinho-de-jardim consegue se enrolar numa bola bem apertada e daí vem o seu nome. São criaturas divertidas e inofensivas.

Aranhas

As aranhas têm oito patas em vez de seis, só duas seções no corpo e oito olhos isolados em vez de dois olhos compostos. Existem cerca de 40 mil espécies no mundo. Ao contrário do que muitos pensam, não são insetos e, ao lado dos escorpiões, carrapatos e ácaros, pertencem à classe dos aracnídeos e ao filo dos artróprodes, que, além das aranhas, incluem também a classe dos insetos, crustáceos e outras.

O Brasil possui quatro tipos principais de aranhas venenosas: *Lycosa*, entre elas a aranha-dos-jardins; *Phoneutria*, como a aranha-armadeira; *Loxosceles*, sendo a mais conhecida a aranha-marrom; e a *Latrodectus*, como a popular viúva-negra. As caranguejeiras e aranhas-de-teia, também presentes no Brasil, não apresentam tanto perigo ao homem.

A aranha doméstica comum (*Tegenaria atrica*) é completamente inofensiva, embora possa ser bem grande em ambientes campestres e se movimente com velocidade assustadora pelo chão quando pressente algum perigo.

Outra aranha fácil de se ver em galpões de madeira é a aranha-de-cruz (*Araneus diadematus*). Mais uma vez, pode ficar bem grande se tiver bom suprimento de moscas e aranhas menores. Faz redes em forma de funil e pode ser tentada a sair quando se toca a borda da rede com uma folha ou um lápis.

Há muitas outras espécies de aranha e muitos milhares de insetos com vidas e hábitos diferentes e interessantes. Quanto mais a gente aprende sobre eles mais entende como o nosso mundo é incrível e complexo.

ARANHA-DE-CRUZ

ARANHA-CARANGUEJEIRA

MALABARISMO

É a habilidade de jogar objetos no ar e pegá-los de volta. Para começar, você vai precisar de três bolas com uns 7 cm de diâmetro. Dá para fazer bolas excelentes colocando um ou dois punhados de arroz ou farinha dentro de uma bola de encher. Se preferir usar frutas, vai ser uma bagunça, prepare-se para comê-las todas amassadas. Também é possível comprar bolas de borracha em lojas de brinquedos. Parece difícil mas o tempo médio do aprendizado é de no máximo uma ou duas horas.

1. Segure uma das bolas na mão direita e jogue-a suavemente, formando um arco, para a mão esquerda. Agora jogue de volta, em arco, para a mão direita. Continue jogando de um lado para o outro até se sentir à vontade.

2. Agora vamos acrescentar mais uma bola! Segure uma das bolas na mão direita e outra na esquerda. Quando jogar a bola da mão direita para a esquerda, solte a bola da mão esquerda e pegue a que está vindo. O difícil é soltar a bola da mão esquerda de modo a jogá-la em arco para a mão direita pegá-la. Isso exige alguma prática; tem gente que aprende na hora. Preste atenção e faça as duas bolas percorrerem um belo arco de uma mão à outra. Isso vai lhe dar mais tempo para jogar e para pegar.

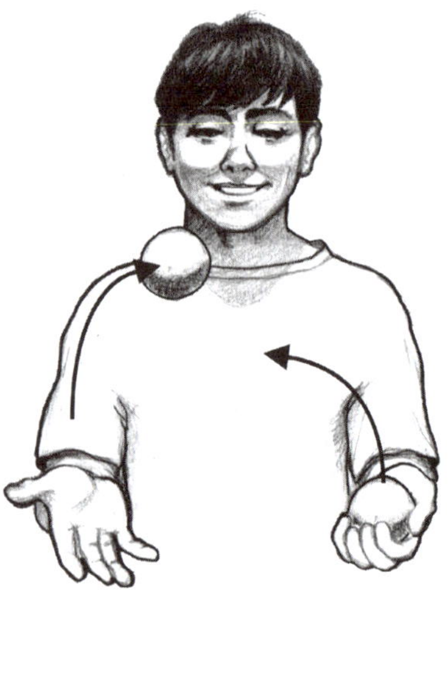

3. Bola três! Segure duas bolas na mão direita. Segure a terceira bola na esquerda. Jogue a primeira bola em arco, da mão direita para a esquerda, e antes de pegá-la com a esquerda jogue a segunda bola de volta para a mão direita. (É a mesma coisa do passo 2, só que segurando uma terceira bola.)

O difícil é soltar a terceira bola e jogá-la para a mão esquerda, antes de pegar a segunda com a mão direita. É preciso manter esse joga-solta-pega de uma mão à outra. Treinar, treinar, treinar!

Agora, um truque legal. Comece com a posição inicial (duas bolas na mão direita, uma na esquerda), coloque a mão direita nas costas e jogue as duas bolas para a frente por cima do ombro. Enquanto voam para a frente, jogue a bola da mão esquerda como antes e pegue as duas que estão vindo com as mãos esquerda e direita. Sim, é tão difícil quanto parece. Rapidinho, jogue a bola da mão direita para a esquerda e pegue a bola que ainda está descendo no ar. Pronto, você já pegou a rotina. É um bom começo fazer malabarismos com três bolas, mas é bem difícil, sendo assim, boa sorte.

PERGUNTAS SOBRE O MUNDO [SEGUNDA PARTE]

1. COMO MEDIR A CIRCUNFERÊNCIA DA TERRA?
2. POR QUE O DIA TEM 24 HORAS?
3. A QUE DISTÂNCIA FICAM AS ESTRELAS?
4. POR QUE O CÉU É AZUL?
5. POR QUE NÃO PODEMOS VER O OUTRO LADO DA LUA?
6. O QUE PROVOCA AS MARÉS?

1. *Como medir a circunferência da Terra?*

A resposta mais simples é usando a estrela Polar. Imagine alguém de pé no equador. Do ponto de vista desta pessoa, a estrela Polar deveria estar no horizonte, como no desenho ao lado. Se a mesma pessoa estiver no Polo Norte, a estrela Polar vai ficar quase diretamente acima da cabeça. Assim, fica claro que, quando se vai para o Norte, a estrela Polar parece subir no céu. O sextante confirma a mudança de ângulo.

O ângulo em que a estrela Polar sobe é igual à mudança de latitude do observador. Se a estrela Polar subir 10° graus, é porque o observador viajou dez graus de latitude para o Norte.

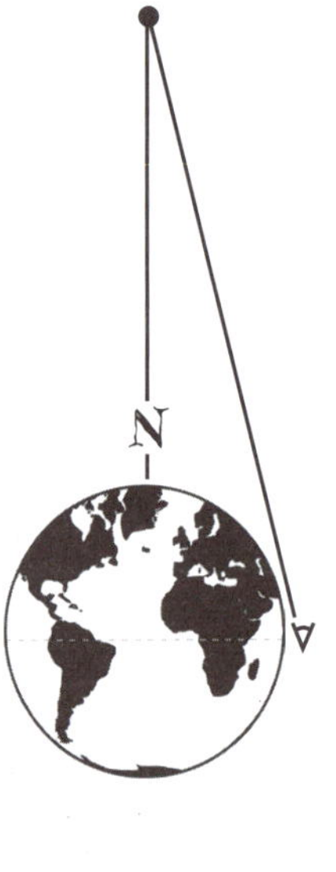

O que o observador tem que fazer é apenas medir a distância que teve de percorrer para a estrela Polar subir um grau. Multiplique essa distância por 360 e terá a circunferência da Terra. É fácil.

A circunferência real é de 40.074 km no equador e 40.000,6 km passando pelos polos; ou seja, aproximadamente 40.000 km, sendo um pouco mais arredondada no equador. Como se pode ver, o nosso planeta não é um globo perfeito. O nome certo da sua forma é "geoide", que significa "forma parecida com a da Terra". Os planetas têm direito a ganhar palavras novas.

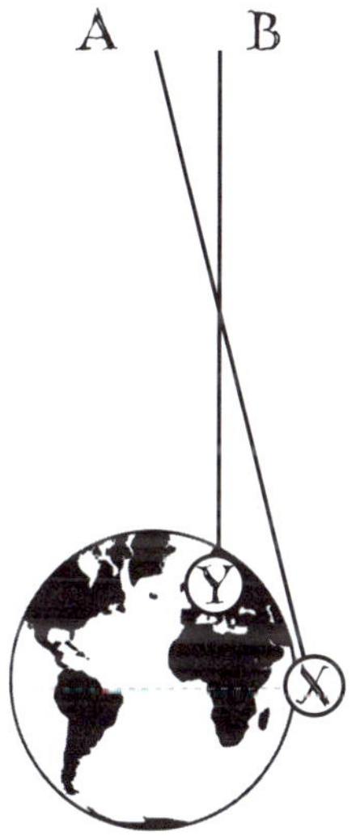

2. Por que o dia tem 24 horas?

Bem, porque dizemos que tem. O mundo moderno usa o sistema romano de medir o tempo de meia-noite a meia-noite, ao contrário do sistema grego de medir do pôr do sol ao pôr do sol. Os romanos também dividiam o período diurno em 12 horas. Isso causava problemas, porque as horas seriam mais longas no verão que no inverno. Quando calcularam o sistema de um jeito mais exato, ficou mais fácil dobrar as 12 horas para o período noturno. O mais comum é medirmos o tempo com base no número 12 e em suas frações e múltiplos; é por isso que temos 60 minutos e 60 segundos. Os responsáveis pela Revolução Francesa quiseram impor ao mundo não só o sistema numérico decimal como também a semana de dez dias, a hora de 100 minutos e o minuto de 100 segundos. Não é preciso dizer que ninguém entrou nessa.

3. A que distância ficam as estrelas?

A luz viaja a 300 mil quilômetros por segundo. Num ano, percorre mais de 9 milhões de quilômetros.

Segundo o padrão norte-americano de medida, um ano-luz corresponde a 9,5 trilhões de quilômetros. Isso é longe pra caramba, seja qual for o padrão.

A estrela mais próxima de nós é Proxima Centauri, que fica a uma distância de cerca de quatro anos-luz e um terço. Ou seja, é longe à beça. Explicando de outra maneira, a luz de Proxima Centauri leva quatro anos e quatro meses para chegar aqui. A estrela pode ter explodido ontem, mas só vamos saber daqui a quase cinco anos.

As estrelas mais distantes que conseguimos ver estão a mais de mil anos-luz de nós.

4. Por que o céu é azul?

Para entender isso, é importante compreender que a cor não existe no mundo como entidade separada. O que chamamos de tinta azul significa apenas tinta que reflete alguns comprimentos de onda da luz que aprendemos a chamar de "azul". As pessoas daltônicas têm olhos que funcionam perfeitamente bem mas de um jeito diferente neste aspecto: o modo como percebem os comprimentos de onda. Pare um pouquinho e pense nisso. A cor não existe, só existe luz refletida. Se a luz for vermelha, a tinta azul vai parecer preta, porque não haverá luz azul para refletir. Se a luz for azul, a tinta vermelha é que parece preta.

Ora, o céu é azul porque a luz azul tem comprimento de onda mais curto e se choca com os átomos de oxigênio, que são mais ou menos do mesmo tamanho. Quando olhamos para cima e vemos o céu azul, estamos vendo essa interação.

No pôr do sol, vemos mais vermelho porque a luz está passando por muito mais quilômetros de atmosfera num ângulo bem baixo, perto do horizonte. A luz azul interage com o oxigênio e é refletida como antes, mas não consegue atingir os nossos olhos nesta hora devido aos quilômetros a mais que tem de percorrer. Assim, vemos a outra ponta do espectro, a luz vermelha.

5. Por que não podemos ver o outro lado da Lua?

Até o final do século XX, a humanidade não tinha ideia do que se escondia do lado escuro da Lua. Isso porque o mesmo lado está virado para os observadores da Terra o tempo todo durante o ciclo lunar.

A Lua leva 29 dias e meio para dar a volta na Terra. Na verdade, ela gira em torno do seu próprio eixo e faz uma volta completa em... 29 dias e meio. Como o tempo é igual, ela sempre nos mostra o mesmo lado.

O melhor modo de demonstrar isso é com uma bola de tênis e outra de futebol. Faça uma marca num lado da bola de tênis e coloque a bola de futebol nalgum lugar onde não possa rolar ou peça a alguém para segurá-la. Agora mova a bola de tênis em volta da sua Terra, mantendo o mesmo lado sempre para dentro. Quando você terminar de dar a volta, a bola de tênis também terá girado em torno do seu eixo.

6. O que provoca as marés?

Seguindo diretamente da pergunta anterior, a resposta é a gravidade, tanto da Lua quanto do Sol. A presença imponente da Lua no céu, na verdade, puxa os oceanos para fora do lugar. Esses dois diagramas foram exagerados de propósito para mostrar o efeito. Não estão na escala certa!

MARÉ DE ÁGUA-VIVA — LUA NOVA

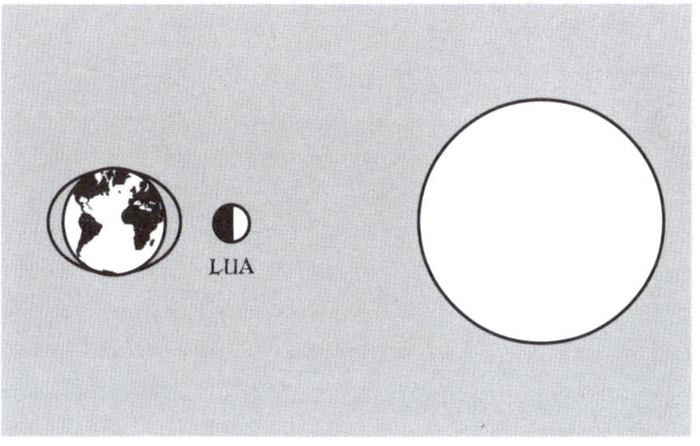

MARÉ DE ÁGUA-VIVA — LUA CHEIA

O mar se move com mais facilidade que a Terra, embora todo o planeta seja afetado. Na prática, o que acontece é que a rotação da própria Terra produz duas marés altas e duas marés baixas todo dia. São necessárias 12 horas para expor o outro lado da Terra à gravidade da Lua; é mais ou menos como espremer um balão pelo meio duas vezes em 24 horas. As duas pontas incham para criar marés altas e depois voltam ao lugar para criar marés baixas.

Na verdade, o diagrama anterior mostra a "maré de água-viva" ou "de sizígia", que acontece duas vezes por mês, na lua nova e na lua cheia. O nome nada tem a ver com o animal marinho de mesmo nome. Quando a Lua está alinhada com o Sol e a Terra, a maré é mais forte. As marés mais fracas são conhecidas como "marés de quadratura" e acontecem no quarto crescente e no quarto minguante, como no desenho. O efeito da Lua é reduzido porque ela não está alinhada com o Sol.

MARÉ DE QUADRATURA — MEIA-LUA

ASTRONOMIA: O ESTUDO DOS CÉUS

Astronomia não é astrologia. Astrologia é bobagem. A ideia de que a nossa vida pode ser afetada pelo trânsito dos planetas não é nem um pouquinho plausível. Vênus pode ter recebido o nome da deusa do amor, mas o seu movimento não pode ter nenhuma influência sobre as nossas oportunidades românticas. Afinal de contas, o planeta poderia ter recebido qualquer outro nome. A razão mais importante (e definitiva) para observar as estrelas é que isso é ciência e não superstição; mas as histórias dos heróis antigos, como Órion, são fascinantes. Saber que Órion "caça" Touro serve de mnemônico — ou seja, um auxílio à memória.

Há 88 constelações que podem ser vistas no céu noturno em épocas diferentes do ano e todas as estrelas visíveis têm nome ou, pelo menos, números. Com o giro da Terra, as suas posições mudam e é possível segui-las pelas estações do ano (ver Mapas Estelares).

Este capítulo é uma introdução à observação do céu. A maioria de nós mora e trabalha em ambientes barulhentos e artificiais. A poluição luminosa das cidades esconde a glória do céu noturno, mas os curiosos sempre encontram maneiras de ir mais além. A astronomia a olho nu é fácil e divertida e pode ser praticada sozinha ou com amigos. Este capítulo vai deixá-lo mais familiarizado com as maravilhas do universo.

> OLHA AS ESTRELAS! OLHA PARA O CÉU!
> OH, OLHA O POVO DE FOGO A PAIRAR!
> VILAS DE LUZ, CIDADELA A VOAR!
>
> *Gerald Manley Hopkins*

Desde os primórdios, a humanidade agrupou as estrelas em constelações, enchendo o céu de heróis, deuses e criaturas fantásticas. É possível encontrar lá em cima mitos e histórias de civilizações perdidas que nos ajudam a entender as lendas e narrativas que marcam a nossa época.

No hemisfério Norte, uma das constelações mais fáceis de reconhecer e ótima para você começar a encontrar o seu caminho pelo céu é a Ursa Maior.

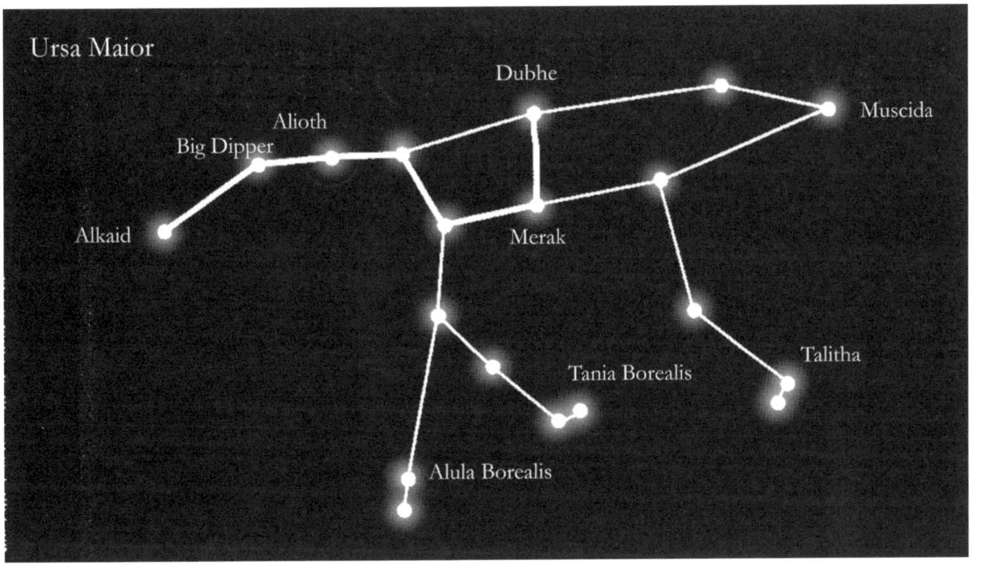

Esta constelação recebeu o seu nome devido à lenda grega de Calisto, ninfa transformada em ursa por Zeus. Muitas tribos nativas norte-americanas também viam um urso nesta constelação. Talvez os antigos gregos tenham navegado até mais longe do que pensamos! As estrelas mais famosas formam o grupo de sete conhecido como **Concha** ou **Arado**. Na lenda dos cherokees, o cabo da Concha é um grupo de caçadores que persegue o urso, visível bem alto no céu, na primavera, até deitar-se nas noites de outono. Cada dia caçam o urso mais para Oeste. Rapazes, vocês vão precisar de bússola!

Este sistema estelar inconfundível chamou a atenção de Shakespeare e Tennyson. Na mitologia hindu, a Concha é considerada o lar dos sete grandes sábios. Os chineses viam-na como os mestres da realidade celeste; os egípcios, como a coxa de um touro. Os europeus viam nela uma carroça e os anglo-saxões associaram-na às lendas que cercam o rei Artur.

Antigamente, podia-se encontrar o Norte usando a estrela **Alkaid**, que fica na Concha. Hoje, o Norte é encontrado na **Ursa Menor**, constelação que fica quase ao lado da Ursa Maior. Nas lendas gregas, esta constelação recebeu o nome de Árcade, o filho de Calisto. Ele também foi transformado em urso para seguir eternamente a mãe em volta do Polo Norte celestial.

Encontrar o Norte, e com ele todos os outros pontos cardeais, é tão importante quanto saber o nosso próprio endereço. É um dos primeiros passos para entender onde estamos. A estrela mais importante chama-se **Polaris** (veja a seguir), a estrela Polar do hemisfério Norte.

A partir de Mizar, desenhe mentalmente uma linha que passe pelas estrelas Dubhe e Merak, estenda-a cinco vezes para cima e encontrará Polaris. Fique de frente para Polaris e estará de frente para o Norte. Se houver poluição luminosa, talvez seja a única estrela visível na Ursa Menor.

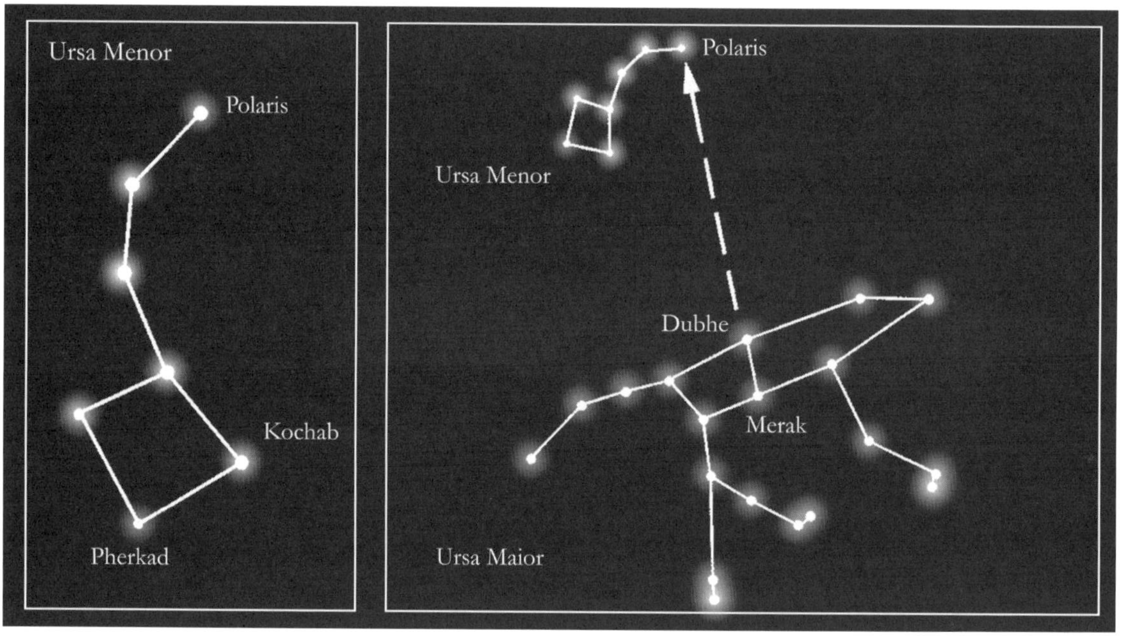

Se você estiver no hemisfério Sul, achar o Sul é igualmente importante e quase tão fácil. Primeiro, identifique **o Cruzeiro do Sul** (veja abaixo) e estique mentalmente uma linha que desça do braço mais comprido. À esquerda há duas estrelas, Rigil Centaurus e Hadar, conhecidas como guardas ou guardiãs. Trace uma linha entre elas, descendo até cruzar a primeira linha. Este ponto fica diretamente acima do Sul.

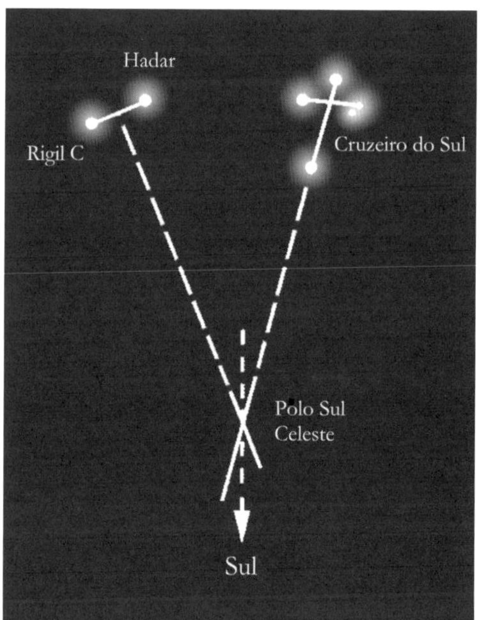

O Cruzeiro do Sul

Nas noites claras de inverno, no hemisfério Norte, se você olhar para o Sul, para o lado contrário da estrela Polar, a constelação de Órion é a principal atração. Caracteriza-se pelas três estrelas do seu cinto, conhecidas como Três Marias, com a estrela vermelha Betelgeuse acima e Rigel abaixo. No hemisfério Sul, a constelação de Órion é facilmente vista nas noites de verão, mas lembre-se que daqui a vemos de ponta-cabeça.

Na mitologia grega, Órion era um grande caçador. Ártemis, deusa da Lua e das caçadas, apaixonou-se por ele e negligenciou o seu serviço de iluminar o céu noturno. Para puni-la, o seu irmão Apolo enganou-a fazendo com que matasse o caçador de longe com uma flecha. Quando percebeu o que fizera, a deusa colocou o corpo de Órion no céu com os seus dois cães de caça, Cão Maior e Cão Menor. De acordo com os antigos astrônomos gregos, o luto de Ártemis explica o jeito triste e frio da Lua.

A estrela mais brilhante do céu fica no Cão Maior: **Sírius**, a **Estrela do Cão**. No Brasil, está a Sudeste, no calcanhar de Órion, para com ele caçar durante a estação.

Acima e à direita de Órion e seus cães está a sua presa, **Touro**. O seu olho vermelho volta-se, nervoso, para trás, é a estrela Aldebarã. Desde a época dos antigos babilônios, há uns 5 mil anos, esta constelação é vista como um touro. Desde a mais remota Antiguidade esse animal foi adorado como símbolo de força e fertilidade. Os gregos viam a constelação como Zeus disfarçado de touro. Com este disfarce, o deus seduziu a princesa Europa e nadou até Creta com ela nas costas. Somente os quartos dianteiros são visíveis na constelação, como se estivesse saindo das ondas.

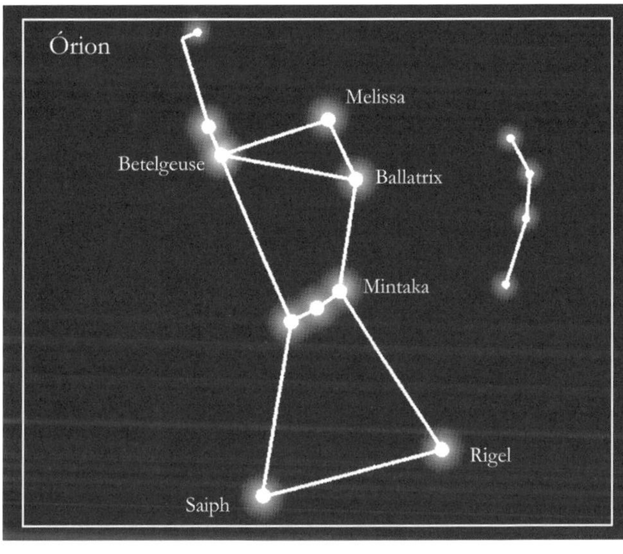

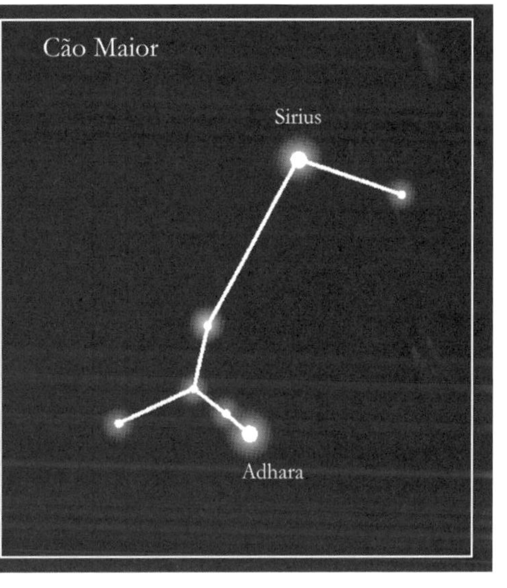

Nos ombros de Touro fica o aglomerado estelar aberto mais famoso do céu, as **Plêiades**, também chamadas de **Sete-Estrelo** ou **Sete-irmãs**.

A lenda conta que as irmãs estavam sendo perseguidas por Órion e pediram a Zeus que as protegesse. Zeus as transformou em pombos e as colocou no céu. Num conto dos índios nativos norte-americanos, as Plêiades são sete meninas que caminhavam pelo céu e se perderam, não voltando nunca mais para casa. Ficaram no céu, juntinhas para se aquecer. A sétima irmã é difícil de ver porque quer tanto voltar para casa que as lágrimas reduzem o seu brilho. Numa noite razoavelmente clara, é possível perceber seis irmãs. Na verdade, o aglomerado estelar inteiro tem mais de 500 estrelas, mas a olho nu só se consegue avistar no máximo nove.

Do outro lado de Polaris, partindo da Concha, fica a incrível **Cassiopeia**, em forma de W. (Cuidado para não confundi-la com a Pequena Concha.) É a constelação que mais se destaca no céu de

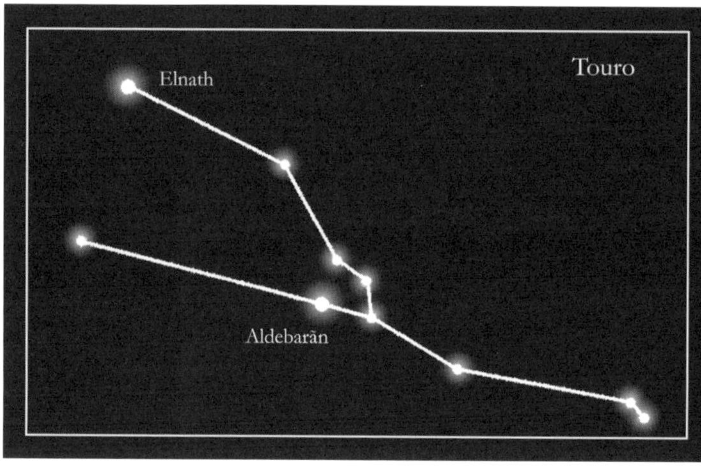

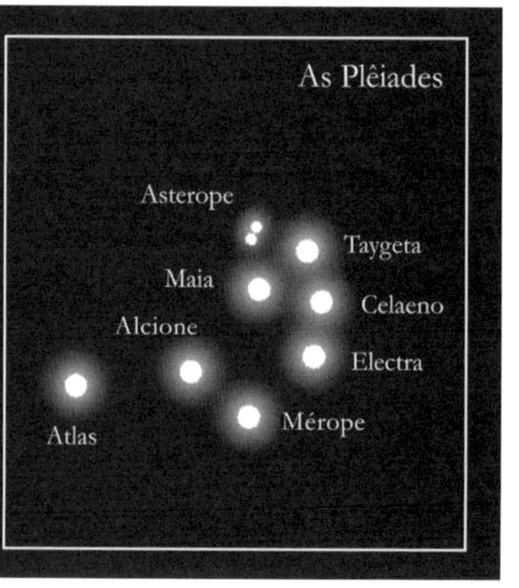

inverno, no hemisfério Norte, onde é visível ao longo de todo ano. Quando a Grande Concha está perto do horizonte, o W de Cassiopeia fica no alto. Não é tão exata para mostrar o Norte, mas aponta na direção da Estrela Polar.

Na mitologia grega, Cassiopéia era rainha da Etiópia. Os romanos a viam no céu, acorrentada ao trono e ali pendurada de cabeça para baixo por gabar-se de que a filha, Andrômeda, era mais bonita que Afrodite. A cultura árabe imaginava a constelação como um camelo ajoelhado.

Encontrar o caminho pelo céu noturno pode ser um belo desafio para o iniciante. Neste capítulo, descrevemos algumas estrelas e constelações mais brilhantes. A partir delas, você será capaz de aprender mais. Há muitas publicações boas sobre astronomia que vão abrir o céu para você. As histórias que cercam o céu são maravilhosas e pitorescas e, com um pouco de trabalho, tão fáceis de ler quanto um mapa de estradas!

Lembre-se de que todas as estrelas piscam, a luz muda e oscila quando você fixa os olhos nela. Já os planetas não. Se estreitar os olhos, conseguirá ver o disco de Júpiter mesmo sem binóculo.

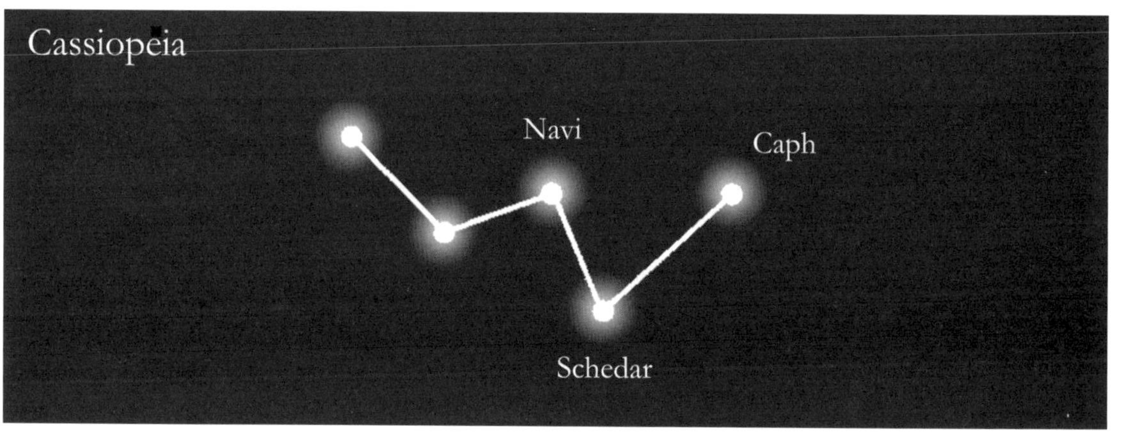

As estrelas e as constelações estão muito presentes no dia a dia do brasileiro e não é só pela observação do céu. A bandeira do Brasil é um bom exemplo disso. As estrelas que estão na esfera azul da bandeira correspondem ao céu do Rio de Janeiro às 20 horas e 30 minutos do dia 15 de novembro de 1889, data da Proclamação da República. Cada uma das estrelas representa um estado do país. O estado do Pará, por exemplo, é representado pela estrela Spica, da constelação de Virgem, a única que está acima da faixa branca, pois em 1889 era o estado com maior território acima da linha do equador (Amapá e Roraima foram territórios federais até 1988). O Distrito Federal é a Estrela Polar do Sul, que, apesar de pouco brilhante, possui posição única no céu do hemisfério Sul e pode ser vista em qualquer dia de quase todos os lugares abaixo da linha do equador.

Veja, a seguir, a representação dos estados:

1. Pará
Spica (constelação de Virgem)

2. Amazonas
Procyon (constelação de Cão Menor)

3. Mato Grosso do Sul
Alphard (constelação de Hidra Fêmea)

4. Rondônia
Muliphen (constelação de Cão Maior)

5. Mato Grosso
Sirius (constelação de Cão Maior)

6. Roraima
Wezen (constelação de Cão Maior)

7. Amapá
Mirzam (constelação de Cão Maior)

8. Tocantins
Adhara (constelação de Cão Maior)

9. Goiás
Canopus (constelação de Carina)

10. Bahia
Gacrux (constelação do Cruzeiro do Sul)

11. Minas Gerais
Pálida (constelação do Cruzeiro do Sul)

12. Espírito Santo
Intrometida (constelação do Cruzeiro do Sul)

13. São Paulo
Acrux (constelação do Cruzeiro do Sul)

14. Acre
Gama (constelação de Hidra Fêmea)

15. Piauí
Antares (constelação de Escorpião)

16. Maranhão
Grapffias (constelação de Escorpião)

17. Ceará
Wei (constelação de Escorpião)

18. Rio Grande do Norte
Shaula (constelação de Escorpião)

19. Paraíba
Girtab (constelação de Escorpião)

20. Pernambuco
Mu (constelação de Escorpião)

21. Alagoas
Sargas (constelação de Escorpião)

22. Sergipe
Iota (constelação de Escorpião)

23. Santa Catarina
Beta (constelação do Triângulo Austral)

24. Rio Grande do Sul
Atria (constelação do Triângulo Austral)

25. Paraná
Gama (constelação do Triângulo Austral)

26. Rio de Janeiro
Mimosa (constelação do Cruzeiro do Sul)

27. Distrito Federal
Polaris Australis (constelação de Oitante)

COMO FAZER UM CHAPÉU, UM BARCO E UMA BOMBA DE ÁGUA DE PAPEL

Todos eles são muito simples, mas todo menino deveria saber como fazer os três. Afinal de contas, se tiver sorte, um dia você vai ter seus próprios filhos, e ver um barquinho de papel flutuando na água é um prazer.

O CHAPÉU

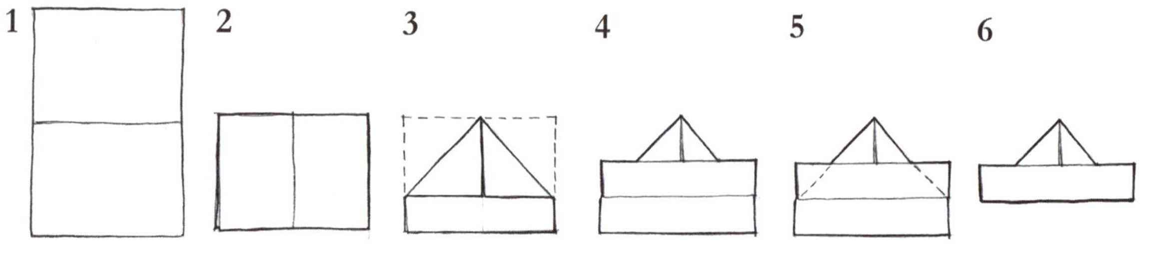

Primeiro, o chapéu. O barco é o chapéu com apenas mais algumas dobras.

1. Dobre ao meio uma folha de papel A4, como na figura.
2. Dobre a meia-página pela linha central e abra de novo.
3. Vire os cantos até encostarem na linha central.
4. Dobre para cima uma das tiras compridas.
5. Dobre para trás os cantos, na linha pontilhada.
6. Dobre a outra borda e agora você tem um chapéu de papel, abra-o. Também dá certo com jornal, mas o papel A4 usado em impressoras pode ser pintado e colorido. Teoricamente,

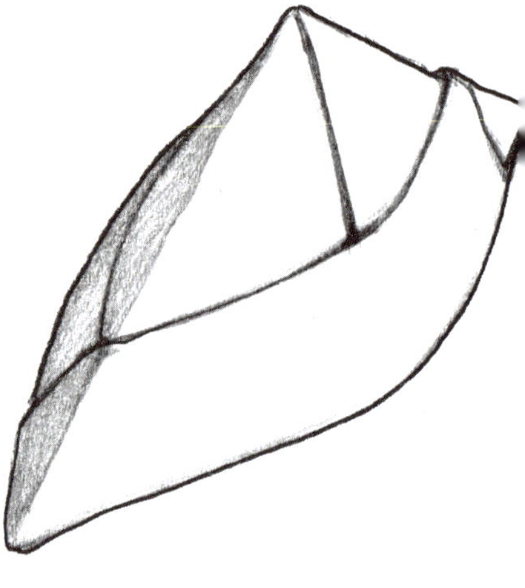

não é preciso dobrar os cantos se você vai ficar só no chapéu, mas, aqui, vamos transformá-lo num barco.

O BARCO

Transformar o chapéu num barco é só um pouquinho mais complicado.

1. Segure o chapéu de cabeça para baixo e junte as duas pontas.
2. Você vai ficar com um losango parecido com a figura abaixo.
3. Então, dobre cada ponta do losango sobre si mesma, pela linha pontilhada da figura.
4. Agora você vai ter um triângulo.
5. Abra-o como antes, e dobre para cima os cantos opostos.
6. Agora essa última parte parece que não vai dar certo, mas dá. Segure os dois cantos soltos e puxe-os devagar, separando-os, um para cada lado.
7. O barco vai se formar. Talvez precise um pouco de jeito para conseguir a forma certa, mas, abrindo um pouco o fundo, ele flutua.

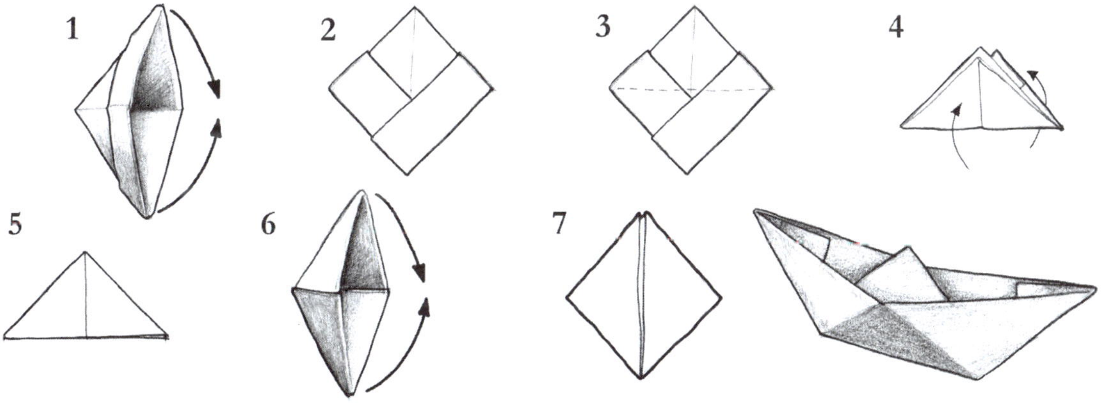

A BOMBA DE ÁGUA

Finalmente, já que estamos dobrando papel, também podemos fazer a última dobradura que todo garoto precisa conhecer: a bomba de água.

Transforme uma folha de papel A4 num quadrado dobrando um canto até chegar à lateral e cortando a tira que sobra. Quando tiver um quadrado de papel, dobre-o ao meio pelas diagonais e também na horizontal. Concentre-se, é meio complicado fazer isso direito.

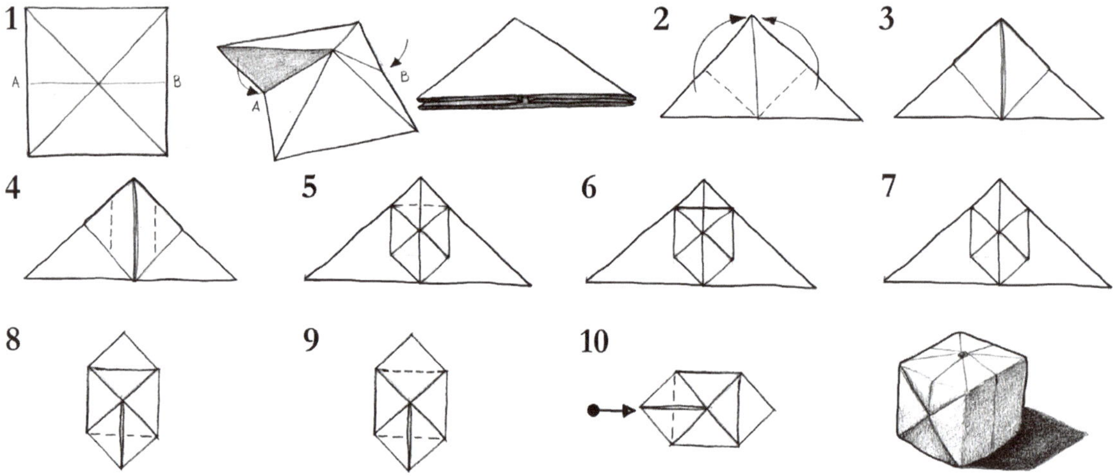

1. Junte as pontas A e B , achatando a dobradura, de modo que fique como o desenho acima.

2. Dobre as pontas para cima na linha pontilhada, do lado direito e do lado esquerdo.

3. Vai ficar mais ou menos assim.

4. Dobre nas linhas pontilhadas.

5. Vai ficar mais ou menos assim.

6. Dobre para baixo as pontas dos dois triângulos pequenos na linha pontilhada. Enfie-os nos "bolsos" do lado direito e do lado esquerdo. É uma dobra um pouco complicadinha.

7. Vai ficar mais ou menos assim.

Vire o triângulo do outro lado e repita os passos 2, 3, 4, 5, 6 e 7.

8. Vai ficar mais ou menos assim.

9. Dobre e desdobre na linha pontilhada, para ajudar no último estágio.

10. Pegue o cubo dobrado na mão e sopre pelo furo do alto para enchê-lo. É maravilhoso quando dá certo.

11. O cubo está pronto.

Encha-o de água; procure um lugar alto e jogue-o lá de cima.

Uma curiosidade: Nenhum pedaço de papel pode ser dobrado ao meio mais de sete vezes. Experimente.

ENTENDENDO GRAMÁTICA — PARTE II

A gramática, como você deve imaginar, se torna mais complicada quando analisada em sentenças. Entretanto, elas são de fato somente quatro tipos de sentenças simples.

Os quatro tipos são:

1. Imperativa (comando) — "Saia de meu escritório!"
2. Interrogativa (questão) — "Você pegou minhas chaves?"
3. Exclamativa (exclamação) — "Fantástico!"
4. Declarativa (declaração) — "Você não é meu amigo."

Como você pode ver, uma simples sentença pode ser muito simples realmente. Ela precisa de um sujeito e de um verbo para ser uma oração — então você precisa saber o que é um sujeito.

SUJEITO E OBJETO

O sujeito de uma oração é a pessoa ou coisa que atua no verbo. "O homem chutou o cachorro" tem "o homem" como sujeito. Fica um pouco mais difícil a identificação do sujeito com verbos irregulares — "João está doente" ainda tem "João" como sujeito. A forma nominativa das palavras se relaciona com o sujeito. Isso é crucial quando forem usados pronomes, já que o pronome que você usa dependerá se ele é sujeito ou objeto em uma sentença.

O objeto de uma sentença é a pessoa ou coisa na qual o verbo atua. "O homem chutou o cachorro" tem "o cachorro" como um objeto. A forma **acusativa** das palavras se relaciona com objeto.

Antes de continuarmos a explicação de nominativo e acusativo em mais detalhes, você deve saber que frases imperativas ou exclamativas frequentemente têm um sujeito invisível ou implícito. "Saia!" tem um sujeito — a pessoa que está saindo, apesar de a palavra não estar escrita, explícita. "Fantástico!", como uma exclamação, implica "Isto é...". O verbo está lá pelo sentido, mas não é visto. Todas as outras sentenças têm um sujeito e um verbo. Fácil.

PRONOMES NOMINATIVOS/ACUSATIVOS

Quando um pronome é o sujeito de uma sentença, nós usamos pronomes de casos nominativos. Eles são: eu, tu, ele, ela, nós, vós, eles, elas.

Eu fui para casa .... **não** "Mim fui para casa"
Tu e eu somos bons amigos............................. **não** "Mim e ti somos bons amigos"
Nós fomos ao parque .... **não** "Nos fomos ao parque"

Nos exemplos acima, os pronomes estão todos atuando nos verbos, sendo correto usar a forma nominativa ou forma sujeito.

O acusativo é a parte "objeto" de uma sentença. No caso de um pronome, se houver um verbo atuando sobre ele, nós usamos me, mim, comigo, te, ti, contigo, se, si, consigo, o (s), a (s), lhe (s), ele, ela, nos, conosco, vos, convosco.

Maria foi comigo .... **não** "Maria foi com eu"
João a ama... **não** "João ama ela"
Zé gostou de jogar xadrez contigo.................... **não** "... xadrez com tu"
Por que não quer vir conosco? .... **não** "Por que não quer vir com nós"

Alguns desses exemplos são muito óbvios. Ninguém com conhecimento básico da língua diria "Maria foi com eu". Entretanto, a escolha de o/a (s) ou ele/ela (s) ainda causa problemas. É importante dedicar a esses pronomes uma pequena seção.

O/A (S) OU ELE/ELA (S)?

Há um princípio gramatical que indica os pronomes o/a(s) para serem usados no lugar de substantivos que desempenham papel sintático de objeto direto, isto é, complementos verbais que se ligam diretamente (sem intermédio de preposição) aos verbos. Em "Julieta viu a moça ontem", o objeto direto "a moça" poderia ser substituído por um pronome. Com base no que você aprendeu, sabe-se que não seria adequado dizer "Julieta viu ela ontem" e sim "Julieta a viu ontem".

Isso não significa que não possamos juntar ele (a/s) como complemento (objeto) verbal. Para esses casos, deve-se empregar uma preposição antes do pronome, numa construção de "dativo" (que veremos a seguir). Veja uns exemplos: "Encontrei com ela no cinema", "Paguei a ele o dinheiro do lanche" e "Gosto muito dele" (de+ele). Viu como é fácil?!

Dativo é o termo usado para representar um objeto indireto. Na sentença "Dê-me a bola", "a bola" é o objeto, o acusativo. Na mesma sentença, há outro complemento para o verbo, assim a palavra "me" está "no dativo" — um objeto indireto.

Note que dativo é de muita importância em português. Em latim, a ordem das palavras na sentença é menos importante. "O homem morde o cão" pode ser escrito como "O cão morde o homem" — e somente as terminações das palavras serão trocadas. Como resultado, a terminação das palavras se torna crucial para o entendimento. O português desenvolveu uma ordem mais rígida das palavras, então, as terminações, por exemplo, tornaram-se menos importantes.

Para registro, genitivo se relaciona com palavras de valor possessivo: meu (s), minha(s), teu (s), tua (s), seu (s), sua(s) etc. Fácil, assim!

O **ablativo** é outro caso mais relevante para o estudo de latim do que de português. Envolve palavras que indicam o agente ou causa de um evento, sua maneira e o instrumento com o qual a ação é feita.

O caso ablativo é usado em sentenças com as palavras "de", "em", "por" e "com" — preposições. "Eles prosseguiram em silêncio" por exemplo, mostra a maneira como eles prosseguiram. "Ele foi acertado com uma bengala" mostra como ele foi acertado. Estas frases estão "no ablativo" e registram, basicamente, valores circunstanciais, ou melhor, adverbiais.

Como agora você sabe, nominativo, acusativo, genitivo, dativo e ablativo representam apenas os papéis que os pronomes desempenham dentro de uma sentença. Observar com mais atenção esses papéis ajuda bastante nas construções frasais e elimina algumas dúvidas lingüísticas do cotidiano.

PERÍODOS E ORAÇÕES

Períodos simples não resumem tudo, é claro. Um período composto tem "duas ou mais orações", mas o que é uma oração?

A definição mais simples de uma oração é que ela tem um sujeito e um verbo e é parte de uma estrutura frasal maior. Algumas vezes, o sujeito é subentendido, ou implícito, mas o verbo deve estar sempre lá. O seguinte exemplo é um período com duas orações unidas pela conjunção "então": "Eu não pude agüentar o calor, então eu abri a janela."

Em um sentido, orações são minissentenças, separadas por conjunções ou por pontuação.

Este período possui quatro orações: Apesar de esperar a vez, eu pulei com um pé no ar, quebrei um vaso e deixei minha filha sem vez. “Apesar de esperar a vez” é uma oração subordinada, separada por uma vírgula do resto. (Subordinada significa que depende e completa o sentido de outra oração.) “Eu pulei com um pé no ar”, a segunda oração, “quebrei um vaso” é a terceira e “deixei minha filha sem vez”, a última. As duas últimas estão ligadas pela conjunção “e”.

Note que “quebrei um vaso” tem um sujeito implícito do “eu” anterior.

Orações subordinadas não podem estar sozinhas. Orações principais como “Eu pulei com um pé no ar” são sentenças completas, mas “apesar de esperar a vez” não é. Sozinha, ela pediria a pergunta “Apesar de esperar a vez... o quê?”

Frases são grupos de palavras que não necessariamente contêm um verbo e sujeito. Expressado simplesmente, elas são todos os outros tipos de grupamento de palavras que, contextualizados, fazem sentido. Uma frase pode até ser constituída de uma única palavra, como “Socorro!”.

Os tipos principais de orações subordinadas são adjetiva (funciona como um adjetivo), adverbial (funciona como advérbio), substantiva (funciona como substantivo).

1. A menina, que é rica, estava na sala de visitas. “que é rica” é uma oração adjetiva, porque ajuda a caracterizar o substantivo “menina”.

2. Os alunos ficaram quietos, quando a professora chegou. A oração “quando a professora chegou” é adverbial, pois acrescenta uma circunstância de tempo à outra oração (principal).

3. O rapaz disse que estava tudo bem. O verbo “dizer” tem seu sentido completado pela oração substantiva “que estava tudo bem” (objeto direto do verbo dizer).

JOGOS DE MESA

Os quatro jogos descritos a seguir partem de um princípio simples: todos precisam de uma mesa específica para serem jogados, mas a diversão não é nem um pouco menor por conta disso. Você poderá passar tardes incríveis em clubes, parques de diversão ou na casa de amigos, organizando campeonatos ou disputando a melhor de muitas partidas. Mas, se algum desses jogos realmente o conquistar, vale a pena juntar cada centavo de sua mesada (mais uma ajudinha paterna) e comprar alguma dessas mesas para sua própria casa. Nada como ter seu próprio salão de jogos!

FUTEBOL DE BOTÃO

Garotos adoram futebol, mas, se você não é muito bom com a bola no pé e sempre amarga um lugar no banco de reservas, o futebol de botão pode ser a sua chance de virar um craque. Em uma mesa de compensado de madeira, que simula o desenho de um campo de futebol, os competidores dispõem seus "atletas" — ou melhor, dez botões, cada um representando jogadores de defesa, meio-campo e ataque — pelo campo, numa formação semelhante à de uma partida real. O goleiro, por sua vez, é uma peça de madeira ou acrílico maciço, com medidas preestabelecidas de acordo com as regras locais, mas em jogos informais até uma caixa de fósforos cheia de moedas pode ser usada. Para impulsionar os botões, cada jogador usa uma palheta, um disco semelhante ao botão, mas mais fino. A bola pode ser uma esfera de feltro, um disco de polietileno ou até mesmo um dadinho. O objetivo, claro, é marcar gols!

Quando o jogo começou a ser praticado, na década de 1930, os botões eram realmente acessórios de roupas, e não era difícil ver irmãos brigando pelos botões de osso dos paletós dos pais ou avós. Vidros de relógio, os chamados vidrilhos, também foram ótimas opções de jogadores, mas hoje em dia os botões industrializados, de plástico ou acrílico, também conhecidos como galalite, são os mais comuns. Alguns jogadores e times vendidos nas décadas de 1960 e 1970 viraram itens de colecionador e hoje valem uma pequena fortuna.

Praticado como passatempo ou competi-

ção — a modalidade foi reconhecida pelo Conselho Nacional de Desportos na década de 1980 —, o futebol de botão é jogado em todo o país, com regras diferentes. As mais comuns são as conhecidas como "carioca", "paulista" e "baiana".

Em um campeonato que utiliza a regra carioca, por exemplo, são permitidos três toques, mas, para que o terceiro ocorra, é necessário que haja um passe, ou seja, que a bola toque em um botão na jogada anterior. Pela regra paulista, são 12 toques, já pela baiana cada equipe tem direito a apenas um toque por jogada. Além disso, as medidas das mesas, traves e goleiros, a duração das partidas e o tipo de bola também variam de uma regra para a outra. Veja no quadro a seguir:

	CARIOCA	PAULISTA	BAIANA
BOLA	ESFERA DE FELTRO	ESFERA DE FELTRO	DISCO
TEMPO	2 TEMPOS DE 25 MINUTOS	2 TEMPOS DE 10 MINUTOS	2 TEMPOS DE 25 MINUTOS
LANCES	3	12	1
BOTÕES	4,5 A 6 CM	3,5 A 6 CM	6 CM (MÁXIMO)
GOLEIRO	7 X 3,5 X 1,5 CM	8 X 3,5 X 1,5 CM	6 X 3,8 X 2 CM
TRAVES	14,6 X 4,9 CM	12,5 X 5 CM	15 X 6 CM
MESA	2 X 1,4 M (MÁXIMO)	1,85 X 1,2 M (IDEAL)	2,2 X 1,6 M
ALTURA DA MESA	75 CM	80 CM	78 CM

TOTÓ

Também conhecido como Pebolim, é outro jogo que tem o futebol como tema. Em uma mesa, oito barras com figuras que representam os jogadores de dois times, distribuídos conforme a armação tradicional de um time de futebol (goleiro, três jogadores na defesa, quatro no meio-campo e três no ataque). Cada jogador fica responsável por um time (quatro barras; ou duas, se você jogar em dupla), e vence quem marcar mais gols em um tempo determinado ou quem fizer, por exemplo, quatro gols primeiro. Você decide como jogar!

SINUCA E BILHAR

A palavra sinuca é um aportuguesamento do termo inglês snooker, jogo inventado na Grã-Bretanha em 1875 e jogado com tacos e bolas. Com o passar do tempo, as regras originais — do tamanho da mesa à quantidade de bolas — foram adaptadas, e hoje, no Brasil, o que prevalece é a mesa com seis caçapas, de 2,84cm x 1,42cm (50cm menos em cada dimensão do que a original inglesa), e com oito bolas em jogo, com pontuação de 1 (bola vermelha) a 7 (bola preta), mais a bola branca que serve para impulsionar as outras. Cada bola deve ser encaçapada na ordem e, depois de "matadas", elas permanecem nas caçapas. O jogador que encaçapa uma bola tem direito a outro lance. O jogador pode, então, optar por "matar" uma bola fora de ordem, mas, caso erre, perde pontos no valor dessa bola (o mesmo vale para a ocasião em que a bola branca acabe, mesmo sem intenção, na caçapa); se acertar, ganha os pontos e a bola volta ao jogo. Ganha a partida quem, ao matar a bola 7, tenha acumulado mais pontos no jogo. Cuidado: se você não acertar nenhuma bola numa tacada, perde pontos!

BOLAS	PONTOS
VERMELHA	1
AMARELA	2
VERDE	3
MARROM	4
AZUL	5
ROSA	6
PRETA	7

O termo "sinuca" também é usado popularmente no Brasil como sinônimo para jogos de bilhar, que partem do mesmo princípio da sinuca, mas têm regras bem mais simples e são jogados em mesas ainda menores (normalmente de 2,10 m x 1,05 m), algumas com apenas quatro caçapas. Um dos jogos mais comuns é o mata-mata, no qual cada jogador deve encaçapar as bolas do adversário — cada um começa com cinco bolas da mesma cor.

PINGUE-PONGUE

Pingue-pongue é o apelido mais comum para o esporte olímpico denominado tênis de mesa. O jogo surgiu oficialmente no século XIX, na Inglaterra, como uma imitação do tênis praticada em ambiente fechado. Nos primeiros jogos eram usadas bolas de cortiça, e livros serviam como rede. Com o tempo, as bolinhas começaram a ser feitas de celuloide, e uma rede de verdade passou a ser fixada nas laterais da mesa. Em 1977, o tênis de mesa passou a ser reconhecido como esporte olímpico, e as primeiras medalhas foram disputadas nas Olimpíadas de Seul, em 1988.

O jogo, em si, é muito simples. O objetivo é marcar pontos, jogando a bola no campo do adversário (a bola obrigatoriamente tem que tocar uma vez na "quadra adversária") e forçando um erro de seu oponente. Isso pode acontecer de três formas: ele chega a rebater a bola, mas não consegue devolver com precisão (a bola bate na rede e volta para sua própria quadra, por exemplo); ele simplesmente não consegue rebater a bola (o que significa que a jogada que você fez foi muito boa), ou ele rebate com muita força e a bola vai direto para fora, sem bater na sua mesa. Pratique muito para melhorar suas cortadas e recepção. Lembre-se de treinar bem o saque, pois ele pode *acabar* com seu adversário.

E o melhor do pingue-pongue é que, inspirando-se em suas origens, você pode jogar em qualquer lugar. Tendo raquetes e bolinhas, até a mesa de jantar da sua casa pode virar uma quadra!

MENINAS

Talvez você já tenha notado que as meninas são bem diferentes de você. Com isso não estamos falando apenas das diferenças físicas, mas também do fato de que elas não ficam impressionadas porque você zerou um videogame ou porque você sabe o Código Morse de cor. É claro que isso vai impressionar algumas delas mas, em geral, as meninas não se entusiasmam tanto quanto os meninos com o uso de urina como tinta invisível.

Pensamos muito nos bons conselhos que poderíamos dar. É inegável que os meninos passam boa parte da vida pensando em meninas e sonhando com elas, logo, o assunto precisava ser mencionado aqui com a máxima delicadeza possível.

Conselhos sobre meninas

1. É importante saber escutar. Na maioria das vezes, os seres humanos são autocentrados e gostam de falar sobre si mesmos. Além disso, é fácil ficar calado quando a gente fica nervoso. Um bom conselho é escutar com atenção, a menos que também tenham dado a ela este mesmo conselho, nesse caso, vai haver um silêncio incômodo e certamente vocês ficarão como duas corujas sentadas lado a lado.

2. Tenha cuidado com o senso de humor. É muito comum os meninos tentarem impressionar as meninas com uma série de piadas, cada uma pior que a outra. Uma piada só, talvez, e depois o longo silêncio enquanto ela fala de si mesma...

3. Quando você for mais velho, as flores vão funcionar; as mulheres adoram flores. No entanto, quando a gente ainda é garoto, as flores dão uma sensação horrível de esquisitice e não de romantismo, sem falar que ela vai saber que foi a sua mãe quem comprou.

4. Cartões do dia dos namorados. Não assine. Aqui o importante é a empolgação da menina para adivinhar quem é que acha que ela é bonita. Se estiver assinado, a mágica não vai funcionar. Na verdade, é bem legal fazer isso com alguém que você acha que nunca vai receber um cartão. Num caso desses, é mais importante ainda não dizer jamais: "mandei o cartão porque achei que você não ia receber nenhum". Use cartões simples. Evite os enfeitados e acolchoados demais.

5. Evite coisas nojentas. Surtos entusiasmados de arrotos não vão deixar a garota caída por você, só para dar um exemplo.

6. Pratique algum esporte. Não importa qual, desde que substitua a palidez cadavérica do programador de computadores por um brilho corado. Falando francamente, isso é mais importante do que você pensa.

7. Se encontrar uma garota precisando de ajuda — sem conseguir levantar alguma coisa, por exemplo — não zombe dela. Aproxime-se do objeto e cumprimente-a com um sorriso alegre, enquanto testa o peso do objeto sem ser notado. Se achar que conseguirá levantá-lo, vá em frente. Caso contrário, tente sentar-se nele e começar uma conversa.

8. Finalmente, verifique se você está bem asseado, com as unhas limpas e o cabelo lavado. Não se esqueça de que as garotas ficam tão nervosas ao seu lado quanto você perto delas, se é que dá para imaginar isso. Elas pensam e agem de um jeito bem diferente do seu, mas sem elas a vida seria apenas um eterno vestiário de futebol. Trate-as com respeito.

MARMORIZAÇÃO

Se você já se perguntou como é feito o papel marmorizado colado do lado de dentro da capa de livros antigos, eis a explicação. Por incrível que pareça, é um processo simples, cujo resultado pode ser deslumbrante. Depois que tiver as tintas, pode usar esse tipo de papel para mil e uma coisas, como embrulhar presentes e fazer os seus próprios cartões de felicitações.

VOCÊ VAI PRECISAR DE

- **Tinta especial para marmorização (ou tinta acrílica para tecido, ou mesmo tinta a óleo), procure em lojas de artesanato ou nas boas papelarias.**
- **Um recipiente de fundo plano e paredes baixas, por exemplo, um tabuleiro.**
- **Papel A4 para impressora e jornal velho para forrar o local onde vão ficar as folhas de papel molhadas.**
- **Pincel pequeno, palito, pente ou pena para regirar a tinta.**

A tinta de marmorização é cara, porque, geralmente, é importada, mas como só precisamos de um pouquinho para cada folha de papel, um potinho dura anos. Se você usar tinta acrílica, dilua com um pouco de água; se usar tinta a óleo, misture com um pouco de terebintina. Começamos com vermelho, azul e amarelo-ouro.

Usamos papel A4 para impressora porque é prático, mas quase todos os tipos de papel servem. Dá para fazer papel marmorizado na banheira, mas lembre-se de depois limpar tudo muito bem ou seu pai e sua mãe vão ficar furiosos na manhã seguinte. O papel não deve ter a superfície brilhante, senão a tinta não penetra.

1. Encha o tabuleiro com água até uns 2,5cm de altura. Não é preciso ser muito exato.

2. Usando pincel ou conta-gotas, pingue uma gota da primeira cor na superfície da água. Ela vai se espalhar imediatamente num círculo cada vez maior.

3. Salpique a água com círculos de várias cores. Quando estiver satisfeito, misture as cores fazendo ondas com o palito, o pente ou a pena. Qualquer coisa pontiaguda vai servir na primeira tentativa.

4. Quando o desenho estiver pronto, coloque a folha de papel, com todo o cuidado, em cima da superfície da água e espere 60 segundos. Isso basta se estiver usando papel de impressora, mas o tempo pode variar com outros tipos de papel.

5. Segure uma das pontas do papel e levante-o para fora do líquido. Até onde sabemos, não há como fazer isso do jeito errado, é bem fácil mesmo. Lave o papel na torneira para tirar o excesso de tinta. Coloque a folha molhada em cima do jornal e deixe secar.

Se tiver acesso a uma copiadora ou impressora colorida, você pode fazer cópias com espaços vazados. Nesses espaços você pode escrever o texto de um convite ou o título de um diário ou de uma história, talvez, quem sabe, uma história de fantasmas à moda antiga, com capa de papel marmorizado também à moda antiga. Verde escuro, amarelo-ouro e preto será uma ótima combinação de cores.

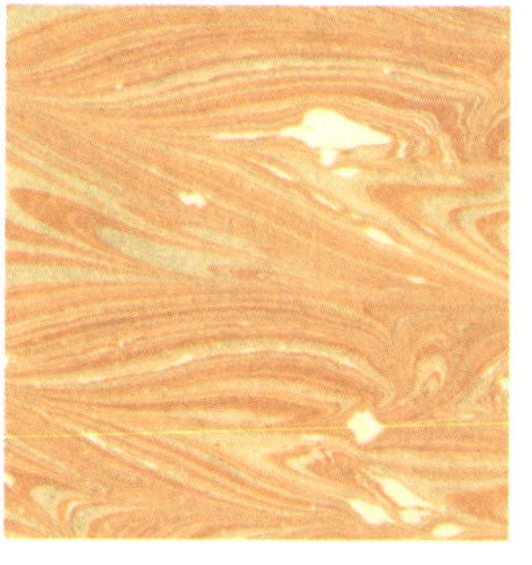

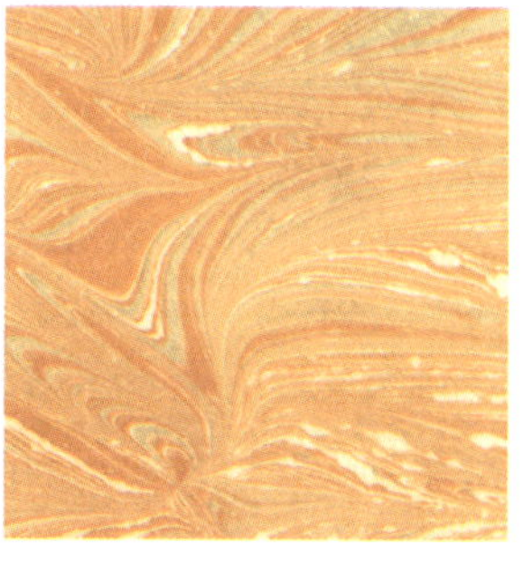

FORMAÇÃO DE NUVENS

É espantoso quantas vezes na vida olhamos para o céu e dizemos: "Nunca consigo me lembrar, aquilo ali é um cúmulo-cirro ou um estrato-sei-lá-o-quê?" Todo mundo aprende isso na escola mas, falando francamente, todo mundo esquece. Agora você vai ler sobre o assunto e, quando quiser mesmo saber, já esqueceu. A solução é comprar vários exemplares deste livro e ter um deles sempre perto de você.

SÓ HÁ TRÊS TIPOS BÁSICOS DE NUVENS

Esta imagem é de **Cirros**: nuvens leves e delicadas, que podem estar a até 4,5 mil metros de altura e são feitas de cristais de gelo. Esta formação, às vezes, lembra rabos de cavalo.

Depois, vem a mais comum: os **Cúmulos**. São as nuvens fofinhas que parecem de algodão e que vemos na maioria dos dias.

Os últimos do nosso trio são os **Estratos**: um cobertor escuro e sólido de nuvens baixas.

Todas as formações de nuvens são combinações dessas três formas básicas. O único outro nome que aparece são os **Nimbos**, ou seja, nuvens de chuva cinza-escuro. Por exemplo, é possível ver cúmulos-nimbos, que são grandes e fofas, mas escuras e prestes a se derramar do céu. Em geral, a linha de frente de uma tempestade é formada por cúmulos-nimbos. Os nimbos-estratos são uma camada escura e pesada que cobre o céu, também prestes a despejar um temporal.

1. CIRROS

AS PRINCIPAIS FORMAÇÕES DE NUVENS

GRANDE ALTITUDE
(acima de 5.500 m)

Cirros — altos e delicados
Cirros-estratos — camada grossa e alta
Cirros-cúmulos — altos, lembram algodão
Cúmulos-nimbos — nuvens de tempestade de algodão escuro

ALTITUDE MÉDIA
(2.000-5.500 m)

Altos-estratos — faixa pesada a meia altura
Altos-cúmulos — algodão a meia altura

BAIXA ALTITUDE
(até 2.000 m)

Estratos — camada plana e pesada
Estratos-cúmulos — fofos e planos combinados
Cúmulos — nuvens de algodão
Nimbos-estratos — camada plana e chuvosa

2. CÚMULOS

3. ESTRATOS

Você pode apostar que a tempestade está chegando, quando vir as formações de estratos e estratos-cúmulos ficarem mais baixas. Se as nuvens descem rapidamente e formam nimbos-estratos, é hora de se abrigar, porque a chuva vai cair a qualquer momento. Se por acaso tiver um barômetro, verifique o nível de mercúrio. A queda súbita da pressão do ar indica que a tempestade está a caminho.

Esses dez tipos ainda podem ser subdivididos, com nomes como cúmulos-nimbos incus, nuvem de tempestade em forma de bigorna. No entanto, para a maioria de nós, basta lembrar e identificar os tipos principais.

BATALHAS FAMOSAS
DA MODERNIDADE

1. Waterloo — 18 de junho de 1815

Em 1814, Napoleão chegara ao seu limite. Perdera mais de 350 mil homens na marcha sobre a Rússia, uma das ações militares mais insensatas da História. Na Espanha, Wellington derrotara o seu exército e os seus aliados espanhóis. Além disso, finalmente, os exércitos da Áustria e da Prússia estavam prestes a humilhá-lo. Mas Napoleão não era homem de fugir calado para o esquecimento. Quando abdicou e deixou de ser imperador, foi exilado como governador da minúscula ilha de Elba, ao largo da costa ocidental da Itália. Talvez por crueldade, permitiram-lhe manter o título que reivindicara para si. Muitas vidas teriam sido poupadas se ele e a sua guarda de honra tivessem ficado por lá. Mas, onze meses depois de lá chegar, uma fragata buscou-o e ele voltou à França.

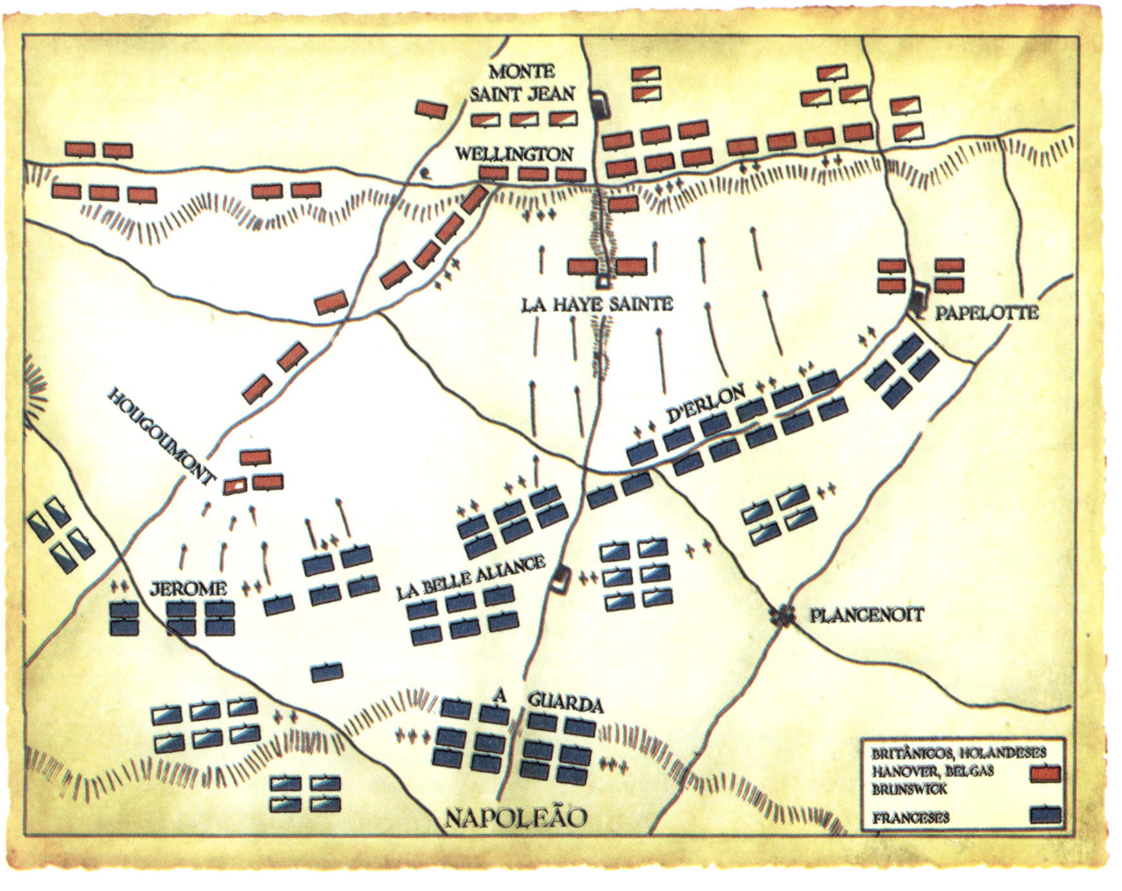

O rei francês Luís XVIII enviou soldados com ordens para atirar nele. A reação de Napoleão ficou famosa: caminhou destemido na direção deles, abriu o casaco e disse: "Quem tiver coragem que mate o seu imperador!" Os soldados o saudaram e Napoleão os fez voltar e marchar sobre Paris. Em 20 de março de 1815, o rei francês fugiu e Napoleão voltou. O período de março a junho é conhecido até hoje como a "Guerra dos Cem Dias".

Com eficiência extraordinária, Napoleão reuniu um exército de 188 mil soldados regulares, 300 mil conscritos e mais um efetivo de apoio de 100 mil indivíduos. Além disso, tinha o veterano Exército do Norte em torno de Paris, com 124 mil homens.

Nessa época, o exército anglo-holandês de Wellington, com 95 mil soldados, estava em Flandres (na Bélgica) com o exército prussiano de 124 mil soldados do marechal Blücher. Os austríacos tinham 210 mil homens no Reno e outro exército de 75 mil homens na Itália. O exército russo de 167 mil soldados, sob o comando de Barclay, vinha pela Alemanha para atacar a França. Em vários pontos Napoleão também chegara ao seu limite, em 1815.

Ele partiu rapidamente contra os exércitos na Bélgica, na tentativa de esmagar os inimigos um ou dois de cada vez. Infelizmente para ele, as tropas de Wellington, num contra-ataque, retiveram um dos seus marechais em Quatre-Bras, ao sul de Bruxelas, impedindo o apoio de que Napoleão precisava para destruir os prussianos. Os homens de Blücher sofreram baixas terríveis quando encontraram Napoleão, em Ligny, mas, ainda assim, conseguiram recuar em ordem. Napoleão não aproveitou a vantagem e Wellington pôde mover-se de Quatre-Bras para uma posição melhor, pronto para a batalha. Escolheu um morro chamado monte Saint-Jean, ao sul da aldeia de Waterloo. Era a noite de 17 de junho e chovia a cântaros.

Blücher dera a sua palavra a Wellington de que reforçaria a posição britânica. Mas Gneisenau, o segundo no comando, estava convencido de que Wellington não conseguiria defender o morro e partiria antes que os prussianos chegassem. Queria abandonar os aliados e voltar à Prússia. Apesar da exaustão e dos seus próprios ferimentos, Blücher, de 72 anos, passou por cima dele e deu a seus homens a ordem de ajudar Wellington. É interessante que Gneisenau tenha organizado a marcha prussiana de modo que as unidades mais distantes de Wellington partissem primeiro. Parece que sabia que assim atrasaria a sua chegada. No entanto, a unidade mais distante era o IV Corpo, do general Von Büllow, uma das melhores tropas prussianas. A chegada dos prussianos obrigaria Napoleão a reagir bem na hora em que atacava o centro britânico. Isso foi fundamental para a vitória.

O terreno estava um lamaçal depois da chuva forte da noite anterior e Napoleão atrasou o ataque até que o chão começasse a secar. Ao meio-dia de 18 de junho, finalmente arremeteu, com os seus 72 mil homens contra os 67 mil de Wellington. Os soldados de Napoleão avançaram num falso ataque enquanto os canhões, ou "belles filles" (lindas meninas), martelavam durante uma hora o exército de Wellington. À uma hora da tarde, 20 mil veteranos seguiram em linha rumo ao morro ocupado pelos britânicos. Também tiveram que passar pelo fogo de artilharia e a carnificina foi horrível. Mas duas divisões veteranas conseguiram chegar ao alto do morro, numa feroz luta corpo a corpo. Foi um momento importantíssimo da batalha, porém, foi a cavalaria da Brigada da Casa Real e a da Brigada da União, comandadas pelo Conde de Uxbridge, que salvaram os ingleses, esmagando os atacantes franceses com uma carga morro abaixo.

As duas brigadas continuaram a carga pelo vale e atacaram os canhões franceses. Tomaram uns 20 deles. Quando, por sua vez, foram vencidos pelas reservas da cavalaria francesa, os cavalarianos, em sua maioria, estavam exaustos. No entanto, o estrago fora feito. O único corpo realmente poderoso da infantaria francesa que restava no campo de batalha era a elite: a Guarda Imperial.

Nessa hora, houve algumas ordens confusas nas linhas francesas. Wellington ordenou que os seus homens recuassem 30 metros, para fora do alcance dos canhões franceses. O marechal Ney pensou que estavam se retirando e ordenou que uma brigada da cavalaria francesa atacasse. A sua ordem foi questionada e, numa reação irritada, Ney comandou-os pessoalmente e levou 4 mil cavaleiros a avançar sem apoio. Se nesse momento Napoleão mandasse a sua Guarda Imperial, é bem possível que Wellington perdesse a batalha. Mas ele percebera a aproximação dos prussianos e recusou-se a engajá-la na luta. Sem apoio, a cavalaria não conseguiu causar muito estrago nas formações quadradas britânicas. Foi repelida por salvas de tiros e os sobreviventes acabaram recuando. Os pesados canhões franceses abriram fogo novamente e mais soldados morreram no morro.

Às quatro da tarde, os prussianos já tinham chegado em grande número, encabeçados pelo IV Corpo. Ocuparam uma posição estratégica no flanco direito de Napoleão e tiveram de ser desalojados por soldados muito preciosos dos regimentos da Nova e da Velha Guarda Imperial. Quando isso foi conseguido, já eram quase sete horas da noite. Naquela época do ano, tão perto do alto verão, os dias eram longos e ainda havia luz quando Napoleão, finalmente, mandou a Guarda Imperial romper o

centro britânico. Os soldados usavam casaco azul-marinho e chapéu alto de pele de urso. Em toda a sua história, nunca tinham recuado.

A Guarda Imperial marchou subindo o morro rumo a uma brigada de guardas da infantaria britânica comandada pelo coronel Maitland e uma brigada holandesa comandada pelo coronel Detmer. Salvas de tiros e uma carga de baionetas fizeram a Guarda Imperial recuar. Wellington mandou mais homens atrás deles enquanto tentavam se reorganizar e os derrotou. Os regimentos da guarda britânica conheciam muito bem a fama da elite napoleônica e levaram consigo, como lembrança, os seus chapéus. Estes chapéus altos de pele de urso ainda são usados até hoje por regimentos britânicos da guarda, como os granadeiros, galeses, irlandeses, escoceses e a Guarda de Coldstream.

Blücher atacou o flanco direito francês enquanto Wellington contra-atacava em peso. O exército francês desmoronou. Mais tarde, Blücher quis chamar a batalha de "La Belle Alliance", mas Wellington insistiu no seu antigo hábito de batizar as batalhas com o nome do lugar onde passara a noite anterior. Sendo assim, ela ficou conhecida como Batalha de Waterloo.

Napoleão voltou a Paris e renunciou pela segunda vez, em 22 de junho, antes de se render aos ingleses. O navio HMS *Bellerophon*, que tinha lutado no Nilo e em Trafalgar com o almirante Nelson, levou-o a bordo. É irônico que o *Bellerophon* tenha sido um dos navios que dispararam na nau capitânia de Napoleão, *L'Orient*, antes que ela explodisse na Batalha do Nilo.

Napoleão foi levado para a ilha de Santa Helena e, até morrer, não a abandonaria mais. Waterloo foi a última batalha de Wellington, que chegou a ser Primeiro-Ministro em 1828.

Blücher morreu em seu leito, em casa, em 1819.

A França foi forçada a pagar indenização à Grã-Bretanha, à Áustria, à Prússia e à Rússia. Esses países reuniram-se em Viena para determinar o futuro da Europa. Nessas conversações, foi criada uma zona-tampão: um país neutro, cuja paz seria garantida pelos outros. Mais tarde, em 1830, quando se tornou totalmente independente, este país ficou conhecido como Bélgica. Um detalhe interessante: a bota impermeável de cano alto estilo Wellington recebeu este nome devido ao tipo de bota que Wellington popularizou. A princípio, era feita de couro; só depois passou a ser feita de borracha, como até hoje.

2. Balaclava — 25 de outubro de 1854

Em 1853, o tzar Nicolau I viu uma oportunidade de derrubar o envelhecido Império Otomano, controlar a Turquia e levar a influência russa até o Mediterrâneo. Tanto a França quanto a Inglaterra estavam decididas a resistir à invasão russa naquela parte do mundo. Numa aliança bastante incomum, os dois países mandaram esquadras para apoiar a Turquia.

NICOLAU I

A força aliada conjunta era comandada pelo inglês Lord Raglan e pelo francês marechal Saint Arnaud. Com a sua chegada, a Turquia declarou guerra à Rússia e, a princípio, teve algum sucesso, até que os russos afundaram a esquadra turca e invadiram a Bulgária. Seguiram-se várias escaramuças. A disenteria e a cólera já eram um problema para a força expedicionária aliada em Varna quando chegou a ordem de tomar o porto russo de Sebastopol. A esquadra de 150 navios de guerra e de transporte desembarcou 51 mil soldados franceses, britânicos e turcos a quase 50 km do porto. Quando chegaram os meses frios, alguns deles usaram toucas de lã que só deixavam de fora pequena parte do rosto. Elas logo ficaram conhecidas como "balaclavas".

Em 20 de setembro, o príncipe Alexandre Menshikov combateu-os no rio Alma. O seu exército foi derrotado, mas estava quase intacto ao recuar. A tropa aliada avançou até Sebastopol e cercou a cidade, enquanto a esquadra, comandada por Sir Edmund Lyons, bloqueava o porto pelo mar. Menshikov decidiu desviar a atenção deles de Sebastopol, atacando a principal base de suprimento britânica, em Balaclava. Tinha 65.000 homens e esperava mais 25 mil de reforço. Em comparação, as tropas aliadas tinham sido reforçadas e o seu efetivo era de 75 mil soldados.

Balaclava é uma grande planície da península da Crimeia, com uma parte alta, a serra de Sapoune, numa das extremidades, e uma elevação central que os ingleses chamavam de "Causeway Heights", ou "serra da Trilha Alta". Para chegar ao acampamento britânico em Balaclava, Menshikov teve de atravessar o rio Tchernaia e os montes Fediúkine chegando ao Vale do Norte. A sua tarefa então seria vencer os redutos britânicos no Causeway, guarnecidos pela milícia turca. Além dela estavam o 93º regimento britânico dos Highlanders, mil fuzileiros navais e mais mil soldados turcos, todos comandados pelo general Sir Colin Campbell.

A cavalaria britânica estava acampada no sopé de Causeway Heights, ao Norte, para proteger o flanco. Era comandada pelos Lordes Lucan e Cardigan, que se odiavam e raramente se falavam.

A batalha de 25 de outubro começou quando Menshikov usou artilharia e cargas de baioneta para atacar três redutos em duas horas, derrotando a milícia turca que lá estava.

A cavalaria russa rompeu as defesas aliadas e avançou pelo campo de batalha rumo ao acampamento britânico mais ao sul, repentinamente indefeso.

A única coisa em seu caminho era o 93º Regimento Highland, comandado por Campbell. Os soldados formaram uma fileira dupla enquanto a cavalaria galopava sobre eles. Campbell disse:

— Não há como recuar daqui, homens. Terão de morrer onde estão.

John Scott, à sua direita, respondeu:

— Claro, Sir Colin. Se assim é, assim faremos.

E todos os outros repetiram a resposta.

Começaram as salvas de tiros sobre a carga da cavalaria russa; os britânicos mantiveram o terreno até que a cavalaria desmoronou sob o fogo dos seus fuzis. Dizem que um dos Highlanders conseguiu estender o braço e tocar a cabeça de uma montaria caída a pequena distância. Mesmo mais tarde, a defesa desta posição ficou conhecida como "A fina linha vermelha" — uma referência aos soldados britânicos, que usavam farda vermelha.

O segundo enfrentamento importante do dia aconteceu quando o corpo principal da cavalaria russa invadiu o vale ao sul. Nessa hora o general Sir James Scarlett já chegara com a Brigada de Cavalaria Pesada. O nome não é exagero, já que tanto os homens quanto os cavalos eram maiores e mais fortes do que de costume, sendo mais uma acha de guerra do que uma espada no campo de batalha. O general Scarlett ordenou que 300 deles, do 2º e do 6º Regimentos de Dragões, subissem o morro contra a tropa russa de 2 mil soldados. Parecia temerário, mas a Brigada de Cavalaria Pesada destruiu os adversários russos mais leves e expulsou-os do campo com quase 300 mortos. A Brigada Pesada só perdeu dez soldados naquele dia e nem todos naquele ataque com Scarlett.

O terceiro e último enfrentamento do dia é de longe o mais famoso. Nessa hora Menshikov estava entrincheirado no Vale do Norte e tinha canhões cercando a sua posição. Nunca fora intenção de Lord Raglan mandar a Brigada de Cavalaria Ligeira para o "Vale da Morte". Ele viu que os canhões dos redutos capturados em Causeway Heights estavam sendo removidos pelos russos e mandou uma mensagem a Lord Lucan que poderia ter sido mais bem redigida. Também cometeu o erro de mandá-la por um mensageiro a cavalo chamado capitão Lewis Edward Nolan, que acrescentou ao desastre o seu próprio tempero.

A mensagem a Lucan dizia o seguinte: "Lord Raglan deseja que a cavalaria avance com rapidez, siga o inimigo e tente impedi-lo de levar embora os canhões. A Artilharia Montada deve acompanhar. A cavalaria francesa está à esquerda. Imediato."

Raglan também deu a instrução oral:

— Diga a Lord Lucan que a cavalaria deve atacar imediatamente.

O capitão Nolan foi até Lord Lucan com a mensagem e transmitiu-a. Lucan não conseguiu ver os canhões de que falava o bilhete e indagou que canhões eram aqueles. Exasperado, o capitão Nolan respondeu:

— Lá, senhor, está o seu inimigo, lá estão os seus canhões! — e apontou, zangado, na direção dos redutos, que também era a direção da principal posição russa. O arrogante Lucan ficou furioso com o tom de voz do capitão e com a insinuação de que, talvez, estivesse atrasando deliberadamente o início da ação.

Lord Lucan ordenou que a Brigada Ligeira e Lord Cardigan seguissem para o Vale do Norte, contra os canhões errados. Cardigan ressaltou que três lados do vale estavam protegidos por posições de canhões entrincheirados, mas Lucan lhe disse, com soberba, que era ordem de Raglan:

— Não temos opção senão obedecer.

A Brigada Ligeira também estava sedenta de glória. A Brigada Pesada já participara da batalha, mas a cavalaria leve mal fora usada. Sem a menor hesitação, todos os 661 cavalarianos avançaram para o Vale do Norte, comandados por Cardigan. Quando os canhões russos abriram fogo, o capitão Nolan cavalgou até Cardigan, mas foi morto antes que pudesse avisá-lo do engano.

Nos lados norte e sul do vale, havia quase cinquenta canhões e 19 batalhões de infantaria. Na extremidade, havia mais oito canhões apontados diretamente para a Brigada Ligeira e quatro regimentos russos inteiros, todo o exército remanescente sob o comando de Menshikov.

A princípio, a Brigada Ligeira seguiu a meio-galope sob o fogo pesado; mas aos poucos foi aumentando a velocidade e galopando rumo aos canhões russos. Os homens foram arrancados da sela pelas balas de fuzil e pelos fragmentos de granadas. Os russos não podiam acreditar no que viam e, depois que ficou claro que a Brigada Ligeira conseguiria chegar ao fim do vale, reagiram com demasiada lentidão para proteger os canhões. Os cossacos em volta deles entraram em pânico e fugiram. A Brigada Ligeira matou todos os artilheiros que sobraram e depois atacou a cavalaria russa, fazendo-a recuar. Tinham tomado os canhões mas, sem apoio, não podiam nem sonhar em mantê-los. Os cavalos estavam exaustos e muitos sobreviventes feridos. Deram meia-volta para voltar ao ponto de partida, e o fogo dos canhões recomeçou enquanto cavalgavam.

Foram só vinte minutos do início ao fim. Sobreviveram 195 dos 661 cavalarianos. Seis "Cruzes da Vitória", na época recém-criadas, foram concedidas por bravura.

É preciso pôr este ataque em seu contexto. A Guerra da Crimeia teve o seu quinhão de horrores, do terror silencioso da cólera ao fedor dos homens que morriam de disenteria e feridas infeccionadas. Foi lá que Florence Nightingale deu início à ideia da enfermagem e ao conceito de higiene no campo de batalha britânico. Havia pouca coisa para animar o público britânico que lia as notícias. A Batalha de Balaclava foi um dos exemplos mais extraordinários de coragem na guerra, como a dos espartanos nas Termópilas. É preciso lembrar que os russos caíram diante da Fina Linha Vermelha e, depois, diante de um pequeno número de soldados da cavalaria pesada. A Brigada Ligeira enfrentou quase cinquenta canhões e literalmente milhares de fuzis, e nem assim vacilou. Como disse um oficial francês: "C'est magnifique, mais ce n'est pas la guerre" — "É magnífico, mas não é guerra." O poema "A carga da Brigada Ligeira", de Tennyson, ainda é uma das obras mais famosas da literatura inglesa.

3. II Guerra Mundial

O mais cruento conflito da história da humanidade, a II Guerra Mundial redefiniu as fronteiras geopolíticas do mundo e iniciou a divisão entre os mundos socialista e capitalista. Iniciou-se em 1.º de setembro de 1939 e durou até 2 de setembro de 1945. Calcula-se que morreram mais de 50 milhões de pessoas durante a conflagração entre dois blocos opostos: os Aliados e o Eixo. As principais batalhas foram as seguintes:

Hiroshima e Nagasaki

Em 6 de agosto de 1945, por volta das 8h15 da manhã, um clarão iluminou o céu da cidade japonesa de Hiroshima, que ficou totalmente arrasada por uma arma nova e devastadora: a bomba atômica, jogada pelo avião americano Enola Gay. Batizada como *little boy*, a nova arma, com poder equivalente a 12 mil toneladas de TNT, matou cerca de 140 mil pessoas. Era o "troco" dos americanos ao ataque japonês à base de Pearl Harbor, três anos antes, e um aviso à futura rival URSS que eles dominavam a tecnologia da mais mortífera arma jamais criada. Nagasaki receberia o mesmo castigo três dias depois.

SOLDADOS AMERICANOS NA NORMANDIA

Dia D

O dia 6 de junho de 1944 ficou conhecido como Dia D e marcou o início da derrota do ditador alemão Adolf Hitler no setor ocidental do conflito, que se completou com a vitória do Exército Vermelho, da URSS, sobre o exército nazista no setor leste. Os Aliados desembarcaram 155 mil soldados nas praias da Normandia para combater os alemães. Era a Operação Overlord, que iludiu a vigilância dos exércitos nazistas.

Batalha de Stalingrado

Esta batalha pela posse da estratégica cidade soviética foi uma das mais cruéis e decisivas da guerra. Representou, apesar da desproporção de recursos entre alemães e soviéticos, a primeira grande derrota alemã e a virada no curso da guerra, até então favorável ao exército nazista. A "cidade heroica" foi sitiada por um exército de 340 mil homens. Inferiores aos nazistas em número de soldados e armamentos, os russos opuseram uma resistência desesperada. Bombardeada, Stalingrado ficou reduzida a escombros, mas não se rendeu. Comandados pelo marechal Ivan Jukov, os exércitos soviéticos contra-atacaram e cercaram as 22 divisões alemãs. Mais de 90 mil soldados nazistas caíram prisioneiros.

SOLDADO BRITÂNICO

SOLDADOS ALEMÃES

Batalha da Inglaterra e da França

Para tentar vencer os seus principais rivais europeus, Hitler usou da dissimulação. A França foi atacada na fronteira com a Bélgica, que era desprotegida pela Linha Maginot, conjunto de fortificações que defendiam o país. Os generais nazistas nem precisaram se aproximar da Linha Maginot, em um rápido ataque no qual tropas franco-inglesas foram obrigadas a se retirar. Batida, a França viu, para sua vergonha, os exércitos alemães passarem sob o Arco do Triunfo. Em seguida, se instalou o governo colaboracionista do marechal Philipe Pétain, com oficiais e políticos fascistas no comando. A Inglaterra foi atacada na Operação Leão Marinho. A artilharia alemã bombardeou as costas inglesas a partir do porto francês de Calais, enquanto aviões jogavam bombas sobre Londres e outras cidades. A Royal Air Force, força aérea britânica, reagiu e conseguiu expulsar os inimigos. Hitler acabou desistindo da invasão de seu principal inimigo na Europa.

FILMES QUE TODO GAROTO DEVERIA VER

Selecionar alguns dos nossos filmes favoritos foi quase tão difícil quanto resolver uma equação matemática. Muitos filmes que adoramos ficaram de fora e muitos outros são imperdíveis também, e por diversas razões. Temos aqui 20 filmes a que todo garoto deveria assistir. Use as dicas e sua experiência pessoal para fazer a sua própria lista!

Star Wars (Guerra nas estrelas)

Sabres de luz, monstros alienígenas, donzelas em perigo e a eterna luta do bem contra o mal. Uma ótima escolha para agradar meninos de todas as idades. Lançada em 1977, a trilogia original – *Guerra nas estrelas* (vol. IV), *O império contra-ataca* (vol. V) e *O retorno de Jedi* (vol.VI) –, de George Lucas, é um clássico do cinema. Os filmes do início da saga - A *ameaça fantasma* (vol.I), O *ataque dos clones* (vol. II) e A *vingança dos Sith* (vol.III) — foram lançados a partir 1999. Não esqueça da pipoca e "que a força esteja com você".

Rastros de ódio

Histórias sobre glória, honra e poder, recheadas com duelos de pistolas e vinganças: assim é o bang-bang. É quase obrigatório conferir os trabalhos do cowboy invencível, John Wayne — *O homem que matou o facínora* e *Rastros de ódio* estão entre eles. Se você gosta de ação, deve também constar da sua lista *Pat Garret & Billy The Kid*, de Sam Peckinpah, e *Butch Cassidy – Dois homens e um destino*, com Robert Redford e Paul Newman, vivendo uma grande aventura no Velho Oeste.

007 - os diamantes são eternos

James Bond não é só o maior espião de todos os tempos. É o homem que todos gostaríamos de ser. Destemido, vive as maiores aventuras e enfrenta os mais terríveis criminosos – sempre com uma bela Bond Girl a tiracolo. *007 contra Goldfinger* (1964) e *Cassino Royale* (2006) ficam também como dica, mas não deixe de conferir os outros filmes da série.

E.T. – O extraterrestre

Uma das maiores bilheterias de Hollywood, *E.T., o extraterrestre*, de Steven Spilberg, completou 25 anos em 2007, e ainda emociona ao contar a história de amizade de Elliot e um alienígena que precisa voltar para casa. Um filme poderoso e difícil de se esquecer. Fique de olho na pequena Gertie – ao longo dos anos Drew Barrymore nos conquistou até destruir nossos corações em *As panteras*.

Super-Homem

O *Super-Homem* (1978) dirigido por Richard Donner e sua continuação, em 1980, são épicos de aventura! A nova versão da história do homem de aço alienígena, dirigida por Bryan Singer, em 2006, também tem cenas eletrizantes. O mesmo Singer é o responsável pelos dois primeiros filmes de *X-Men*, em 2000 e em 2002. Outros super-heróis que chegaram às telonas foram *Homem-aranha* (2002), que já contabiliza duas sequências, lançadas em 2004 e 2007, e Batman, que já teve diversos protagonistas. Prepare-se para grandes emoções e não esqueça da pipoca.

Indiana Jones e os caçadores da arca perdida

Uma obra-prima da dupla Steven Spilberg e George Lucas! A história do arqueólogo aventureiro contratado pelo governo americano para encontrar a Arca da Aliança antes dos nazistas é apenas o mote para muita ação e aventura. Perigos, cavernas escuras, bichos nojentos, vilões, belas namoradas e muita adrenalina! *Os caçadores da arca perdida* (1981) foi o primeiro da série, que continua com *Indiana Jones e o templo da perdição* (1984) e *Indiana Jones e a última cruzada* (1989). Mal podemos esperar pelo quarto filme, em 2008.

Peter Pan

Um lugar onde se é criança para sempre, a Terra do Nunca é um paraíso! Os meninos perdidos nunca tomam banho, brincam com índios de verdade e não tem hora pra dormir! Vale a pena conferir o clássico original da Disney, de 1953, mas existem outras versões, como o *Peter Pan* (2003), dirigido por P. J. Hogan. Fantasia e um pouco de subversão para alimentar todos os sonhos.

De volta para o futuro

A trilogia de Robert Zemeckis é uma das melhores séries de aventura da história do cinema. Depois de assistir os três *De volta para o futuro* (1985, 1989 e 1990), pode ter certeza que o DeLorean, um carro que viaja no tempo, será o seu novo sonho de consumo.

Conta comigo

Uma história sobre amizade e heroísmo recomendada para pais e filhos. Baseado num conto de Stephen King, *Conta comigo* (1986) narra a história de quatro amigos que decidem investigar a morte de um colega e acabam vivendo uma aventura diferente. Um filme raro sobre amadurecimento, memórias e lealdade.

O trapalhão nas minas do Rei Salomão

Didi, Dedé, Mussum e Zacarias fizeram mais de 20 filmes, todos atraindo milhões de espectadores. *O trapalhão nas minas do Rei Salomão* (1977) é uma das maiores bilheterias do cinema brasileiro. Confira também *Os saltimbancos trapalhões* (1981) e outros filmes da trupe. Promessa de muitas risadas.

Monty Python em busca do cálice sagrado

Os ingleses do Monty Phyton tiveram um programa de humor na BBC de 1969 a 1974. Anárquico e repleto de piadas surrealistas, *Monty Python em busca do cálice sagrado* (1975) é considerado um dos melhores filmes do cinema britânico, mas não é o único: *Monty Phyton e o sentido da vida* (1983) é uma série de esquetes cômicas, que refletem sobre o sentido da vida a partir da perspectiva única do grupo.

Shrek

Enfim um conto de fadas sem frescura! *Shrek* (2001) é um ogro que vive num pântano fedorento e não se envergonha de seus banhos de lama, piadas grosseiras e outros detalhes nojentos. Como todo sucesso de hoje em dia, é uma série, mas *Shrek 2* (2004) e *Shrek terceiro* (2007) também merecem o rótulo de *diversão garantida*.

Rocky

A princípio *Rocky* (1976), estrelado por Sylvester Stallone, pode parecer apenas um bom filme de briga. Mas a história do boxeador Rocky Balboa, um fracassado que tem a oportunidade de disputar o título máximo do boxe, é na verdade uma aula de superação.

O senhor dos anéis

Uma história de amizade, coragem e lealdade. Espadas, lutas épicas e seres bizarros numa terra fantástica. Uma jornada de tirar o fôlego! Baseado na obra de Tolkien, a série conta com três volumes (*A sociedade do anel*, *As duas torres* e *O retorno do rei*) e tem muitas horas de duração. Mas vale a pena. O terceiro filme, *O retorno do rei*, levou 11 Oscar em 2004.

A fantástica fábrica de chocolate

O Willy Wonka, de Gene Wilder, ficou eternizado na memória de milhares de crianças na primeira versão de *A fantástica fábrica de chocolate* (1971). A refilmagem dirigida por Tim Burton em 2005 não economiza em imaginação e Johnny Depp dá um show de excentricidade. Do mesmo Tim Burton é obrigatório conferir *Os fantasmas se divertem* (1988), *Edward mãos de tesoura* (1990) e *A noiva cadáver* (2005), um musical gótico.

O enigma da pirâmide

O enigma da pirâmide (1985) é uma história de Sherlock Holmes para todas as idades. Estamos em 1870, na Londres vitoriana. Os adolescentes Sherlock Holmes e John Watson se conhecem na escola e começam a investigar seu primeiro caso. Suspense de tirar o fôlego em meio a assassinato e deduções brilhantes.

Toy Story

De um lado, brinquedos que falam, sentem e têm opinião própria. Do outro, um menino no dia de seu aniversário. Na disputa pela atenção do pequeno Andy estão Woody, o cowboy; e Buzz Lightyear, um astronauta muitíssimo equipado. Parceria bem-sucedida da Disney com a Pixar, *Toy Story* (1995) é uma história surpreendente sobre amizade, que abriu as portas para outras animações sensacionais, como *Vida de inseto* (1998), *Montros S.A.* (2001), *Procurando Nemo* (2003) e *Os incríveis* (2004).

Curtindo a vida adoidado

Ninguém deve matar aula, mas é impossível não se divertir com este filme. Em *Curtindo a vida adoidado* (1986), Ferris Bueller decide matar aula para aproveitar o dia na companhia de sua namorada e de seu melhor amigo. Mas, para isso, ele precisa inventar mil artimanhas para enganar o diretor do colégio e seus pais.

A noite dos mortos-vivos

Um clássico do terror, que inspirou muitos filmes ao longo dos anos. Depois de *A noite dos mortos-vivos* (1968), os zumbis viraram celebridades, desbancando vampiros e monstros na preferência dos cinéfilos. Seu diretor, George A. Romero, é considerado o pai do cinema de horror moderno.

Houve uma vez dois verões

Um adolescente que se apaixona pela primeira vez. Um verão inesquecível para Chico, Juca e Roza, os protagonistas do primeiro longa-metragem de Jorge Furtado. *Houve uma vez dois verões* (2002) mostra que o cinema brasileiro também pode encantar, com sensibilidade, inteligência e um ótimo roteiro.

COMO FAZER PANO À PROVA DE FOGO

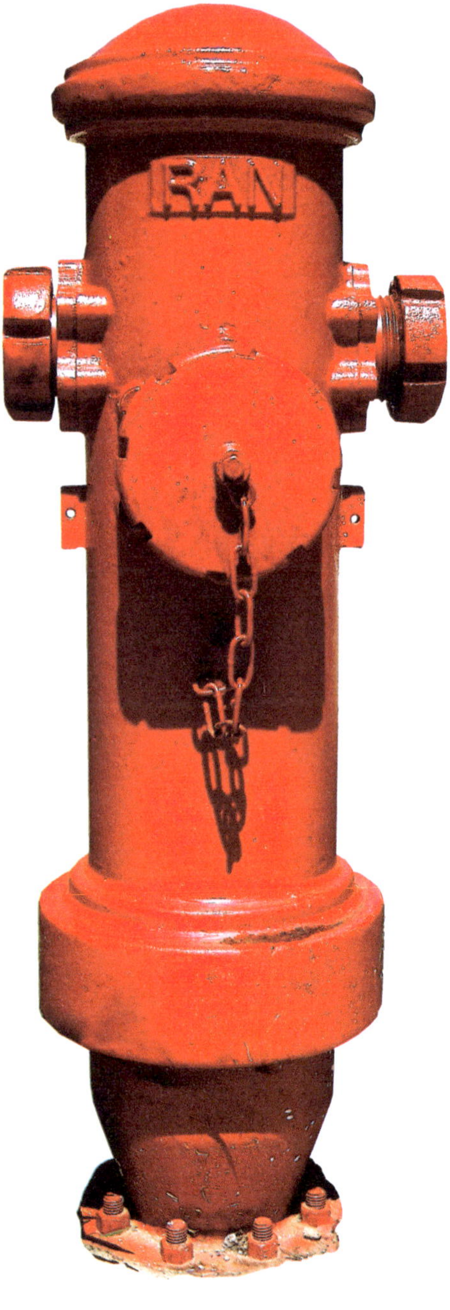

Talvez o uso mais impressionante do alume (sulfato de alumínio e potássio), já citado no capítulo "Como fazer cristais", seja como material à prova de fogo. Isso pode ser muito útil em toalhas usadas em lugares onde haja risco de incêndio, como num laboratório ou num palco. Funciona com qualquer tecido poroso, mas não se deve considerar que a técnica é infalível. Para demonstrá-la, usamos aventais domésticos.

Primeiro prepare uma solução de alume (pedra-ume) e água. A água quente é melhor para dissolver o pó. Meio quilo de alume dissolve-se facilmente em meio litro de água. Mergulhe na solução o material que quer deixar à prova de fogo, esteja atento para mergulhá-lo completamente. Retire em seguida e ponha para secar. Atenção, não deixe pingar em tapetes caros. Se deixar pendurado ao ar livre e chover, é provável que funcione mesmo assim.

Depois de seco, o tecido vai ficar um pouco mais rígido do que de costume, mas, fora isso, nada vai mudar. O avental não tratado queimou-se quase todo em 20 segundos. Não conseguimos pôr fogo no avental tratado, embora tenha surgido um leve chamuscado depois de aplicar a chama durante 30 segundos.

PRIMEIROS SOCORROS

Acidentes acontecem. Não dá para passar a vida com medo deles, senão nunca vamos conseguir fazer nada. No entanto, vale a pena usar o bom senso e tomar algumas precauções simples. Na verdade, todo mundo deveria ter noções básicas de primeiros socorros. Quando a gente se machuca, é bom ter por perto alguém que não entra em pânico e sabe o que fazer. Dizer que um pouco de conhecimento pode fazer diferença entre a vida e a morte não é ser dramático.

Quando tiver de cuidar de vários feridos, é preciso decidir quem vai ser tratado primeiro. Este processo se chama "triagem". A regra básica é: se alguém grita de dor, é porque está vivo, consciente e, provavelmente, corre menos risco do que alguém que esteja parado e em silêncio.

Eis as prioridades:

1. **Verificar respiração e batimentos cardíacos**
2. **Deter o sangramento**
3. **Limpar e cobrir as feridas**
4. **Imobilizar as fraturas**
5. **Tratar o choque**

Quando houver sangue e ferimentos, há risco de contaminação pelo HIV. Use luvas, se tiver, senão coloque sacos plásticos nas mãos. Evite tocar a boca ou o rosto com as mãos sujas de sangue. Lave-as cuidadosamente assim que possível. Quase sempre esse conselho é ignorado em situações de muita tensão, mas pode salvar a sua vida.

Quando se aproximar de um ferido, verifique se aquilo que o feriu também pode ferir você, como alvenaria que esteja despencando de uma obra, por exemplo. Se houver perigo, remova o paciente antes de tratá-lo. Avalie o risco de danos à coluna em relação ao perigo imediato. Se a pessoa tiver sido eletrocutada e ainda houver corrente elétrica, suba em alguma coisa seca e isolante e use um pedaço de pau para afastá-la da fonte de energia.

Se tiver de remover a vítima, evite movimentos de torção que possam piorar os danos à coluna. Puxe a pessoa pelos tornozelos até chegar a um lugar seguro.

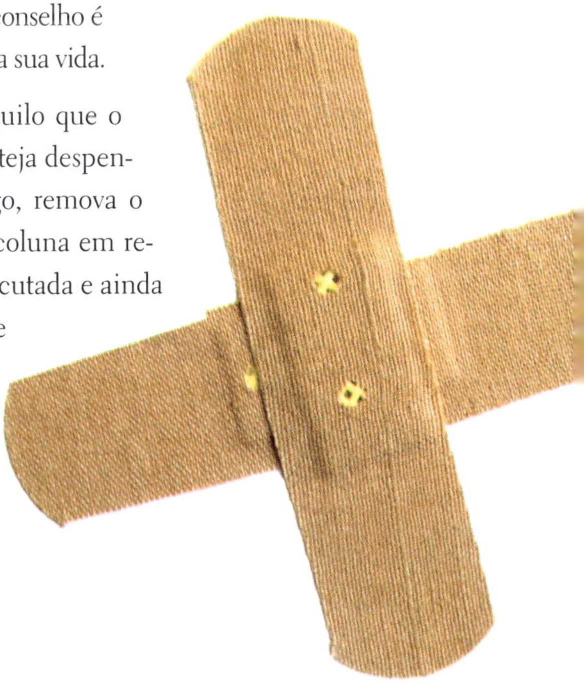

A VÍTIMA ESTÁ RESPIRANDO?

Se estiver respirando, vire-a de lado e dobre uma das pernas para apoiar o corpo. Essa é a "posição de recuperação". Ajuda a impedir a sufocação causada por vômito ou sangramento.

Se a respiração estiver fraca, use o dedo para remover as obstruções da boca e da garganta. Verifique se a pessoa não engoliu a língua, ou se isso tiver acontecido puxe-a de volta para a boca. Se a respiração estiver bloqueada, deite a pessoa de barriga para cima, ajoelhe-se com uma perna de cada lado do seu corpo, coloque as mãos logo acima do umbigo e empurre na direção das costelas. Se não funcionar, segure-a por trás, em volta do peito, sob as axilas, juntando as mãos na frente, se conseguir. Então aperte com força, comprimindo o peito. É a chamada "manobra de Heimlich".

Depois de eliminar o bloqueio, se a pessoa ainda não conseguir respirar, comece a ressuscitação artificial.

Cuidado com os bebês, com eles é preciso usar muita delicadeza. Se o bebê pára de respirar, apoie-o sobre o antebraço com o rosto virado para baixo. Em muitos casos só esta pressão já é suficiente, caso contrário, aperte-o três ou quatro vezes, entre as omoplatas com o "calcanhar" da mão. Se ainda não houver reação, apoie a cabeça e vire o bebê de rosto para cima, com apenas dois dedos, aperte o peito quatro vezes. Repita essa ação. Finalmente, cubra a boca e o nariz do bebê com a boca e sopre em seus pulmões.

O CORAÇÃO ESTÁ BATENDO?

Para verificar, aperte os dedos na parte interna do pulso, logo abaixo do polegar, na extremidade inferior do antebraço. Para checar a batida cardíaca no pescoço, vire o rosto para o lado e aperte os dedos sob o maxilar, perto da traqueia.

O pulso normal de um adulto relaxado é de 60 a 80 batimentos por minuto. Numa criança, é de 90 a 140 batimentos por minuto. Em situações de muita tensão, pode chegar até a 240 batimentos por minuto, embora, nesse nível, haja risco de um ataque cardíaco.

Use o relógio para contar os batimentos em 30 segundos e depois multiplique por dois. Se não conseguir sentir o pulso e as pupilas dos olhos estiverem muito maiores que o normal, passe a fazer a compressão cardíaca (ver a seguir.)

RESPIRAÇÃO ARTIFICIAL

Os primeiros 15 minutos são os mais importantes, mas prossiga durante até uma hora enquanto espera o atendimento de emergência. Pode ser muito cansativo, se possível, reveze com outra pessoa.

"O BEIJO DA VIDA"

1. Deite o paciente de costas.
2. Incline a sua cabeça para trás.
3. Mantenha a boca aberta e as narinas fechadas.
4. Verifique com o dedo se as vias aéreas estão liberadas.
5. Coloque a boca sobre a boca do paciente e sopre com firmeza. Para inflar o peito de outra pessoa, é preciso mais força do que a gente pensa.

Observe se o peito sobe e retire a boca. Repita isso 5 ou 6 vezes em seqüência. Depois, mantenha o ritmo de um sopro a cada 5 segundos. Após 10 ou 12 execuções, comece a compressão cardíaca.

Num bebê, coloque a sua boca sobre o nariz e a boca da criança e use sopros curtos e suaves 20 vezes por minuto. Os pulmões do bebê podem ser prejudicados se o tratamento for forte demais.

Com um animal, tal como um cachorro, feche-lhe a boca com ambas as mãos e sopre pelo nariz para inflar o peito. É claro que fazer isso vai depender do amor que você sente pelo cachorro. Depois, faça bochechos com um bom desinfetante bucal.

COMPRESSÃO CARDÍACA

1. Primeiro dê uma pancada forte no centro do peito e veja se o coração voltou a bater.
2. Coloque o "calcanhar" das mãos sobre o osso esterno.
3. Com os braços retos, empurre cerca de 4 cm.
4. Faça isso quatro ou cinco vezes entre as respirações, contando em voz alta.

Nunca faça a compressão se o coração estiver batendo, mesmo que bem fraco. Ela faria o coração parar.

Verifique o pulso depois de um minuto e, em seguida, a intervalos de três minutos. Não desista.

Assim que perceber o pulso, interrompa as compressões, mas continue com a respiração boca a boca até o paciente respirar normalmente. Então coloque-o na posição de recuperação.

HEMORRAGIA E FERIMENTOS

Se houver alguma coisa enfiada no ferimento, você vai precisar de uma bandagem no formato de "rosquinha". Enrole um pedaço de pano num tubo e depois junte as pontas, formando uma rosca. Coloque a rosca em volta do ferimento antes de fazer o curativo, para que a bandagem não afunde ainda mais os cacos de vidro ou outros fragmentos.

Um adulto tem até 6,5 litros de sangue. Perder três deles provoca inconsciência. Perder até meio litro pode levar alguém a desmaiar, é por isso que os doadores de sangue têm que ficar sentados, comer um biscoito e tomar um suco depois da doação.

É preciso tomar providências imediatas para interromper a hemorragia. O segredo é a pressão. Ela retarda o fluxo de sangue e permite que o mecanismo de recuperação do próprio corpo dê início à coagulação, que é muito importante. Aplique pressão durante 5 a 15 minutos, e não pare de verificar o ferimento. Converse com o paciente o tempo todo e fique de olho no seu raciocínio e na capacidade de atenção. Se não tiver ataduras, faça a compressa com uma camisa ou com um pedaço de pano qualquer.

Se possível, deixe a parte ferida levantada acima do coração, ajudando a coagulação. Junte as bordas da ferida aberta antes de aplicar a compressa.

Só aplique um torniquete se achar que o paciente pode sangrar até morrer. Amarre um cinto ou corda acima do ferimento e aperte até a hemorragia diminuir. Só se pode usar essa técnica durante poucos minutos, senão há dano permanente, portanto, afrouxe o torniquete a intervalos.

Se não tiver nada para amarrar, pressione a artéria principal acima do ferimento. Para fazer isso, procure a pulsação ao lado do maxilar, no pulso, debaixo do braço, na dobra do cotovelo, no alto do ombro (clavícula), nas têmporas (lado da cabeça), no alto das coxas perto da virilha, na parte de trás do joelho e na frente dos tornozelos. Ache o ponto mais próximo e aperte com força até o osso. É bom treinar procurando esses pontos em você mesmo, antes de tentar fazer isso na vida real com alguém gritando de dor.

Sabão é antisséptico e pode ser usado para lavar o ferimento e evitar infecções. Água ou vinho fervente também esterilizam o lugar, embora a aplicação seja dolorosíssima. Numa emergência, urina fresca também serve, porque é estéril.

Você pode verificar se há hemorragia interna grave pela pele fria e úmida, com pulso rápido, inquietude e manchas roxas que aparecem rapidamente sob a pele. Tente minimizar o choque elevando as pernas, mantendo o paciente aquecido e procurando ajuda depressa.

FRATURAS

Se alguém sofrer uma fratura num acidente, talvez seja necessário imobilizar o membro ferido antes de tentar movê-lo. Isso se faz colocando dois pedaços de madeira em torno da área lesada e amarrando-os com uma corda ou um cinto.

O pulso de alguém ou a perna de um cachorro podem ser firmados com uma revista enrolada e amarrada com o cadarço do sapato. Já um braço quebrado terá de ser posto numa tipoia e preso junto ao corpo.

Pode-se fazer uma tipoia com uma bandagem triangular grande dobrada sobre o braço e presa no pescoço. Se for o antebraço que estiver quebrado, é possível amarrar o pulso e depois fazer o pano passar pelo pescoço e descer outra vez. Uma volta simples funcionaria, mas o braço não ficaria bem preso.

QUEIMADURAS

As queimaduras destroem a pele e trazem risco de infecções. Jogue água fria sobre a queimadura durante pelo menos dez minutos. Tente não romper as bolhas que se formarem. Faça com que o ferido beba bastante líquido. Retire todas as joias e roupas da área queimada. Não aplique pomadas na pele. Cubra com uma bandagem solta, se tiver, ou com um saco plástico. Coloque ataduras entre os dedos queimados das mãos e dos pés para evitar que grudem.

CHOQUE

Pode acontecer depois de qualquer acidente grave e pode ser fatal. Os sintomas são perda de cor nos lábios, tontura, vômitos, pele fria e úmida e pulso rápido.

Tranquilize o paciente e converse com ele. Se ele puder falar, pergunte-lhe o nome, depois, chame-o pelo nome com frequência. Mantenha-o aquecido e verifique a respiração e os batimentos cardíacos. Deite-o e levante suas pernas. Esteja pronto para fazer a respiração boca a boca e a compressão cardíaca, se ele ficar inconsciente. Chá quente e doce pode fazer bem, se a vítima estiver consciente e alerta. No entanto, nunca deixe uma vítima de choque sozinha.

Ficar calmo é o mais importante para a sua própria segurança e a dos outros que talvez precisem de você. Estar preparado ajuda bastante. Quando acontecer um acidente, a primeira coisa a fazer é respirar fundo e pegar o estojo de primeiros socorros que você, com certeza, aprontou há tempos. Lembre-se: vias aéreas, respiração, compressão; verifique um de cada vez.

Não se esqueça de prever métodos de contato para o caso de uma emergência. Celular é uma boa ideia, mas está numa bolsa à prova de água? Está carregado? Lembre-se de que os melhores comandantes cuidam dos seus homens.

NÁUSEA

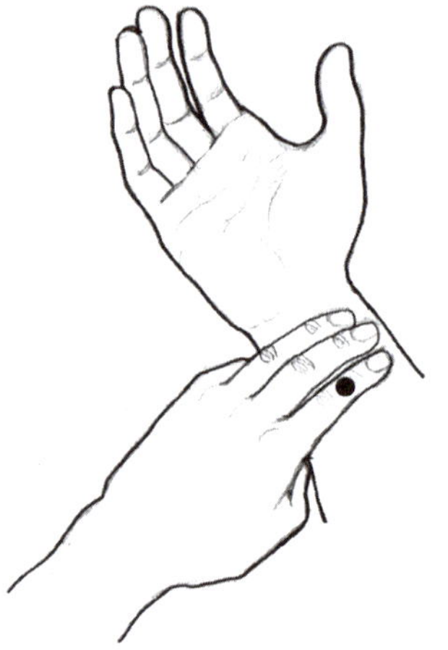

Às vezes, a náusea causada por algum fator externo, como enjoo no carro, no mar ou pela manhã, pode ser aliviada com um ponto de acupressão nos pulsos. Para encontrá-lo, coloque a outra mão em ângulo reto sobre o pulso, como no desenho.

O ponto que fica sob o dedo indicador, entre a primeira e a segunda articulações, alivia a náusea quando pressionado por uns cinco minutos. É possível fazer cada mão apertar o ponto de náusea da outra mão. Não funciona com todo mundo, mas pode ser útil saber dessa alternaltiva.

ESTOJO DE PRIMEIROS SOCORROS

O conteúdo muda se for usá-lo em casa ou em emergências. Não há por que colocar pó para chulé num estojo de emergência. No entanto, os itens básicos são:

1. Curativos e tesoura. As compressas de pano são melhores e podem ser cortadas para ficar com o formato desejado.
2. Antisséptico líquido e em gel.
3. Agulha e linha. É possível costurar cortes quando a vítima está inconsciente. (Às vezes os cachorros deixam a gente fazer isso, embora em sua maioria eles reajam como loucos.)
4. Analgésicos. Ibuprofeno também é anti-inflamatório, mas pode ser perigoso em asmáticos. Aspirina é útil em casos de ataque cardíaco ou derrame cerebral. Paracetamol é bom para dores e para baixar a febre. Óleo de cravo pode ser usado em dores de dente.
5. Soro fisiológico pode ser usado nos olhos em caso de ardência, mas também é útil na limpeza de ferimentos e como repositor de íons de sódio e cloro, nos casos de desidratação.
6. Ataduras. Inclua um quadrado grande que possa ser dobrado na diagonal para fazer tipoias.
7. Compressas de gaze para ficar sob ataduras e absorver o sangue.
8. Manteiga de cacau para os lábios.
9. Filtro solar com alto fator de proteção.
10. Pinças e alfinetes de segurança.
11. Um par de luvas de látex.
12. Pílulas anti-histamínicas para picadas de inseto ou reações alérgicas.

Se você precisar de antibióticos longe da civilização, como numa excursão de montanhismo, o seu clínico geral pode lhe dar a receita. O mais provável é que seja um antibiótico de amplo espectro, como amoxicilina, mas é sempre recomendado consultar um médico.

O VIAJANTE SOLITÁRIO

Amyr Klink não gosta de ser chamado de aventureiro. Ele não se joga no mundo sem lenço e sem documento. Cada uma de suas façanhas é sempre minuciosamente planejada e todos os riscos calculados com antecedência. Estuda cartas marítimas para conhecer as correntes, seleciona os instrumentos de navegação de que vai precisar e programa até a quantidade de alimento necessário ao tempo da viagem. Por isso, o melhor jeito de chamá-lo é de navegador ou, simplesmente, viajante. Aventureiro, nunca.

Filho de pai libanês e mãe sueca, Amyr nasceu em São Paulo, em 1955, mas, desde muito pequeno, viu-se atraído pelo mar quando viajava com a família para a cidade histórica de Paraty, no litoral do Rio de Janeiro. Aos 10 anos, começou a colecionar canoas antigas e de construção artesanal. A primeira era bem pequenininha, azul e branca, e se chamava *Max*. Pertencia a um pescador que não queria vendê-la de jeito nenhum, mas o garoto insistiu tanto que o homem acabou cedendo. Foi assim, de canoa em canoa, que foi descobrindo os segredos das embarcações.

Sua primeira grande aventura no mar foi em 1984, quando atravessou sozinho o Atlântico Sul num barco a remo. Ninguém antes ha-

via feito isso. Remou 7 mil quilômetros, da Namíbia, na África, até a costa do Brasil.

Partiu no dia 10 de junho do porto de Lüderitz. Logo de saída, teve que enfrentar ondas de quase 10 m de altura e por três vezes o barco virou. Amyr não desanimou e seguiu em frente. Passou por diversos perigos, como terríveis tempestades em alto-mar, mas também por momentos inesquecíveis. Em sua quinta noite no oceano, topou com uma imensa baleia, que o seguiu de perto por mais de uma hora. Era só a primeira de uma série de outras que encontrou pelo caminho. Também suportou com paciência e coragem os ataques de tubarões que insistiam em golpear o fundo do barco.

A viagem durou exatos 100 dias. Em 18 de setembro, Amyr pisou a terra firme na praia da Espera, no litoral baiano. Hoje, o valente barquinho faz parte do acervo do Museu Nacional do Mar, em São Francisco do Sul, Santa Catarina, que o navegador ajudou a criar.

Não demorou muito para que Amyr planejasse uma nova aventura. Em 1989, resolveu passar um ano inteiro na Antártica, apenas na companhia de pinguins, focas e leões-marinhos.

Partiu da praia de Jurumirim, em Paraty, no dia 31 de dezembro, a bordo do veleiro *Paratii*, construído especialmente para enfrentar os perigos dos mares gelados do Polo Sul. Entre outras coisas, levava uma tonelada e meia de mantimentos e meia tonelada de livros para ser devorada na paz do continente antártico. Despediu-se das últimas árvores que veria até sua volta e lá se foi.

Passou pelo cabo Horn sem grandes problemas e nem enfrentou as famosas ondas gigantes da Passagem de Drake como esperava. Ao contrário, ali encontrou uma calmaria tediosa que o obrigou a esquecer as velas e a usar o motor do barco pela primeira vez. Aportou na baía Dorian e se preparou para a chegada do inverno. Logo as temperaturas começaram a baixar e o *Paratii* ficou totalmente preso no gelo.

Para alguém que estava completamente só em plena Antártica, Amyr até que tinha seus dias bem cheios. Passava o tempo fazendo manutenção no barco, cuidando da alimentação, desenhando, lavando roupas e escrevendo em seu diário de bordo.

Os animais também faziam parte de sua rotina. Conversava com a foca Bárbara, que morava próximo ao barco, e com o silencioso leão-marinho Theobaldo, que armou o maior berreiro apenas no dia em que o navegador partiu. Acompanhou todo o ritual de acasalamento dos pinguins gentoos, que fizeram seus ninhos com centenas de pedrinhas garimpadas entre as geleiras e ainda assistiu ao nascimento dos primeiros filhotes.

A cada dia, Amyr surpreendia-se com um novo acontecimento. Ele, que no início da invernagem na baía de Dorian, chegou a ficar preocupado com os longos meses que teria pela frente, agora estava ansioso com a aproximação do final da viagem. Resolveu então conhecer o Ártico antes de voltar ao Brasil, ou seja, ir de um Pólo ao outro. Simples assim.

Partiu, no dia 2 de fevereiro de 1991, rumo ao seu novo objetivo, levando como único suvenir da Antártica algumas pedrinhas de um ninho abandonado de pinguins-gentoo. Cinco meses depois, chegou à ilha Moffen, uma reserva de procriação de morsas no meio do mar gelado da Noruega. A visita durou apenas três horas. O tempo de Amyr pegar umas pedras que achou pelo caminho e as colocar junto com as pedrinhas dos ninhos de gentoos. Os dois Polos se misturaram em sua sacola.

Soltou as velas do *Paratii* e tomou o rumo de volta para casa. No dia 4 de outubro de 1991, ele pisou novamente as areias da praia de Jurumirim, em Paraty. Era o final de uma viagem de 50 mil quilômetros e 22 meses no mar.

Não era, contudo, o fim da carreira de viajante.

Em 1998, planejou outra proeza. Decidiu dar a volta ao mundo circunavegando o continente Antártico com o veleiro *Paratii*. Embora fosse o percurso mais curto para contornar o planeta, era também um dos mais difíceis. Vários outros velejadores já haviam tentado, sem sucesso. Há em torno da Antártica um cinturão de ondas gigantescas, ventos cortantes, neblina cerrada e icebergs imensos. Um desafio até para o mais experimentado lobo-do-mar.

Fez uma alteração no *Paratii* colocando um sistema de velas de última geração, mais apropriado às dificuldades da nova aventura, e partiu em direção à Geórgia do Sul, ponto inicial de sua circunavegação. Era 31 de outubro, Dia das Bruxas, mas tudo correu muito bem até lá.

Foi no dia 31 de dezembro que a situação mudou. Amyr enfrentou a maior tempestade de toda a sua vida quando deixava para trás o oceano Índico. Ventos fortíssimos fizeram com que o *Paratii* surfasse sobre ondas gigantescas durante quase 60 horas. Ele já não velejava para leste ou outra direção, e sim para cima e para baixo. Às vezes, era levado para o topo de uma imensa coluna de água e espuma e, em outras, o mar se abria em verdadeiros precipícios para o fundo do qual o barco era tragado. Mais tarde Amyr descreveria esse momento como "um caos oceânico". Sua resolução de ano-novo foi uma só: escapar com vida. E conseguiu, graças à sua habilidade de navegador.

Depois disso, Amyr só pensava numa coisa: voltar à tranquilidade de sua Jurumirim para matar a saudade das filhas e da mulher. Mesmo assim, atracou na baía de Dorian para rever o lugar onde havia passado dias inesquecíveis em sua proeza anterior.

Amyr levou cinco meses para completar a circum-navegação da Antártica. No dia 21 de março de 1999 estava de volta a Jurumirim.

Essas foram suas maiores aventuras. Outras mais virão, por certo. Para o bom viajante, a melhor viagem é sempre a próxima. E Amyr Klink não se aposentou. Para ele, a pior coisa que pode acontecer é não partir.

COMO CONSTRUIR UMA BANCADA DE TRABALHO

Para fazer várias coisas que estão neste livro, a gente logo viu que ia precisar de uma bancada. Numa oficina, até a tarefa mais simples fica difícil se não tivermos um bom torno e uma superfície plana.

Fizemos a bancada mais simples possível. Pinho é mais fácil de cortar, mas também racha, lasca e amassa, e por isso as bancadas tradicionais são feitas de peroba, madeira mais dura.

Os iniciantes devem começar usando pinho, já que, se errarem, o prejuízo será muito menor. É fundamental planejar bem, as mesas devem atender às necessidades de cada um. A nossa cabe direitinho na parede da oficina e é mais alta do que a maioria das bancadas que existem por aí. Nós dois somos altos e preferimos trabalhar num plano mais elevado. Desenhe o projeto para ter uma idéia de quanta madeira vai precisar.

Peça aos fornecedores para cortar a madeira reta, para poupar tempo. Foi assim que pudemos passar dois dias cortando espigas e entalhes para as junções, antes de montar a bancada.

REGRA: Meça duas vezes e corte uma só. Carpintaria é 80% cuidado e bom senso, 20% talento ou até arte. Você não precisa ser talentosíssimo para fazer mobília, desde que nunca perca a paciência, planeje com o máximo de cuidado e pratique, pratique e pratique. Os profissionais são melhores que os amadores porque cortam e montam encaixes todos os dias.

ENCAIXES DE ESPIGA E ENTALHE

O entalhe é um buraco cavado na madeira. A espiga é a ponta que se encaixa no entalhe.

NOTA: O uso de ferramentas afiadas não deve ser levado na brincadeira. Um formão pode arrancar um dedo com a mesma facilidade com que corta a madeira. Não use-as, a menos que tenha um adulto disposto a lhe mostrar os passos básicos. Há centenas de pequenas coisas (como o jeito certo de segurar o formão) que não dá para explicar aqui.

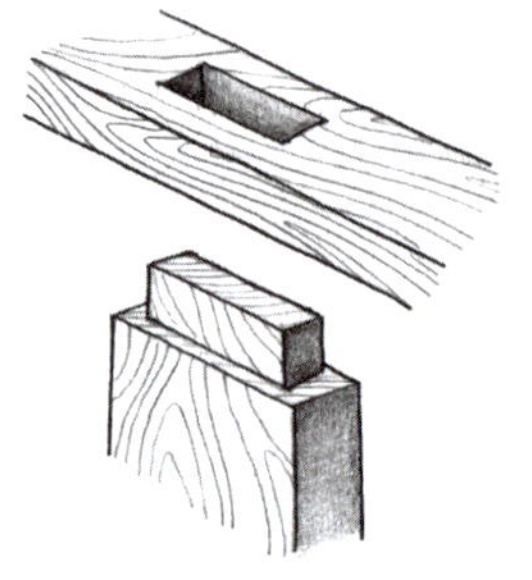

Começamos fazendo duas estruturas retangulares, uma para cada lado da bancada. É um projeto bem simples, mas os encaixes de espiga e entalhe nos cantos são resistentes.

É preciso que a parte de cima da espiga não fique perto demais da parte de cima da madeira. Na hora de abrir o entalhe, você não vai querer que ele fique frágil.

Nos encaixes simples, o comprimento da espiga é igual à grossura do montante vertical. Para fazer a espiga, é preciso abrir quatro cortes com o serrote (bem exatos!) até a linha marcada, numa distância igual à grossura do pé da mesa. Na figura, só vai sobrar o retângulo central.

Depois de fazer os quatro cortes, tire fora os pedaços externos com o serrote e use o formão para limpar as lascas e aparar as asperezas.

Depois de cortar as espigas, numere-as com lápis. Use-as como modelo para abrir os entalhes e numere-os também. Além disso, fizemos uma cruz para marcar a parte de cima, assim não dá para se confundir. É óbvio que todas as espigas deveriam ser idênticas, só que em geral nunca são. Marque os entalhes com o máximo cuidado e verifique bem a posição exata. O primeiro montante vertical será relativamente fácil, mas o segundo terá de ficar absolutamente idêntico e é aí que os problemas vão surgir.

Em seguida, abra os entalhes. Aqui é preciso muito cuidado e alguma habilidade com o formão. Tome cuidado para não esmagar as bordas da madeira quando inclinar a ferramenta. O melhor seria usar um formão da mesma largura que o entalhe, embora alguns prefiram usar formões mais estreitos.

Depois que tiver o par de pés montados, você vai precisar de traves no sentido do comprimento para que o conjunto não fique bambo. Serão necessários mais espigas e entalhes, se os encaixes de peroba estiverem bastante fortes.

Veja na figura que colocamos as duas traves do mesmo lado. Queríamos ter espaço embaixo da bancada para guardar coisas. Por isso, deixamos aberta a parte da frente.

Alguns chamam de "cabrestante" a corda amarrada do jeito mostrado na figura. Ela serve para firmar, durante a secagem da cola, uma peça de mobília comprida demais para ser grampeada. A maioria das mesas apresenta este problema. É bom saber que é fácil superá-lo, usando apenas uma corda com o dobro do comprimento da mesa e um pedaço de pau no meio para torcê-la cada vez mais apertada. Já se usou a mesma técnica para tirar navios de madeira do fundo do mar. Tome o cuidado de proteger a madeira com pedaços de pano, senão você vai cavar sulcos nos pés da mesa.

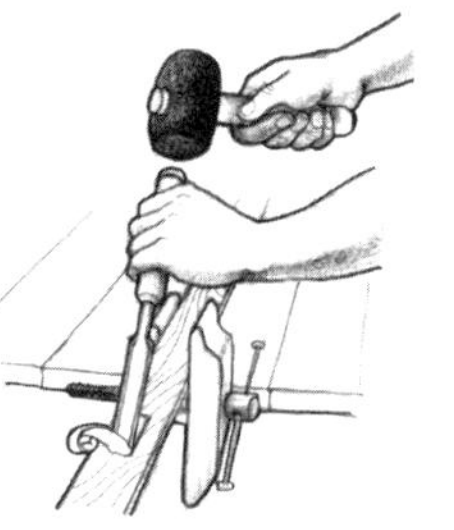

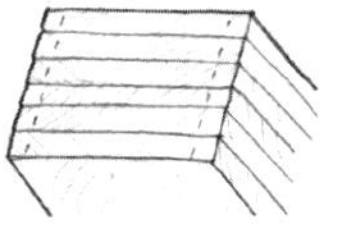

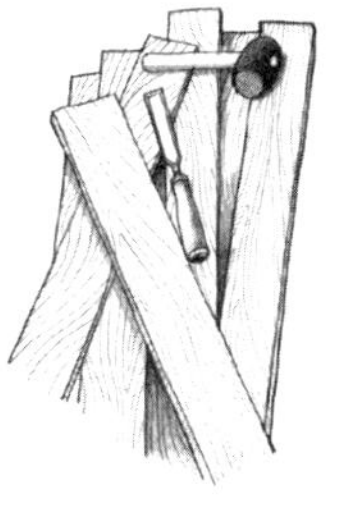

As tábuas do tampo podem ser coladas, se tiverem bordas perfeitas, ou simplesmente aparafusadas no lugar. O método mais simples é aparafusá-las de cima para baixo nos pés, as cabeças dos parafusos ficam visíveis e feias. Usamos um pedaço de madeira nos cantos, por baixo, passamos os parafuso por ele e pelos pés, chegando até a parte de baixo do tampo. Funcionou bem para o que precisávamos.

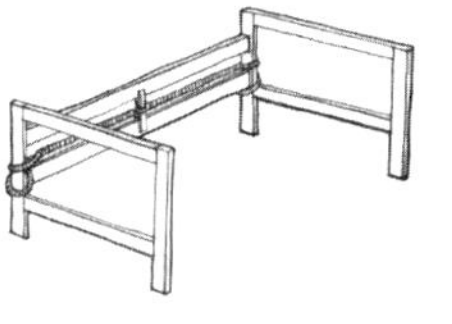

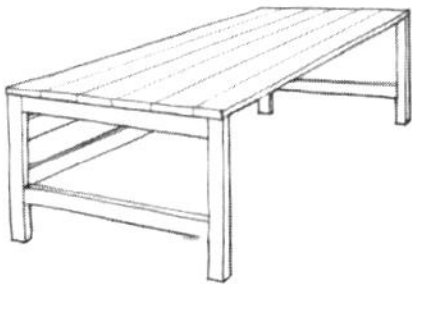

Para dar acabamento, lixamos como loucos durante quase um dia inteiro, usamos massa para cobrir os buracos inexplicáveis dos encaixes e depois limpamos tudo com óleo de linhaça. O óleo penetrou bem e selou a madeira, sabe lá se a gente não acaba derramando tinta nela no futuro!

LANTERNA DE BOLSO

Este é um brinquedo simplíssimo que você talvez já conheça. Também é divertido, além de portátil. Você vai precisar de uma lata de fumo, mas hoje em dia elas não são fáceis de achar. Procure nos brechós ou peça aos mais velhos. Tente arranjar mais de uma, porque são muito úteis.

VOCÊ VAI PRECISAR DE

- **Uma pilha ou bateria, o melhor é uma daquelas quadradas, de 9 volts.**
- **Uma lâmpada de lanterna.**
- **Dois pedaços de fio desencapado com mais ou menos uns 30 cm.**
- **Fita isolante.**

Se você tiver um ferro de soldar, use-o. As ligações soldadas duram mais. Mas é possível se virar sem ele.

1. Prenda um dos fios no terminal positivo da bateria (+). Se usar o ferro de soldar, firme bem a bateria e não tenha pressa, não é fácil colocar um pingo de solda exatamente no lugar certo sem que ele esfrie depressa demais.

2. Prenda a ponta do outro fio na extremidade da lâmpada, como na figura. Nós o soldamos. Também é possível prendê-lo bem com tiras pequenas de fita isolante. Mas tente não cobrir toda a base da lâmpada, você vai precisar dela para a última ligação. Faça um aro com a outra ponta do fio, veja o desenho.

3. Prenda a base da lâmpada no outro terminal. A lâmpada terá de ficar de lado em vez de apontar para cima, senão a lata não fechará direito. Esta é uma boa hora para testar o circuito. Se estiver em contato com o ânodo (–), a lâmpada vai acender quando os fios se tocarem. Caso não acenda, verifique todas as ligações e veja também se a lâmpada não está queimada.

Agora você tem um circuito que acende a lâmpada sempre que os dois fios se tocam. Prenda-o dentro da lata com mais fita isolante.

Para usar, entorte um dos fios, formando um grande laço, como os de cowboys, e use o aro do outro fio para ir de uma ponta a outra sem encostar. É aí que você vai precisar da mão firme. A coisa toda pode ser levada no bolso.

Há uma leve possibilidade de que os fios formem o circuito através do metal da lata e, assim, não é má ideia forrá-la com fita isolante. Quando escrevemos este texto, a nossa lanterna já tinha mais de um ano de muito uso sem dar defeito e sem gastar a bateria.

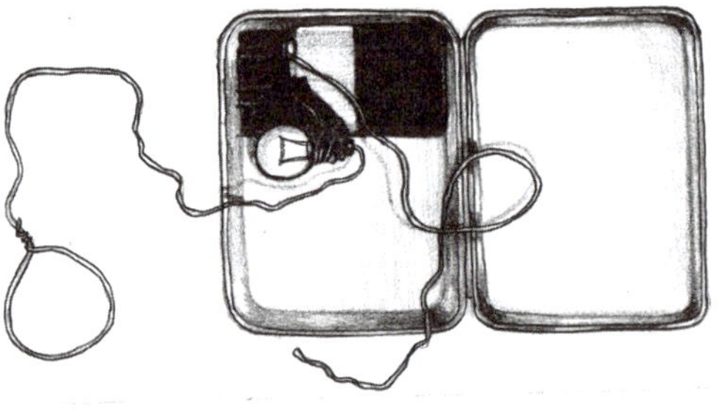

JOGOS COM LÁPIS E PAPEL

1. Forca

Este é o jogo de palavras mais clássico de todos, com dois ou mais participantes. Pense numa palavra e marque o número de letras com traços: — — — — — — — —. O outro jogador tenta adivinhar as letras, uma de cada vez. Se ele acertar, escreva a letra no lugar certo. Se errar, desenhe uma parte do corpo do enforcado e escreva a letra mais para o lado. A tentativa frustrada de acertar a palavra também custa uma parte do corpo.

São doze chances para acertar a palavra. Se você completar o desenho do enforcado, o outro perde o jogo. Na próxima rodada, ele propõe a palavra e você tenta adivinhar. É bom usar palavras difíceis, como "féretro" ou "inconsútil".

2. Jogo da velha

Este é um jogo muito popular no Brasil. Para começar, faça uma matriz de três linhas e três colunas. Um jogador é o X e o outro o O (ou bolinha, como muitos chamam). Em um par ou ímpar, decida quem começa. O primeiro pode colocar seu símbolo em qualquer casa vazia. O objetivo do jogo é ser o primeiro a conseguir três símbolos em linha: na vertical, horizontal ou diagonal. É muito comum esse jogo terminar em empate ("dar velha"). Então, fique atento a erros de seu adversário. É uma diversão garantida durante muitas horas.

3. Casas

Este é meio bobo, frustrante, apesar de divertido. Só parece fácil. Desenhe seis quadrados na página. Marque três deles com G, A e L — Gás, Água e Luz. Numere os outros: 1, 2 e 3. O objetivo do jogo é levar gás, água e luz às três casas numeradas. Para fazer isso você desenha os canos ou fios que vão das centrais às casas. As linhas não podem se cruzar e não podem atravessar as casas nem as centrais.

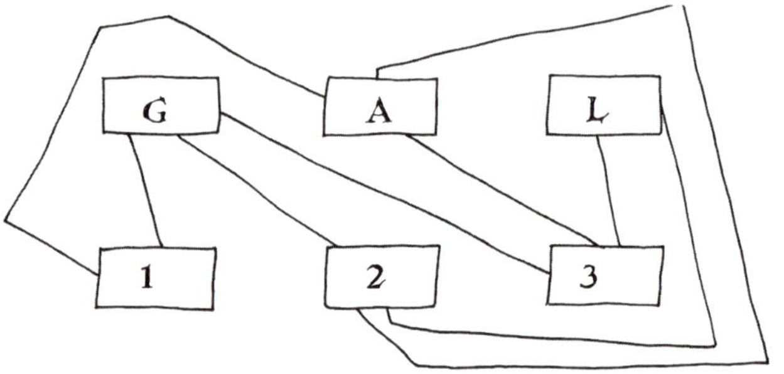

No exemplo, veja que uma das casas tem Gás e Água, mas não tem Luz. Tente mover os quadrados, mas não se esqueça de que as linhas não podem se cruzar. O jogo parece possível de resolver, mas na verdade não é. Não importa onde você colocará os quadrados, é impossível ligar as três coisas às três casas sem que as linhas se cruzem. É ótimo propor o jogo a alguém que se acha muito esperto (o irmão mais velho, por exemplo). Vai enganá-lo direitinho. Finja saber a solução, recuse-se a contar e veja como as pessoas vão se esforçar. (Há um macete para terminar o jogo. Você leva a última linha até a borda do papel, vira a folha, desenha-a do lado de trás e depois fura o papel para chegar até a casa. Mas isso não causa muito boa impressão.)

4. Quadrados

Este é um jogo muito simples para dois jogadores, mas que pode ser superdifícil de ganhar. Desenhe uma grade de pontos num pedaço de papel, digamos nove por nove ou dez por dez. Cada jogador, na sua vez, desenha uma linha ligando dois pontos. A meta é formar um quadrado. Quem forma um quadrado joga de novo.

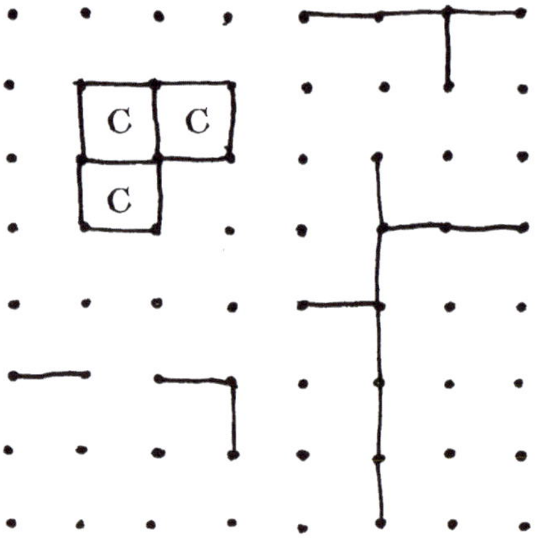

O jogo tende a seguir um padrão bem fácil enquanto os jogadores riscam a maioria das linhas, de repente, começam a se formar séries de quadrados, um grudado no outro, até a grade se fechar. Às vezes, é melhor sacrificar uma série de poucos quadrados para fechar outra maior. Marque os quadrados com clareza para depois contá-los, use cores diferentes ou a inicial do seu nome. No final, ganha o jogador que tiver mais quadrados.

5. Batalha-naval

Este é um clássico. Desenhe duas grades, com os eixos x e y numerados de 1 a 10 e de A a J. Grades maiores fazem o jogo durar mais tempo. Desenhe navios na sua grade: um porta-aviões de cinco quadrados, um encouraçado de quatro, dois contratorpedeiros de três, um submarino de dois e outro cruzador de dois. Qualquer combinação é possível, desde que os dois jogadores concordem.

Depois de desenhá-los secretamente, os jogadores dão um tiro de cada vez, usando as referências da grade: A4, C8 etc. A meta é afundar os navios do adversário antes que ele afunde os seus.

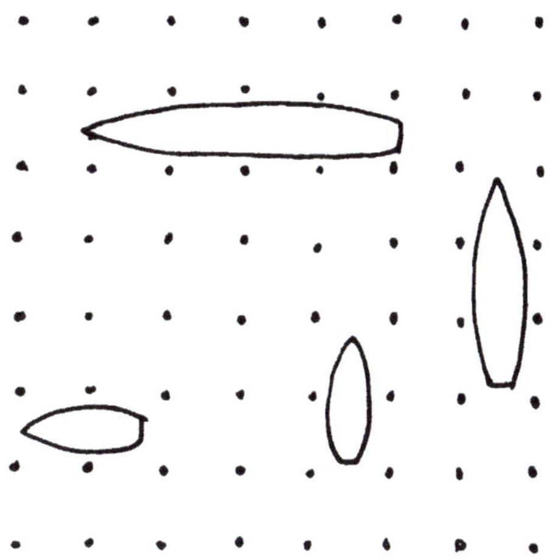

Uma alternativa interessante é substituir os navios por palavras escolhidas pelos jogadores — de duas letras, três letras etc. A meta ainda é encontrar e "afundar" as palavras, mas com cinco pontos a cada palavra, ou dez pontos se o jogador adivinhar a palavra antes de atingir a última letra. Neste caso, ganha quem tiver mais pontos no final.

6. *STOP ou adedanha*

Dias de chuva em uma viagem de férias são perfeitos para esta brincadeira, que pode ser jogada por dois ou dezenas de jogadores, pode ser individual ou em dupla, você decide!

Em uma folha de papel A4 (se você ficar arrancando as folhas de seu caderno da escola seus pais não vão ficar muito felizes), desenhe uma tabela. O tamanho dela irá depender de quantas categorias você e seus amigos definirem — as mais comuns são nome, lugar, objeto, animal, carro, fruta e profissão, mas você poder criar categorias diferentes, como títulos de livros, títulos de filmes, bandas de rock, jogos de videogame etc.

Para começar o jogo, sorteie uma letra. Vocês podem fazer isso de várias formas, mas a mais divertida é a que cada jogador esconde a mão atrás do corpo e, depois de gritarem em uníssono "Adedanha", todos mostram as mãos (você escolhe mostrar de nenhum até cinco dedos). Contem os dedos, seguindo o alfabeto. A última letra gritada é a que vale para a rodada (se houver muita gente jogando e o número de dedos ultrapassar o Z, recomece novamente do A).

	NOME	LUGAR	BANDA	LIVRO	FILME	TOTAL
D	DIANA 10	DINAMARCA 5	DURAN DURAN 10	DOM CASMURRO 10	12 É DEMAIS 10	45
V	VÍTOR 10	VANCOUVER 10	VAN HALEN 5	VIDAS SECAS 10	VELOZES E FURIOSOS 5	40

A seguir, cada jogador escreve o mais rápido que puder uma palavra de cada categoria com a letra escolhida. O primeiro que acabar todas as categorias grita “STOP!”. Os outros jogadores devem parar imediatamente.

A contagem dos pontos é simples: cada participante fala o que escreveu. Palavras em comum valem 5 pontos, palavras que só você escreveu 10 pontos (você pode variar também, aumentando para 20 pontos, por exemplo, o acerto de uma categoria na qual só você tenha escrito uma palavra).

Ganha o jogo quem marcar mais pontos ao final de todas as rodadas.

7. Otelo

Este é outro que parece fácil, mas na verdade é bem difícil. Comece desenhando uma grade. Fica mais fácil quando a gente usa folhas de caderno pautadas ou quadriculadas e, talvez, seja por isso que tantas partidas desses jogos acontecem na escola.

Três por três casas é fácil demais, mas serve para explicar. Cinco por cinco é muito melhor.

Um dos jogadores põe O em dois cantos e o adversário põe X nos outros dois. Decida quem começa no cara ou coroa.

O jogador só pode pôr o seu símbolo, seja O ou X, em quadrados junto dos que já têm o mesmo símbolo. Não se pode “andar” na diagonal.

Quando você “anda”, pode transformar em seus os símbolos do adversário que estão junto dos seus, inclusive na diagonal. No diagrama número 2, faria sentido colocar O no quadrado central à direita.

Você vai precisar da borracha! Vai ter de apagar o X do canto e transformá-lo em O.

É claro que agora X vai reagir. Se colocar o X no meio da linha de cima, vai ganhar mais dois quadrados com X.

... E assim por diante. Na verdade, O vai ganhar este jogo.

O jogo termina quando um dos jogadores não tem mais nenhuma casa ou quando a grade fica cheia. Esse é só um aperitivo. Em grades maiores, o jogo pode ser complexo e fascinante.

1 2 3 4

A ÉPOCA DE OURO DA PIRATARIA

Existem piratas desde que os navios partiram para longe da terra e da lei. O período conhecido como "época de ouro" da pirataria começou no século XVII e foi até o início do século XVIII. A descoberta do Novo Mundo e da sua imensa riqueza provocou também a explosão dos corsários. Alguns deles, como Francis Drake, agiam com conhecimento e autorização da rainha Elizabeth I.

A palavra "bucaneiro" vem dos marinheiros europeus que pegavam porcos selvagens nas ilhas Haiti e Tortuga, no Caribe, e defumavam a carne em escaninhos para conservá-la. A palavra francesa "boucaner" significa fazer carne seca desse jeito. Os homens referiam-se a si mesmos como "Irmãos da Costa" e deles vêm os nomes mais famosos, como Calico Jack Rackham e Barba Negra. Talvez a coisa mais notável da época de ouro seja que muitos piratas foram perdoados, às vezes, em troca de auxílio militar ou de uma parte do butim. O pirata galês Henry Morgan, além de perdoado, foi promovido a cavaleiro pelo rei inglês Carlos II, nomeado governador em exercício da Jamaica, Vice-Almirante, Comandante do Real Regimento do Porto, Juiz do Tribunal do Almirantado e Juiz de Paz!

Embora a bandeira de pirata mais famosa seja aquela com a caveira e dois ossos cruzados, ou "Jolly Roger", existiam muitas outras versões e várias outras bandeiras eram capazes de causar medo nos marinheiros mercantes e nos seus comandantes. Eis uma seleção das mais famosas, com o nome dos piratas que as usavam.

WALTER KENNEDY

BART ROBERTS

HENRY EVERY

EDWARD ENGLAND

RICHARD WORLEY

CHRISTOPHER MOODY

STEDE BONNET

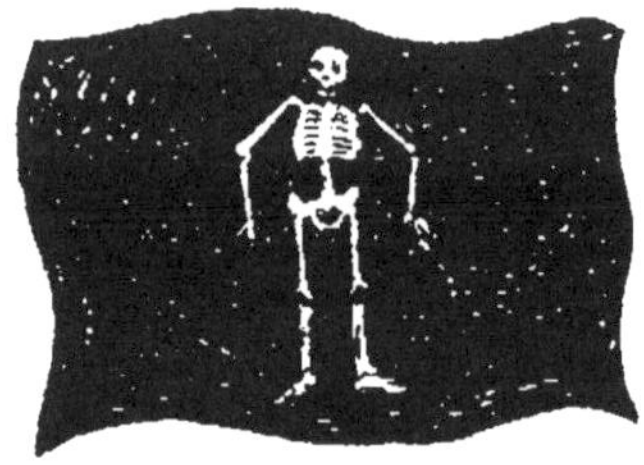

EDWARD LOW

BART ROBERTS (2ª BANDEIRA)

JACK RACKAM

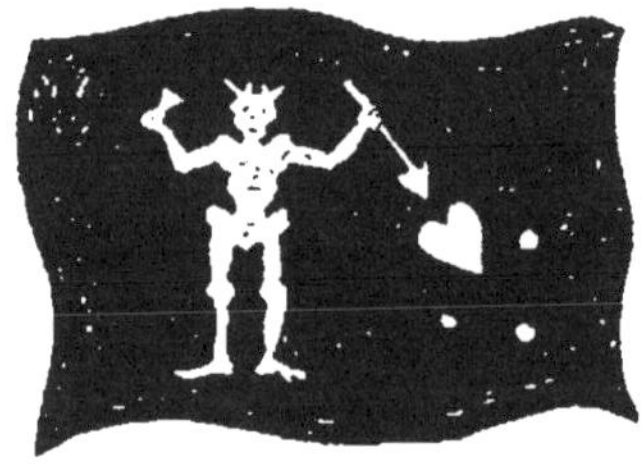

BARBA NEGRA (EDWARD TEACH)

EMANUEL WYNNE

THOMAS TEW

CHRISTOPHER CONDENT

UM ELETROÍMÃ SIMPLES

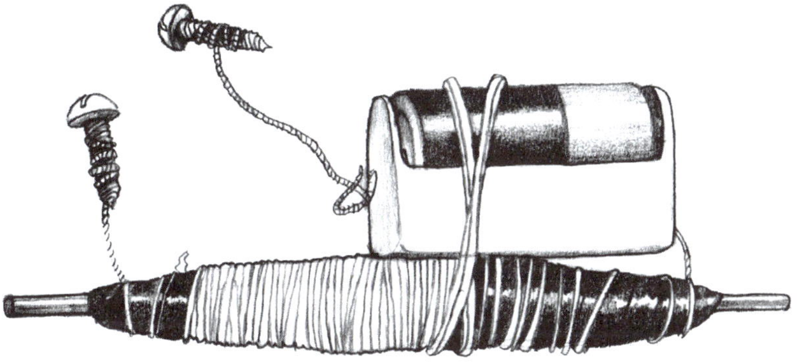

O eletroímã é apenas uma bobina de fio de cobre pela qual passa uma corrente elétrica. A imagem clássica é a do guindaste de ferro-velho, que levanta carros inteiros para jogá-los na prensa. O nosso ímã levantou dois parafusos de ferro.

Você vai precisar de pouco mais de um metro de fio de cobre e um objeto de ferro, como um prego ou arame, para nele enrolar o fio. Também vai precisar de uma pilha e, de preferência, um suporte plástico para pilhas como o do desenho. Nas lojas de material elétrico custam barato. É possível prender a pilha no circuito usando apenas fita isolante e elásticos, mas é complicado e as ligações podem se soltar.

1. Isole com fita isolante o prego de ferro. Funciona sem isso, mas, se não fizer assim, os terminais da pilha esquentam muito e podem queimar.

2. Enrole o fio de cobre em torno do prego, deixando livres alguns centímetros da primeira ponta para depois prendê-la na pilha. Quanto mais voltas de fio fizer, mais forte ficará o ímã; portanto, use o pedaço de fio mais comprido que encontrar. O enrolamento da figura tem mais de uma camada de fio, subindo e descendo pelo pedaço de ferro. Cada camada deve ser isolada da camada seguinte com fita isolante.

3. Se quiser, faça um interruptor, é mais fácil de usar do que enfiar os fios nos terminais da pilha, mesmo quando se usa o suporte. Usamos dois parafusos pretos, um no polo positivo (+), outro no polo negativo (–). É importantíssimo fechar o circuito, senão o ímã não funciona.

Agora use a ponta de ferro para pegar clipes de metal! Na teoria, com fio suficiente ou com pilhas mais fortes, o ímã ficaria bem poderoso. Uma bateria de carro serviria muito bem, e você poderia, por exemplo, pendurar o ímã em lugares escuros para pegar parafusos e ferramentas de ferro.

TINTA INVISÍVEL

Qualquer substância orgânica (de origem animal) que seja transparente ou quase pode ser usada como tinta invisível ativada pelo calor. Simplificando, tudo o que é orgânico contém carbono, e tudo que contém carbono pode se queimar. Leite, suco de limão, clara de ovo e até mesmo urina servem de tinta invisível. Nós usamos leite.

Na primeira tentativa, escrevemos uma frase na margem de uma carta. Quem não estiver procurando não vai vê-la com facilidade. A carta escrita em cima ajudou a disfarçá-la. Deixamos o leite secar e depois aplicamos a chama diretamente sobre as palavras secretas. Cuidado para não pôr fogo no papel nem na roupa! As letras apareceram como num passe de mágica.

Dá para ler as palavras "o exército desembarca à meia-noite". Embora pareça bem dramático, é uma mensagem meio tosca. É muito melhor deixar o seu espião à espera somente da hora certa e só escrever "meia" numa ponta do papel. Seria bem mais difícil de encontrar e decifrar.

O problema desse tipo de coisa é que a carta falsa precisa parecer verdadeira, mas não verdadeira demais, senão o espião não vai procurar a mensagem escondida. Como dissemos no capítulo sobre códigos, algumas coisas funcionam melhor com um pouco de planejamento. Invente uma irmã, assim saberão que toda carta que mencionar a irmã, pelo nome, contém palavras invisíveis.

A tinta invisível permite que você mande informações confidenciais pelo correio. Se não forem esperadas, é bem pouco provável que sejam percebidas.

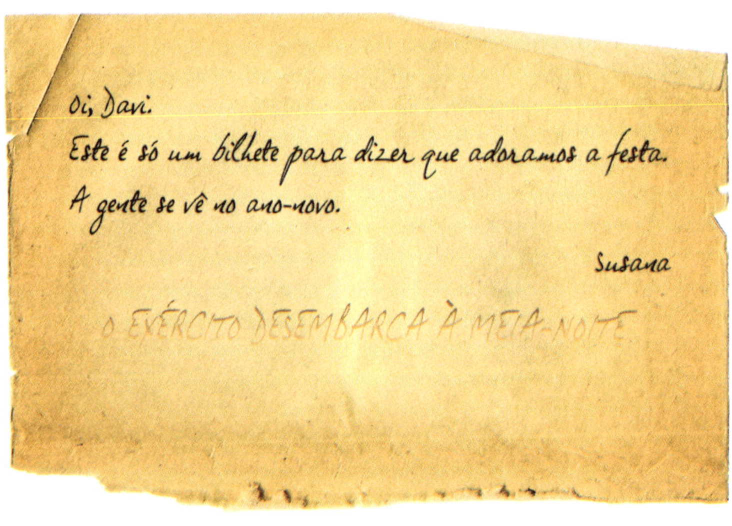
Oi, Davi.
Este é só um bilhete para dizer que adoramos a festa.
A gente se vê no ano-novo.

Susana

O EXÉRCITO DESEMBARCA À MEIA-NOITE

CITANDO MACHADO

1. "Eu gosto de catar o mínimo e o escondido. Onde ninguém mete o nariz, aí entra o meu, com a curiosidade estreita e aguda que descobre o encoberto." (Crônica, 11.11.1897.)

2. "O coração humano é a região do inesperado". (*Iaiá Garcia.*)

3. "Um relâmpago (...) deixa a escuridão mais escura." ("Marcha fúnebre".)

4. "Não se põe uma vela acesa debaixo de um chapéu, pois assim se perdem o chapéu e a vela." ("O sermão do diabo", 04.10.1892.)

5. "Não acrediteis em sociedades arrebentadas. Em verdade vos digo que todas se consertam, e se não for com remendo da mesma cor, será com remendo de outra cor." ("O sermão do diabo", 04.10.1892.)

6. "Também foi dito aos homens: Não matareis a vosso irmão, nem a vosso inimigo, para que não sejais castigados. Eu digo-vos que não é preciso matar a vosso irmão para ganhardes o reino da terra; basta arrancar-lhe a última camisa." ("O sermão do diabo", 04.10.1892.)

7. "Não se deliberam sentimentos; ama-se ou aborrece-se conforme o coração quer." (*Helena.*)

8. "As palavras têm sexo (...) Amam-se umas às outras. E casam-se. O casamento delas é o que chamamos estilo."

9. "Quanto ao século, os médicos que estão presentes ao parto reconhecem que este é difícil, crendo uns que o que aparece é a cabeça do XX, e outros que são os pés do XIX. Eu sou pela cabeça, como sabe." (Carta a José Veríssimo, 05.01.1900.)

10. "Deus sabe a força de um adjetivo, principalmente em países novos e cálidos." (*Memórias póstumas de Brás Cubas.*)

11. "O futuro nunca se engana." (Sobre José de Alencar pelo 6º aniversário de sua morte.)

12. "Nem tudo passa sobre a terra." (Discurso proferido por ocasião do lançamento da pedra fundamental da estátua de José de Alencar.)

13. "Convém não confundir alhos, que são a parte prática da vida, com bugalhos, que são a parte ideológica e vã." (*Helena.*)

14. "O vício é muita vez boato falso, e há virtudes que nunca foram outra coisa. Digo-lhe mais: este mundo em que a senhora supõe viver, não passa talvez de um simples boato. Os anjos, para matar o imortal tempo, fizeram correr pelo infinito o boato da criação, e nós, que imaginamos existir, não passamos das próprias palavras do boato, que rolam por todos os séculos dos séculos." (Crônica, 29.10.1893.)

15. "A sorte é tudo. Os acontecimentos tecem-se como peças de teatro e representam-se da mesma maneira. A única diferença é que não há ensaios; nem o autor nem os atores precisam deles. Levantado o pano, começa a representação e todos sabem os papéis sem os terem lido. A sorte é o ponto." (Crônica, 30.12.1894.)

16. "Os recreios da juventude não são decerto igualmente nobres nem igualmente frívolos, em todos os tempos; mas a culpa ou o merecimento não é dela — a pobre juventude — é sim do tempo que lhe cai em sorte." (*A mão e a luva*.)

17. "A melhor definição do amor não vale um beijo de moça namorada; e, se bem me lembro, um filósofo antigo demonstrou o movimento andando." ("O espelho".)

18. "Não há como a paixão do amor para fazer original o que é comum, e novo o que morre de velho." (*Memorial de Aires*.)

19. "O amor, conforme as ninfas antigas e modernas, não tem piedade. Quando há piedade para o outro, dizem elas, é que o amor ainda não nasceu de verdade, ou já morreu de todo, e assim o coração não lhe importa vestir essa primeira camisa do afeto." (*Esaú e Jacó*.)

20. "O amor é pescaria. O pescador senta-se sobre um penedo, à beira do mar. Tem ao lado uma cesta com iscas; vai pondo uma por uma no anzol e atira às águas a pérfida linha. Assim gasta horas e dias..." (*O caminho da porta*, comédia em um ato.)

21. "... cuido que por volta do ano 2222 ... o paradoxo despirá as asas para vestir a japona de verdade comum." ("O cônego".)

22. "O macaco e o papagaio são duas contrafações da pessoa humana." (*Quincas Borba*.)

23. "Ao certo, ninguém sabe se há de manter ou não um juramento." (*Dom Casmurro*.)

24. "O maior pecado, depois do pecado, é a publicação do pecado." (*Quincas Borba*.)

25. "Há quem diga que o primeiro amor nasce apenas da necessidade de amar." (*Ressurreição*.)

26. "De todas as coisas humanas, a única que tem o seu fim em si mesma é a arte." (Crônica, 29.09.1895.)

27. "O céu é bom, mas eu imagino que a paz lá em cima não estará totalmente consolidada. Já lá houve uma rebelião; pode haver outras. As pessoas que vão deste mundo, anistiadas ou perdoadas por Deus, podem ter saudades da terra e pegar em armas. Por pior que a achem, a terra há de dar saudades quando ficar tão longe que mal pareça um miserável pontinho preto ao fundo do abismo." (Crônica, 29.09.1895.)

28. "Não é meu ofício censurar essas meias glórias, ou glórias de empréstimo, como lhe

queiram chamar espíritos vadios. As glórias de empréstimo, se não valem tanto como as de plena propriedade, merecem sempre algumas mostras de simpatia. Para que arrancar um homem a essa agradável sensação? Que tenho para lhe dar em troca?" (Crônica, 16.10.1892.)

29. "O melhor modo de apreciar o chicote é ter-lhe o cabo na mão." (*Quincas Borba.*)

30. "A um coração desenganado não há imediatamente compensações possíveis nem eficazes consolações." (*Ressurreição.*)

31. "A dor dissimulada dói mais." (*Memórias póstumas de Brás Cubas.*)

32. "Eu não sou homem que recuse elogios; eles fazem bem à alma e até ao corpo. As melhores digestões da minha vida são as dos jantares em que sou brindado." (Crônica, 25.09.1892.)

33. "O medo acerta muitas vezes." (*Esaú e Jacó.*)

34. "O acaso é também um corrigidor de mentiras. Um homem que começa mentindo disfarçada ou descaradamente acaba muita vez exato e sincero." (*Memorial de Aires.*)

35. "O poeta adivinha. A inspiração não serve só para compor versos, mas também para ler na alma dos outros." (Vênus! Divina Vênus!)

36. "Tudo é possível debaixo do Sol — e a mesma coisa sucederá acima dele." (*Memorial de Aires.*)

37. "É tão fácil confessar um belo erro!" (*Memórias póstumas de Brás Cubas.*)

38. "Há frases felizes. Nascem modestamente como a gente pobre; quando menos pensam, estão governando o mundo, à semelhança das ideias." (*Esaú e Jacó.*)

39. "Não se perde nada em parecer mau; ganha-se quase tanto como em sê-lo." (*Memorial de Aires.*)

40. "A vida é boa." (Segundo biógrafos, foi esta a última frase de Machado de Assis, antes de morrer, cercado por amigos, entre os quais alguns dos maiores escritores e intelectuais brasileiros de seu tempo.)

UMA AVENTURA NO CÉU

Alberto Santos-Dumont sempre foi muito tímido. Nasceu em 20 de julho de 1873 no sítio Cabangu, em Minas Gerais, mas, alguns anos depois, seu pai comprou uma fazenda de café na região da cidade paulista de Ribeirão Preto e para lá se mudou com a família. Enquanto os dois irmãos mais velhos de Alberto fiscalizavam a plantação cavalgando ao lado do pai, o garoto passava horas deitado no chão da varanda da casa observando o céu. Ele gostava de ver os pássaros voando e imaginar como seria maravilhoso se os homens pudessem fazer a mesma coisa.

A fazenda era muito moderna para a época. Tinha máquinas de beneficiar café, tratores e locomóveis, que eram carrinhos movidos a vapor usados nos trabalhos agrícolas. Havia ainda uma locomotiva com vagões que transportava a produção até a estação da cidade. Toda essa tecnologia fascinava Santos-Dumont.

Aos 7 anos, ele ganhou permissão do pai para dirigir os locomóveis. Aos 12, já pilotava a locomotiva. Logo aprendeu também a desmontar e consertar os motores dos equi-

pamentos. Até a máquina de costura de sua mãe ele punha para funcionar sempre que enguiçava.

Outra coisa que Santos-Dumont adorava era ler as aventuras do escritor francês Júlio Verne, um dos pais da ficção científica. Nessas horas sua imaginação ia longe. As histórias falavam de submarinos, helicópteros, foguetes e viagens à Lua, muito antes disso tudo existir de verdade. Ele então se punha a sonhar com suas próprias máquinas voadoras e construía naves de bambu movidas por elásticos.

Santos-Dumont não havia ainda completado 20 anos quando viajou para a França com o pai, que foi tratar da saúde. Paris era, na época, o principal centro mundial da ciência e do progresso. Ele viu automóveis circulando pelas ruas e balões voando pelo céu e sentiu vontade de dar uma volta pelas nuvens, mas um passeio de balão custava muito caro. Preferiu usar o dinheiro para comprar um Peugeot, foi o primeiro automóvel a chegar no Brasil.

Poucos dias antes de regressar, foi com o pai a uma feira de ciência e tecnologia no Palácio da Indústria. Ali, ele viu exposto um moderno motor a gasolina. Ficou extasiado. Era muito menor e mais leve do que todos os motores que conhecia. Santos-Dumont passou a acreditar então que era possível construir uma máquina voadora igual à dos livros de Júlio Verne.

Alguns meses depois, o rapaz foi morar em Paris. Ao chegar, a primeira coisa que fez foi um passeio de balão. Durante toda a viagem, não sentiu um pingo de medo. Ao contrário, descobriu que havia nascido para voar.

Teve tanta certeza disso, que decidiu construir o seu próprio balão. Encomendou ao fabricante um modelo diferente, muito menor e mais leve do que todos os que já haviam sido feitos até então. Assim nasceu o menor balão tripulável do mundo, que ele batizou de Brasil. A novidade encantou os parisienses e chamou a atenção de todos para o talento e a coragem daquele brasileiro.

Depois de muito voar pelos céus de Paris, Santos-Dumont começou a pensar em outras invenções. Os balões esféricos eram uma delícia, mas iam para onde o vento os levava. Seu sonho passou a ser uma máquina voadora controlada pelo piloto. Construiu então o Dirigível Nº 1, um balão em forma de charuto cheio de hidrogênio e movido por um motor a gasolina. Na primeira tentativa de voo, o aparelho foi levado por uma forte corrente de vento e chocou-se contra as árvores do Jardim da Aclimação, onde a prova foi realizada.

Santos-Dumont não desistiu. Consertou o Nº 1 e, dois dias depois, voltou a testá-lo. Dessa vez, conseguiu decolar, mas, a uma altura de 400 m, o dirigível perdeu gás e dobrou-se ao meio. Estava prestes a se esborrachar, quando viu um grupo de garotos empinando pipa. Gritou para que eles segurassem a corda do Nº1 e puxassem o dirigível contra o vento como se fosse uma pipa gigante. A manobra deu certo e o brasileiro conseguiu se salvar.

O inventor construiu uma série de dirigíveis, sempre introduzindo uma novidade técnica em cada um deles. Com o Nº 5, ele sofreu duas quedas sensacionais. A primeira foi sobre uma castanheira do jardim do barão Rothschild. A outra, foi depois de se chocar contra o Hotel Trocadero.

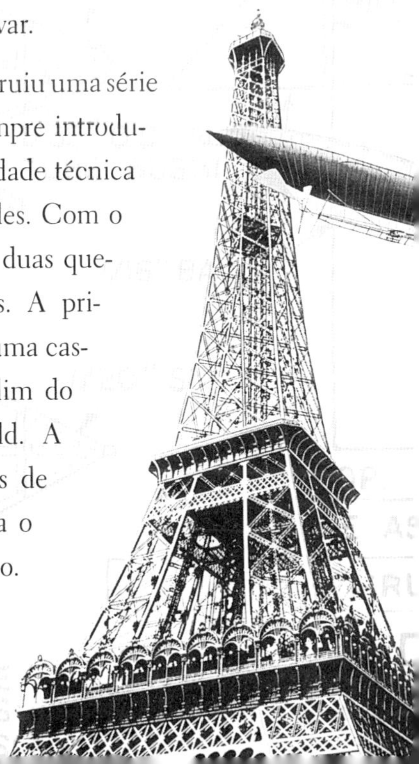

O balão explodiu e ele ficou pendurado a 15m do chão, tendo que ser resgatado pelos bombeiros.

Com o Dirigível Nº 6, ele conseguiu contornar a Torre Eiffel em 29 minutos e 31 segundos e ganhar o prêmio Deutsch. Depois dessa proeza, ele se transformou em uma celebridade mundial. As pessoas começaram até a imitar o seu jeito de se vestir com paletó de listras, colarinho alto e chapéu-panamá.

Depois de construir 14 dirigíveis, Santos-Dumont começou a desenvolver o projeto de um aparelho mais pesado do que o ar. Construiu então um aeroplano usando seda, vime e bambu. Nos primeiros testes, usou o balão do Dirigível Nº 14 para levantar o novo invento do chão e, por isso, o avião foi batizado de 14-Bis.

No dia 23 de outubro de 1906, na frente de uma comissão técnica e de uma multidão de curiosos, Santos-Dumont decolou com o 14-Bis e voou uma distância de 60m antes de tocar o solo novamente. Era a primeira vez que um veículo motorizado mais pesado do que o ar saía do chão.

Depois do sucesso do 14-Bis, Santos-Dumont projetou e construiu vários outros modelos de aeroplano e até um hidroplanador. O mais famoso deles é o Demoiselle, considerado o primeiro ultraleve do mundo.

Em janeiro de 1910, ele fez o seu último voo como piloto. Voltou ao Brasil e passou a viver recluso em sua casa de Petrópolis, no Rio de Janeiro, projetada por ele mesmo, e que hoje é um museu.

Aos 59 anos, bastante doente e deprimido por ver sua invenção ser utilizada como arma durante a Primeira Guerra Mundial, Santos-Dumont suicidou-se no Guarujá, em São Paulo, deixando como patrimônio uma das mais brilhantes carreiras da história da aviação.

NAVEGAÇÃO

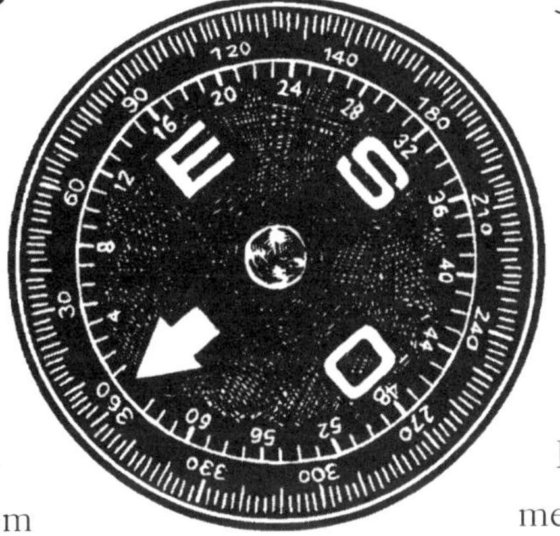

A primeira coisa que é preciso entender é que a bússola aponta para o Norte porque é magnética e a Terra tem um campo magnético provocado pela rotação do núcleo líquido de metal. Acontece que o Polo Norte magnético corresponde mais ou menos ao Polo verdadeiro, mas os dois não coincidem. O Sul magnético fica ao largo da Antártica e pode-se navegar por ele. O Norte magnético fica perto da fronteira entre o Canadá e o Alasca. Ambos estão bem fundo, no núcleo do planeta, e se deslocam com o tempo.

Se estiver interessado em saber, no polo magnético, a bússola emperra porque a agulha tenta apontar "para cima" ou "para baixo", a 90 graus da superfície. Nesse caso, a bússola giroscópica é inestimável, porque aponta para o Norte e mantém a sua posição seja qual for a mudança de direção. Os pilotos acham a bússola giroscópica insubstituível. A Estação Espacial Internacional tem 13 delas.

Os mapas de navegação marcam as linhas de "variação magnética" do globo e mostram se a variação em relação ao Norte verdadeiro é para Leste ou para Oeste e se aumenta ou diminui. Como se pode imaginar, isso é importantíssimo na navegação. Em Nova York, as bússolas apontam para, aproximadamente, 14° a Oeste do Norte verdadeiro. Se você estiver calculando a rota para o Norte, terá de subtrair 14 graus da direção da bússola. Se a diferença fosse de 14° E, seria preciso somar 14°.

A bússola é o meio universal de encontrar a sua posição em qualquer ponto da superfície do planeta. A terra gira para Leste, logo, nos dois hemisférios o Sol nasce a Leste e se põe a Oeste. É verdade, no entanto, que no hemisfério Sul e no hemisfério Norte a água gira em sentidos contrários quando desce pelos ralos e privadas.

A figura a seguir mostra os 32 pontos da bússola. No hemisfério Norte, quando o Sol está no ponto mais alto do céu fica um pouco para o Sul. No hemisfério Sul, fica um pouco para o Norte.

DICA: Nos pontos auxiliares, que ficam entre os pontos subcolaterais, diga "por" no lugar do tracinho, assim: N-NO é Norte por noroeste.

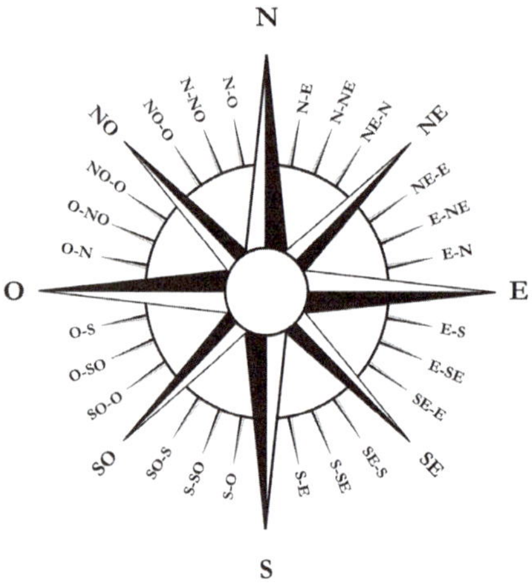

O hemisfério pode ser indicado pelo movimento da sombra lançada pelo Sol: no Norte, ela segue no sentido horário, no Sul, no sentido anti-horário. A sombra também pode ser um guia para a direção.

A VARA E SUA SOMBRA

Finque em pé no chão, num lugar plano, uma vara de um metro e marque o ponto A onde cair a ponta da sombra.

Espere 15 minutos e marque o ponto B onde cair a ponta da nova sombra.

Agora risque a linha A-B e terá a direção Leste-Oeste, sendo que A é o Oeste. Corte essa linha em ângulo reto e terá a direção Norte-Sul, tendo A à direita e B à esquerda, você estará olhando para o Sul. Isso funciona nos dois hemisférios, sinta-se à vontade para fritar o cérebro tentando explicar o porquê.

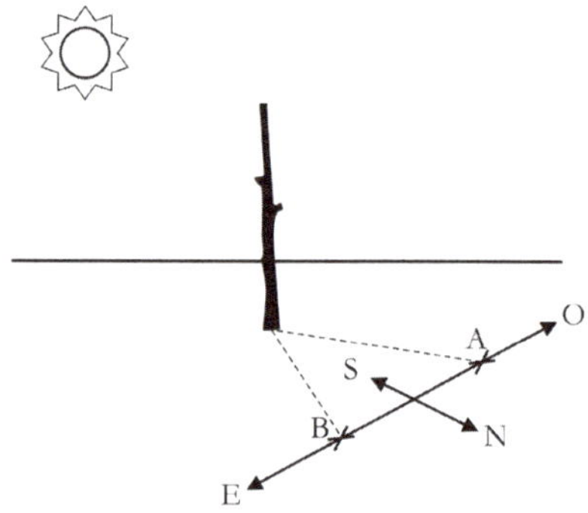

COMO SE ORIENTAR COM UM RELÓGIO

Um relógio com dois ponteiros pode lhe revelar o Norte. É preciso que marque a hora local correta (e não o horário de verão, quando se adianta o relógio em uma hora, ou seja, no horário de verão, subtraia uma hora para usar esta técnica). Quanto mais perto você estiver do equador, menos exato será o resultado.

No hemisfério Norte, segure o relógio na horizontal. Se estiver no horário de verão, atrase o relógio uma hora. Aponte para o Sol o ponteiro das horas. Divida ao meio o ângulo entre o ponteiro das horas e o número 12 e terá a linha Norte-Sul. No hemisfério Sul, aponte o 12 para o Sol e o ponto médio entre o 12 e o ponteiro das horas dará a linha norte-sul.

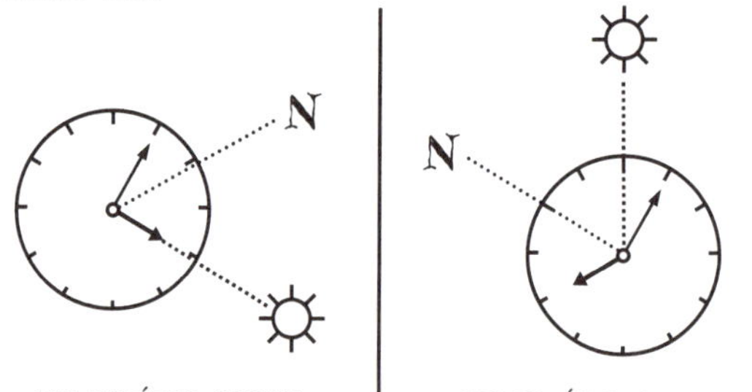

HEMISFÉRIO NORTE | HEMISFÉRIO SUL

BÚSSOLA DE AGULHA

Arranje um pedaço de metal ferroso (qualquer um que contenha ferro, uma agulha de costura é ótima) e esfregue-o num pedaço de seda, várias vezes e no mesmo sentido. Isso vai magnetizá-lo. Suspenda a agulha num pedaço de linha e ela apontará o Norte.

Esfregar a agulha num ímã, no mesmo sentido, funciona melhor do que a seda. Isso alinha os átomos da agulha. Aquecer a agulha também funciona, embora seja menos confiável. Experimente e veja.

Se não tiver linha, você pode fazer a agulha magnetizada flutuar num pedaço de papel higiênico ou cortiça na superfície da água e ela vai se virar para indicar o Norte.

Uma lâmina de barbear à moda antiga também pode ser usada como agulha de bússola. Esfregue-a na palma da mão (com cuidado!) para magnetizá-la e suspenda-a para obter a linha Norte-Sul.

Para se orientar, use o máximo de métodos que puder, depois, escolha a sua bússola, confira todas as suas leituras em relação ao Sol e mantenha a agulha magnetizada.

ORIENTAÇÃO PELO CÉU

Para encontrar o Norte no céu noturno é preciso encontrar Polaris, a Estrela Polar. Discutimos isso no capítulo sobre Astronomia. Há outros indicadores no céu noturno que podem ser usados. O nascer da Lua pode dar uma referência Leste-Oeste. Se a Lua nascer antes do pôr do sol, o lado iluminado estará a Oeste. Se nascer depois da meia-noite, o lado iluminado estará a Leste.

As próprias estrelas podem ser usadas para indicar a direção. Se não conseguir encontrar Polaris nem o Cruzeiro do Sul, arranje duas varinhas, uma mais curta do que a outra. Espete-as no chão e olhe por elas, como na figura, para qualquer estrela, menos para a Estrela Polar. Pelo movimento aparente da estrela, é possível descobrir que ponto cardeal está na sua frente!

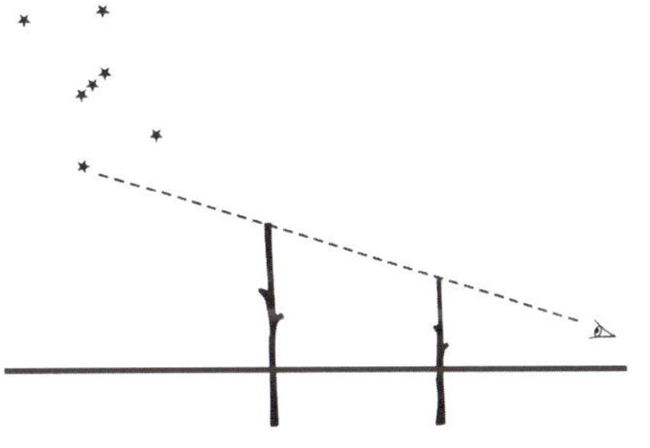

Se a estrela que você está olhando parece estar subindo, você está virado para Oeste. Se ela parece estar se pondo (ou caindo), você está virado para Leste. Se a estrela parece mover-se para a esquerda, você está de frente para o Norte e, caso se mova para a esquerda, você está de frente para o Sul. Essas direções são apenas aproximadas e estarão invertidas no hemisfério Norte.

Ser capaz de orientar-se a qualquer hora do dia ou da noite é uma coisa ótima, mas tente não exibir o seu conhecimento. Guarde-o para o momento em que precisar mesmo. Como dizem os escoteiros: “Sempre alerta!”

CÓDIGO NAVAL DE BANDEIRAS

Em 1800, Sir Home Popham, comandante da Marinha Real britânica, publicou *Telegraphic Signals, or Marine Vocabulary* (Sinais telegráficos ou vocabulário marinho). Antes disso, havia alguns sistemas toscos para que mensagens como "Inimigo à vista", pudessem ser transmitidas de um navio de guerra para outro. O sistema de Sir Home Popham era muito simples de usar.

Ele utilizava apenas dez bandeiras para representar todas as letras do alfabeto. As primeiras dez letras só precisavam de uma bandeira. As outras seguintes eram simbolizadas por duas bandeiras, lidas de cima para baixo: 1 e 3 para formar a 13ª letra, por exemplo. Era necessário uma bandeira a mais para formar números como 10 ou 20. Para aumentar a eficiência, Popham fez com que a bandeira de número 9 representasse as letras "I" e "J", por que essa última é pouco usada no inglês.

Usava-se uma bandeira "substituta" para números como 11 e 22, já que só havia uma bandeira de cada tipo.

Finalmente, havia bandeiras de "preparação" e "encerramento" para marcar o começo e o final da mensagem.

Soletrar todas as palavras de uma mensagem longa seria demorado e perigoso, ainda mais no meio de uma batalha naval complicada. Então Popham inventou combinações em código. England, Inglaterra, era o nº 235, por exemplo. É claro que sempre se podia soletrar as palavras que não estavam no livro de códigos, como o nome de algum porto menor. Com o uso de telescópios, era possível aos almirantes manter contato com os comandantes a uma enorme distância, coisa importantíssima nas grandes batalhas navais. À noite, o sistema era refeito com luzes, embora de forma mais simples.

Uma das mensagens mais famosas foi mandada pelo almirante Horatio Nelson na Batalha de Trafalgar, em 1805, no litoral sudoeste da Espanha. Na manhã de 20 de outubro, ele convidou o vice-almirante Collingwood, seu amigo, e mais outros comandantes para jantar no *Victory*. Entre os convidados, estava John Cooke, do *Bellerophon*. Quando o navio saiu da linha para aproximar-se do de Nelson, o primeiro-tenente do *Bellerophon* viu no *Mars*, o navio seguinte na formação, o sinal "370". O número 370 significa "Inimigo saindo do porto". Antes que o *Bellerophon* retransmitisse a mensagem, o *Victory* avisou que vira o sinal. Nelson cancelou o jantar e ordenou: "Caça geral — Sudeste".

Com os navios inimigos à vista, Nelson decidiu mandar a seguinte mensagem aos comandantes: "Nelson expects that every man will do his duty", ou "Nelson espera que cada homem cumpra o seu dever". Um dos oficiais sugeriu trocar "Nelson" por "England", "Inglaterra", já que "England" estava no livro de código e "Nelson" teria que ser soletrada. Nelson concordou com a mudança e avisou o tenente Pasco, que mandaria a mensagem pelas bandeiras. Disse a Pasco que fosse rápido, já que queria mandar também a sua ordem predileta: "Ataquem o inimigo mais de perto".

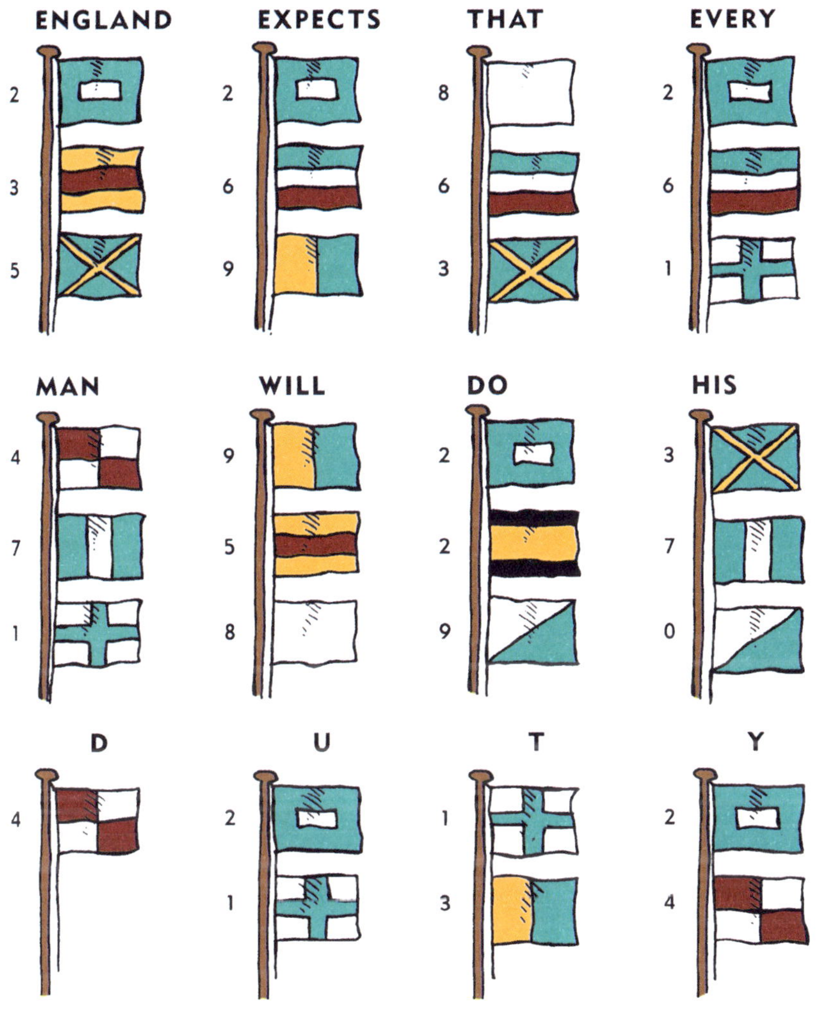

(Observe-se que o "Y" da palavra inglesa "duty" — "dever" — é 24 e não 25 por causa do uso duplo de "I"/"J". Além disso, no século XVIII, o U vinha depois do V no alfabeto, e não antes, como hoje. Por isso, o U de "duty" tem o número 21.)

Quando chegou a mensagem, gritos de alegria foram ouvidos em toda a esquadra. Quando, em seguida, veio o famoso: "Ataquem o inimigo mais de perto", houve nova ovação.

FORME O SEU PRÓPRIO NOME COM AS BANDEIRAS.

BATALHAS FAMOSAS DO BRASIL

1. Batalha dos Guararapes

Travada contra o então poderoso exército holandês, talvez o melhor do mundo na época, reforçado por índios hostis, a primeira Batalha dos Guararapes ocorreu em 19 de abril de 1648, nos Montes Guararapes, nas proximidades de Recife. A segunda batalha se travaria menos de um ano depois. Da primeira, participaram grupos étnicos como índios e negros que, junto com os portugueses, formariam a matriz cultural brasileira. Os luso-brasileiros eram cerca de 3 mil combatentes, contra 5 mil holandeses, apoiados por uma poderosa esquadra. A cidade de Recife, centro do Brasil holandês, estava cercada por insurgentes quando o general van Schkoppe decidiu reunir 4.500 dos seus melhores soldados e derrotar os revolucionários, que se insurgiam contra o domínio holandês em Pernambuco.

Ao mesmo tempo, o chefe rebelde Barreto de Menezes, que esteve preso por anos em prisões holandesas, chegou ao Arraial do Bom Jesus e reuniu 2.200 homens com o objetivo de enfrentar os holandeses. Um dia antes da batalha campal, ocupou os Montes Guararapes, usando um desfiladeiro como base das operações. A ponte da Muribeca foi destruída e os principais generais de Menezes, como o negro Vidal de Negreiros, o índio Felipe Camarão e o branco Henrique Dias foram postados em pontos por onde era sabido que os soldados holandeses iriam passar. Na noite do mesmo dia, o esquadrão de Bartolomeu Cunha, que lutava no lugar conhecido como Barreta, foi atacado por tropas holandesas do coronel Martyn von Elst.

Logo, as tropas flamengas conseguiram tomar o monte onde estavam os homens de Henrique Dias e colocar artilharia no local. Barreto de Menezes e suas tropas de reserva atacaram Elst, recuperando as elevações, além de tomar a artilharia. Van Schkoppe lançou, então, os regimentos dos coronéis Hauss e Brinke, que conseguiram retomar a artilharia. Os mesmos soldados atacaram os regimentos de Camarão e Vidal de Negreiros, que recuaram para o meio do brejo. Lá, a roupa leve e o pouco equipamento dos índios levaram nítida vantagem sobre os europeus, que usavam pesados equipamentos.

Em seguida, tropas de reserva foram enviadas por Barreto de Menezes para apoiar os homens de Camarão e Vidal. A estratégia foi bem-sucedida, tanto que o sargento Afonso Rodrigues conseguiu tomar o estandarte-insígnia do comando holandês. No brejo, as forças holandesas iam se esvaindo ao lutar contra os índios. No desfiladeiro, a situação deles também era difícil. Assim, começaram a refluir e, em seguida, bater em retirada. No total, morreram 84 luso-brasileiros e cerca de 400 ficaram feridos. As baixas entre os flamengos foram bem maiores: morreram 513 holandeses e aliados e 523 ficaram feridos.

Além dos próprios holandeses, combateram em seu exército outros europeus mercenários como poloneses, franceses, alemães, húngaros, ingleses e suecos. O próprio general Von Schkoppe e os coronéis Elst e Houthain ficaram feridos. Os coronéis Hauss e Keerwer também morreram.

Na segunda batalha de Guararapes, travada em 19 de fevereiro de 1649, a vitória também coube aos luso-brasileiros. O comandante dos holandeses, coronel Von den Brinck, morreu no combate, assim como o capitão brasileiro Araújo Miranda. Dessa vez, também havia negros e índios ao lado dos invasores holandeses. Os índios eram chefiados por Pero Poti, sobrinho de Felipe Camarão, que havia morrido pouco tempo antes.

O combate começou quando os holandeses, que estavam sitiados com cerca de seis mil homens em Recife, decidiram romper o assédio e marchar para o Sul. O mesmo líder insurgente Barreto de Menezes, que havia derrotado os flamengos na primeira batalha, mandou abrir trincheiras nas imediações do Monte dos Guararapes, palco da primeira vitória. Determinou também o reforço de posições no Engenho Novo, Barrachos e na ponte de São Bartolomeu.

Cercados, os holandeses decidiram voltar ao Recife, contando com a proteção de dois regimentos, comandados pelos capitães Carpenter e Westewoort. As tropas de Vidal de Negreiros e Henrique Dias, no entanto, começaram a atacá-los. O chefe decidiu recuar os regimentos que iam à frente, para proteger os dos coronéis Elst e Brande. Barreto enviou a cavalaria, que levou de roldão os holandeses. Por volta das 17h, com a morte do comandante e ferimentos em vários oficiais, os europeus começaram a debandar. Toda a sua artilharia foi tomada pelos inimigos, que se tornaram senhores de Recife e região, ajudando a eliminar o comando holandês na área. A batalha custou a vida de 107 luso-brasileiros e ferimentos em 457. Do lado holandês, as baixas chegaram a 80 mortos e 400 feridos.

O holandês Michel van Gogh, que integrou as tropas do seu país na segunda batalha de Guararapes, referindo-se aos mamelucos, índios e negros do exército luso-brasileiro, diria que estes "formavam tropas ligeiras e ágeis por natureza. De modo que atravessam e cruzam os matos e brejos, sobem os morros tão numerosos aqui e descem-nos, tudo isso com uma rapidez e agilidade verdadeiramente notáveis".

2. Guerra dos Farrapos (Revolução Farroupilha)

A Revolução Farroupilha, ou Guerra dos Farrapos, foi a mais longa das revoluções brasileiras, iniciando-se em 18 de setembro de 1835, no combate da Azenha, em Porto Alegre, até 29 de dezembro de 1844, no combate de Cuaró, o que perfaz um total de quase dez anos. A região só seria pacificada pela ação do futuro Duque de Caxias, Luís Alves de Lima e Silva, que assinou ao lado dos revolucionários a paz de Poncho Verde, em 28 de fevereiro de 1845.

A principal reclamação dos revolucionários farrapos era a discriminação do poder centralizador da corte imperial, no Rio de Janeiro. Uma proposta de implantação da forma federal de governo e, enfim, a importação de charque platino para o nordeste, mais barato que o rio-grandense, levou à eclosão do conflito, liderado por estancieiros gaúchos. No início, eles se conformaram em liderar vigorosa oposição contra o Império na assembleia rio-grandense, mas acabaram aderindo à ação armada. A chamada República de Piratini foi proclamada em 1836, com a ressalva de que seria extinta quando o Brasil se tornasse uma república federativa.

No primeiro combate, cerca de duzentos rebeldes, sob o comando de Onofre Pires — que depois se tornaria um dos principais líderes farrapos — passaram a se concentrar próximo à ponte que dava acesso à capital gaúcha. O então presidente da província (cargo equivalente ao de governador), Fernandes Braga, enviou 17 homens da Guarda Nacional, sob o comando do Visconde de Camamu, para enfrentá-los. Gomes Jardim, oficial farroupilha, emboscou 30 cavaleiros chefiados por Manuel Vieira da Rocha, o cabo Rocha.

Perto da meia-noite, chegou à ponte o Visconde de Camamu, que havia saído de Porto Alegre às 20h. Os seus soldados atiraram contra os homens que guarneciam a ponte. Estes, que estavam montados em cavalos, carregaram sobre os soldados legalistas, que recuaram e se dispersaram. Dois governistas morreram e cinco ficaram feridos. Até mesmo o Visconde de Camamu teve que abandonar a espada, a montaria e a barretina (espécie de chapéu) para se salvar.

O resultado do confronto foi que o governo provincial iniciou com baixa moral a sua incursão neste terreno, ao contrário dos rebeldes, que ganharam alma nova na primeira batalha da Revolução Farroupilha.

Em 20 de janeiro de 1836, os rebeldes proclamaram a República Rio-Grandense ou República Piratini. Estava selado, ao menos em tese, a separação do governo central. No dia 20 de setembro de 1835, os estancieiros, liderados pelo coronel (depois general) Bento Gonçalves, depuseram o presidente nomeado pelo governo central, ocuparam Porto Alegre e proclamaram a República Rio-Grandense.

BENTO GONÇALVES

Bento Gonçalves foi preso pelas forças imperiais e enviado para Salvador. Ele conseguiu, no entanto, fugir rapidamente da prisão e retornou a sua província natal, onde assumiu a presidência, em 1837.

A luta federalista prosseguiu, incorporando os peões das fazendas, escravos e homens livres, fiéis a seus patrões. O revolucionário italiano Giuseppe Garibaldi, que havia sido expulso do seus país, passou a lutar ao lado dos rebeldes. Em 1839, os farrapos atacaram Santa Catarina e proclamaram a República Juliana, que levava este nome por ter sido proclamada em julho.

No Segundo Reinado, a República decretou sua própria Constituição. A justificativa para a separação foi a "prepotência imperial" e o pouco caso para com as províncias do Sul.

A pacificação do Rio Grande só começou a se tornar possível em 1842, quando o barão de Caxias, Luís Alves de Lima e Silva, assumiu a presidência do Rio Grande do Sul e empenhou-se em negociar com os estancieiros. O acordo de paz foi assinado em 1845, garantindo liberdade aos escravos que participaram das lutas, assim como a devolução das terras confiscadas aos fazendeiros gaúchos.

3. Batalha de Tuiuti

Em 24 de maio de 1866, travou-se, em território paraguaio, o maior confronto armado da história da América do Sul, a Batalha de

Tuiuti, na qual o então presidente daquele país, Francisco Solano López, perdeu os seus principais soldados, em luta contra tropas brasileiras, argentinas e uruguaias. Do lado aliado, praticamente pereceu boa parte da juventude de Buenos Aires no combate. Quase 50 mil homens pelejaram neste dia, o que o torna o maior em número de combatentes.

Os exércitos aliados do Brasil, Argentina e Uruguai, que haviam acabado de tomar o campo entricheirado do Passo da Pátria e o forte de Itapiru, se concentraram na região conhecida como Tuiuti, ao sul do Paraguai, onde se preparavam para um ataque ao Forte de Humaitá. Pouco tempo antes, os brasileiros haviam invadido o país, secundados por argentinos e uruguaios. Por volta do meio-dia de 24 de maio, um grande contingente de tropas paraguaias irrompeu, de repente, no acampamento, com a intenção de surpreender seus inimigos, bem na hora do almoço. O ataque foi precedido pelo estourar de um foguete, sinal convencionado pelas tropas. É que López, senhor de um excelente serviço de informações — formado, em parte, por soldados paraguaios que, vestidos como argentinos ou uruguaios, penetravam no campo —, tomou conhecimento da intenção dos aliados de atacarem o forte com força total no dia 25 de maio, data da independência argentina.

O presidente paraguaio esperava vibrar um golpe de surpresa nos inimigos, que imaginava ser rápido e decisivo. Havia no acampamento cerca de 22 mil homens. Os paraguaios atacaram com cerca de 24 mil soldados divididos em quatro colunas, comandadas pelos coronéis Marcó, Rojas, Díaz e Barrios. Os aliados contavam com sua força total na ocasião. Os uruguaios, chefiados pelo presidente do país, Venâncio Flores, foram os primeiros a ser atacados pela cavalaria inimiga. Três batalhões uruguaios foram dizimados. Logo a seguir, foi a vez dos argentinos, do general Bartolomeu Mitre. A artilharia brasileira, sob o comando do guerreiro gaulês Emílio Luiz Mallet, francês de nascimento e o único estrangeiro a ascender ao generalato naquela época, teve uma forte participação no episódio.

Ao atacar os brasileiros, a cavalaria paraguaia ainda pôde ouvir a voz de trovão de Mallet, que ordenava a seu regimento: Granada e metralha! Espoleta a seis segundos! Logo, como um furacão, os cavalarianos ficaram a meros 50 m dos inimigos, em frente a um fosso que Mallet havia mandado fazer. O fogo da artilharia começou a dizimá-los e, depois de tentarem um ataque de sabre à moda guarani, os cavalarianos fugiram, procurando abrigo em frente aos argentinos, em Iataiti-Corá. Em outra frente de batalha, 6 mil homens do general Díaz obtiveram grande vantagem diante do dispositivo aliado, enquanto em outra, do seu colega Barrios, avançava, sem resistência, pelo Potreiro Pires, região que ficava atrás do destacamento dos aliados. O general cearense Antônio de Sampaio, que comandava a Terceira Divisão de Infantaria, foi uma das vítimas brasileiras do confronto. Os seus comandados, no entanto, não arredaram o pé do local em que estavam, diante do avanço paraguaio.

Barrios foi derrotado pelas tropas do general brasileiro Osório e forçado a retornar às matas de onde havia saído. Manuel de Osório, um dos principais comandantes brasileiros, teve um grande papel na batalha. Ao que parece, a intenção de López era cortar ao meio o dispositivo aliado, sob a ação da cavalaria. A tática foi frustrada pela artilharia de Mallet, que se manteve firme em suas posições. "Por aqui não passam", disse o comandante. O futuro general brasileiro Dionísio Cerqueira, então alferes (cargo próximo ao de tenente) assim descreveu a batalha:

"Os batalhões avançavam; a Artilharia rugia rápida, infatigável, a revolver; era um contínuo trovejar. Parecia uma tempestade. Cornetas tocavam a carga; lanças se enristavam, cruzavam-se as baionetas, rasgavam-se os corpos sadios dos heróis; espadas brandidas a duas mãos, como os montantes dos pares de Carlos Magno, abriam crânios, cortavam braços, decepavam cabeças."

O próprio oficial contaria em seu livro a fala de um soldado sertanejo nos primórdios do confronto. O homem, em seu linguajar curioso, lhe disse: "saiba, vossa senhoria, sô alferes, que o mato está avermelhando de cablocos". Caboclos era a forma que os brasileiros chamavam os paraguaios, boa parte descendente de índios guaranis. Seu uniforme era vermelho.

As baixas dos aliados, entre mortos e feridos, chegaram a 3.943 homens, dos quais 3.011 brasileiros, de acordo com os relatos. A parte oficial do general Osório, no entanto, registra 413 mortos e 2.098 feridos no total. Entre os paraguaios, no entanto, pereceram alguns dos melhores soldados de López. Foram perto de 6 mil os mortos e 7 mil os feridos, carregados de algum jeito para os chamados hospitais de sangue. Tuiuti foi considerada uma pequena mostra das dificuldades que os aliados teriam para derrotar o Paraguai. A guerra ainda se estendeu por, praticamente, mais quatro anos de grandes sofrimentos para todos os lados envolvidos.

Depois do primeiro ataque, desde o Esteiro Rojas até o fosso de Mallet, foram se acumulando corpos de homens e cavalos na estrada e na planície percorrida pelos esquadrões de ataque. A luta se estendeu até por volta das 16h, quando o último esquadrão paraguaio, fugindo dos inimigos, se refugiou nas matas de Iatati-Corá. Um pequeno grupo de cavalarianos ainda tentaria atacar a artilharia argentina, mas acabou desbaratado. Até mesmo o coronel paraguaio Juan Crisóstomo Centurión, autor do livro *Reminscencias Históricas sobra la Guerra del Paraguay*, e integrante do estado-maior de López, reconheceu a terrível derrota das tropas de seu país no combate: "24 de maio foi um malogro terrível para as nossas armas e pode-se dizer que serviu de túmulo ao mais belo e denodado exército que a nação tinha a seu serviço." As consequências da batalha foram difíceis para os dois lados. Os vencedores aliados perderam a iniciativa dos combates por causa das pesadas baixas. A cavalaria ficou praticamente a pé por causa das perdas e os meios de transporte quase desapareceram. Os paraguaios, por sua vez, esgotaram de uma vez só sua capacidade ofensiva e passaram a ficar, definitivamente, na defensiva. A partir deste combate, a guerra sofreu uma grande paralisação, só retomada um ano depois, com a chegada do Duque de Caxias ao teatro de batalha.

No dia 3 de novembro de 1867, ocorreria a segunda batalha de Tuiuti. Na ocasião, cerca de 8 mil paraguaios atacaram novamente o acampamento de Tuiuti, conseguindo prender o major brasileiro Ernesto da Cunha Mattos, que ficou mais de um ano prisioneiro. Mas acabaram derrotados, depois de três horas de combate, pelo general Barão de Porto Alegre, que os expulsou. Morreram cerca de 2 mil paraguaios, 1.600 brasileiros e 200 argentinos.

4. Combate final de Canudos

Invicta depois do ataque de três expedições da Polícia da Bahia e do Exército, a cidadela de Canudos, descrita por Euclides da Cunha como a "Troia de Palha", foi, enfim, derrotada e destruída, em 5 de outubro de 1897, por tropas comandadas pelo general Artur Oscar de Andrade Guimarães, que mobilizou 6 mil combatentes, um número espantoso para a época. Duas colunas conduzidas pelos generais João da Silva Barbosa e Cláudio do Amaral Savaget confluíram na cidade, na verdade, um ajuntamento de barracos ao lado do rio Vaza-Barris. Após violenta campanha, este exército conseguiu arrasá-la, exterminando seus últimos defensores, em um episódio descrito magistralmente por Euclides: "Exemplo único na história, Canudos não se rendeu, resistiu até o esgotamento completo. No final, eram dois homens feitos e um adolescente, na frente dos quais rugiam, furiosamente, 5 mil soldados". Não havia mais chefes. O último, o indomável Pajeú, tinha morrido dias antes, em um audacioso ataque às tropas do governo, em seu ponto mais frágil, numa tentativa vã de colocar os soldados entre dois fogos. Gritara, como sempre, ao ser abatido: "Avança, fraqueza do governo".

Chamados de matadeiras pelos sertanejos, os canhões Withwort-32 foram usados contra os habitantes de Canudos e espalharam o horror na cidadela. Mesmo com uma chuva de bombas e tiros de canhões, os defensores não se rendiam. Quando o fogo devorava as choças, eles passavam por meio de túneis para outras que ainda não haviam sido destruídas. Um dos líderes do Conselheiro, Antônio Bento, o Beatinho, acenou uma bandeira branca e disse que ia obter a rendição. Os militares permitiram que ele o fizesse e o religioso conduziu à saída do arraial cerca de 300 velhos e mulheres, inúteis para a resistência. Os que ficaram nas trincheiras escavadas a unha lutariam até morrer. Os últimos tiros disparados contra o inimigo saíram de dentro das chamas em que ardiam os defensores.

Todos foram mortos e os casebres que restavam de pé, queimados. No final, haviam morrido cerca de 15 mil defensores de Canudos e 4.500 soldados legalistas. A República recém-proclamada acreditava ser o reduto dos fanáticos de Antônio Conselheiro uma tentativa de restaurar a Monarquia, instruída por oficiais europeus, com decisivo apoio britânico em homens e armas. Morto dias antes da batalha final, de inanição, Antônio Vicente Mendes Maciel, o Conselheiro, líder carismático daquele povo, não viu o fim do seu amado Arraial do Belo Monte, como chamava o amontoado de casinhas. Seu corpo foi localizado pelos atacantes e a cabeça decepada para ser levada para estudos na capital baiana. Os homens restantes foram forçados a gritar: "Viva a República". Alguns gritavam: "Viva o Bom Jesus,", como era conhecido o Conselheiro por seus liderados, e eram, por isso, mortos a golpes de facão, e seus corpos queimados em enormes fogueiras. As poucas mulheres que sobraram também tiveram um destino ingrato: foram enviadas a Salvador, onde muitas se prostituíram para sobreviver.

Na ordem do dia em que comentava a vitória de suas tropas, o general vencedor diria que "é de se lamentar que o inimigo fosse tão valente na defesa de causas tão abomináveis". A ordem, terminante, do governo era de "não deixar nem pau". Tudo foi destruído com dinamite, a começar pela igreja do Conselheiro e o improvisado hospital de sangue dos jagunços, além dos casebres. Em Canudos, deveria se sepultar, na visão dos republicanos jacobinos, "qualquer tentativa de restauração monárquica". O lugar só foi novamente habitado a partir de 1909, quando foram construídas algumas casinhas. O que restou da antiga cidade foi inundado por um açude que o governo mandou construir. Um estudante de medicina baiano descreveu as cenas finais do confronto, com os conselheiristas já derrotados, no livro *Reminiscências d'um frade*, escrito pelo frei Pedro Sinzig: "Narrou-nos um oficial que haviam colocado alguns prisioneiros em frente às tropas, obrigando-os a darem vivas à República, e como se opuseram, tinham sido esquartejados (...) reprovei decididamente esta barbaridade, ao passo que o estudante Pinheiro declarou que, por ele, mandaria decapitar todos os jagunços, tanto homens como mulheres e crianças".

O próprio Euclides da Cunha descreveu, de forma pungente, em sua obra principal *Os Sertões*, o cenário encontrado pelo exército ao entrar na cidade, após a última batalha:

"Tinha-se neste momento a impressão de uma entrada em velha necrópole que surgisse, desvendando-se de repente, à flor da terra (...) Dizia-os, mais expressiva, a nudez dos cadáveres. Estavam em todas as posições: estendidos, de supino, face para os céus; desnudos os peitos, onde se viam os bentinhos prediletos, inflexos no último crispar da agonia; mal vistos, às vezes caídos sob madeiramentos, ou de bruços sobre as trincheiras improvisadas, na atitude de combate em que os colhera a morte."

5. Tomada do Monte Castello

A batalha de Monte Castello, ocorrida em 21 de fevereiro de 1945, na montanha do mesmo nome na Itália, marcou uma das principais vitórias brasileiras na II Guerra Mundial. Antes deste dia, em cinco outras ocasiões, tropas brasileiras e americanas tentaram, sem sucesso, conquistar o monte, em poder de soldados alemães. A montanha era usada pelos alemães como uma posição que sustentava a defesa das tropas do Eixo nos Montes Apeninos contra a IV Exército Americano, do general Mark Clark.

Por volta das 5h30 do dia do combate, o brasileiro Regimento Sampaio, apoiado por dois pelotões de tanques americanos, iniciou o ataque às posições dos nazistas. Pouco depois, às 9h, o coronel Aguinaldo Caiado de Castro enviou para o campo de batalha a 5ª Companhia do I Regimento de Infantaria, sob o comando do capitão Valdir Sampaio. A artilharia brasileira, comandada pelo general Cordeiro de Farias, dava apoio aos batalhões. Em outra região do morro, a 10ª Divisão de Montanha americana enfrentava o fogo de defesa dos alemães para tentar se instalar.

O batalhão brasileiro Uzeda chegou até as cotas (altura da serra) 930 e 875, ultrapassando o baluarte alemão de Congé. Ao mesmo tempo, o 3º Regimento de Infantaria brasileiro sobrepujava os inimigos no ponto fortificado de Fornelle. O coronel Caiado de Castro resolveu, então, colocar em combate os soldados do 2º Regimento de Infantaria, que reforçaram a pressão sobre o setor sudoeste do Monte Castello.

Pressionados por brasileiros e americanos em todos os setores, os alemães — chamados de tedescos pelos soldados da Força Expedicionária Brasileira (FEB) — começaram a ceder espaço. Por volta das 17h20, sua defesa começou a ficar desordenada e os primeiros soldados do Regimento Sampaio começaram, enfim, a ocupar o monte, instalando-se no topo. As baixas dos brasileiros chegaram a 87. Morreram 23 alemães e o mesmo número caiu prisioneiro dos aliados. Corpos de soldados brasileiros foram encontrados, insepultos, no topo do monte. Eles haviam morrido no ataque anterior, em 12 de dezembro de 1944, quando a FEB perdeu 140 homens, fulminados pela defesa alemã. A morte de outros 190, em novembro daquele ano, demonstrou que Monte Castello era uma das posições mais difíceis de ser tomada, desalojando os inimigos.

O general americano Paul Rutledge, que comandava a Força Tarefa 45, formada por unidades antiaéreas americanas e inglesas, tentou por duas vezes, com apoio de soldados brasileiros e *partiggiani* italianos, além da 92ª Divisão americana, composta em sua maioria por soldados negros, conquistar o monte, mas não conseguiu obter vitória diante dos alemães muito bem postados, que impuseram terríveis baixas aos soldados aliados. O Monte Castello era o centro da estratégia germânica de defesa, que incluía ainda os montes Belvedere e Torracia. Posteriormente, com a conquista da posição, o exército americano, em combinação com os brasileiros, pôde se tornar senhor da região, expulsando os alemães da área. Assim, se tornou possível ao exército americano atacar Bolonha, principal cidade dominada pelo exército alemão na região.

As relações entre os soldados brasileiros e os americanos tinham ficado complicadas durante a penúltima batalha de Monte Castello. Contrariando decisões tomadas anteriormente, que tentavam garantir o sigilo da operação,

os americanos começaram a bombardear o monte Belvedere, ao lado de monte Castello. Com isso, os alemães, alertados pela fuzilaria, acordaram e puderam esperar os brasileiros. Os americanos diriam, depois, que os tiros de artilharia serviriam para desviar a atenção dos alemães e proteger os brasileiros. A curiosa estratégia fez exatamente o contrário, como conta o segundo-sargento Tadeu Cerski, que participou de uma das batalhas que precedeu a final: "No clarear do dia, nosso pelotão estava na frente, dando sopa para o inimigo. Foi uma chacina. Dos 41 do meu pelotão, 12 morreram. Não foi fácil presenciar isso. A artilharia acordou os alemães, que ficaram a nossa espera. Não dava para conter a raiva."

A vitória de Monte Castello juntou-se a outras de fundamental importância para o término da guerra como as de Montese e Castelnuovo, que foram as principais vitórias brasileiras, junto com Monte Castello. O general brasileiro Tácito Theóphilo Gaspar de Oliveira, em seu livro *Rasgando papéis — reminiscências*, assim descreveu aquele período:

> Não sei o que pensar, senão que seria ótimo que terminasse essa guerra. Estou no Quartel-General e é duro ver os companheiros da nobre infantaria vivendo em fox-hole, correndo um risco permanente, sofrendo, morrendo. Costuma-se dizer aqui que só se morre na "safra". Há casos de homens que servem à retaguarda e que morrem na primeira vez que vão à frente. Outros que estão sempre expostos ao perigo e vão sobrevivendo (...) No QG de Porreta [cidade italiana famosa por suas fontes de água quente], dois tenentes que regressavam da frente saltaram do Jeep e foram atingidos por uma granada que degolou também um soldado. Um subtenente que subiu a Porreta, ao passar a ponte, foi atingido por uma granada que o feriu e matou o motorista. E assim, diariamente, tomamos conhecimento de nossos companheiros mortos, feridos, mutilados. É a guerra, com toda sua brutalidade. A frente está estabilizada agora, pela segunda vez. Não há avanços nem recuos. Ocupamos as posições que tomamos dos alemães. Mas as patrulhas continuam a sair diariamente e a artilharia a distribuir anonimamente a morte. Entristece-nos saber que no Brasil se diz que aqui estamos passeando, fazendo turismo e gozando a vida. Mas, desta vez, podem falar o que quiserem. Nada afeta o moral da tropa, que é muito elevado. A cobra está fumando.

A cobra fumando representou a determinação do Brasil de ir à guerra, mesmo diante das vacilações do então presidente, Getúlio Vargas, que oscilava entre apoiar os alemães e os americanos. Os críticos diziam que era mais fácil uma cobra fumar do que o Brasil mandar tropas para o front. A imagem da cobra fumando virou uma espécie de símbolo oficial da FEB, desenhado ou bordado nas mangas das jaquetas e camisas dos soldados.

A LUA

Em toda a história da humanidade, a Lua sempre atraiu olhares para o céu. Lá estava ela nos mitos antigos, foi dela a luz de um milhão de noites românticas, e foi a primeira "pedra" onde pisamos no caminho rumo à escuridão do universo. A força da gravidade da Terra é muito poderosa. Sem usar a Lua como plataforma de lançamento, talvez se mostrassem impossíveis os voos espaciais regulares. Enquanto ela navega lá em cima, podemos imaginar bases lunares e sonhar em partir da Terra.

O primeiro pouso na Lua ocorreu em 20 de julho de 1969, data que todo mundo deveria saber de cor. Afinal de contas, foi o primeiro corpo celeste que já visitamos. A espaçonave Apolo XI chegou à Lua e disparou foguetes para frear e ficar em sua órbita. Neil Armstrong e Edward "Buzz" Aldrin desceram à superfície num módulo de pouso chamado "Eagle" ("Águia"). Michael Collins permaneceu no módulo de comando. Depois de anunciar à Terra que "A Águia pousou", Armstrong pisou na superfície da Lua.

Foram muitos os acontecimentos importantes na nossa história, desde a travessia do rio Rubicão por César até a primeira vez em que a bomba atômica foi lançada, mas o fato de um ser humano colocar os pés em outro mundo deve ter sido o mais extraordinário de todos.

As primeiras palavras de Armstrong foram: "Este é um passo pequeno para o homem, um salto gigantesco para a humanidade".

Os dois astronautas passaram 21 horas na superfície da Lua e trouxeram quase 21kg de pedras. A Lua não tem atmosfera e, portanto, nenhuma proteção contra meteoritos. A sua superfície foi danificada e derretida por eles durante bilhões de anos, resultando num solo chamado "regolito", feito de pó, pedra e bolinhas minúsculas de vidro que escorregam sob os pés.

O pouso da Apolo XI foi a primeira das seis missões de pouso bem-sucedidas do século XX. São elas: Apolo XI, XII, XIV, XV, XVI e XVII e terminaram em dezembro de 1972. A Apolo XIII teve problemas técnicos e precisou voltar à Terra sem pousar na Lua. Haverá outras missões. Em 1998, uma sonda não tripulada chamada Lunar Prospector encontrou gelo nos polos da Lua; e a água será uma das maiores necessidades da futura colônia!

AS FASES DA LUA VISTAS DA TERRA

As fases da Lua são parte tão importante do nosso mundo que todos deveriam conhecê-las.

1. Esta é a Lua nova. Como está entre a Terra e o Sol, não nos mostra nenhuma luz. É quando a Lua está nesta posição que acontecem as marés de água-viva, as mais fortes da Terra.

2. Lua crescente ou crescente côncavo. Conforme a Lua avança em seu ciclo, vemos a luz do sol refletir-se em sua superfície. O crescente vai aumentando enquanto a Lua se desloca em torno da Terra.

3. Meia-Lua crescente ou quarto crescente. A um quarto do caminho em volta da Terra, fica visível a metade iluminada da Lua.

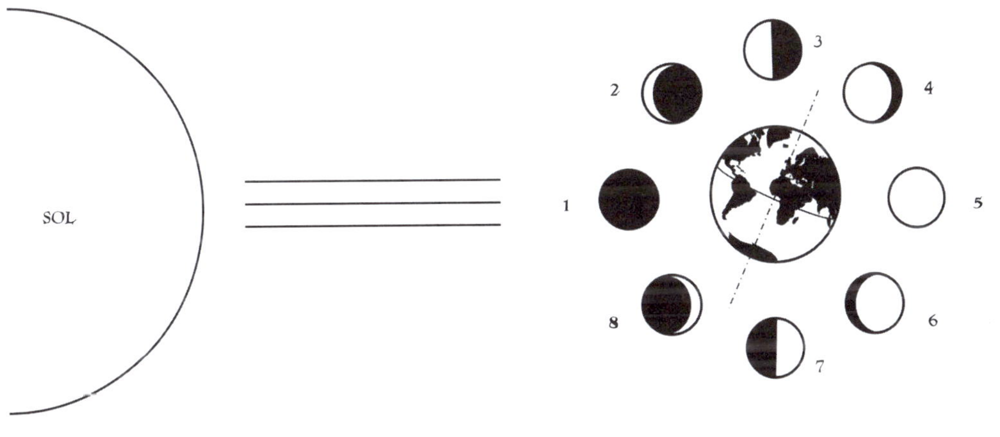

4. Lua quase cheia ou crescente convexo. Esta é uma hora boa de tirar fotografias da Lua. É possível conseguir imagens muito nítidas com o simples ato de encostar a câmera, presa a um tripé, na lente do telescópio.

5. Lua cheia. Também é uma época de marés fortes, já que tanto o Sol quanto a Lua puxam os oceanos da Terra.

6. Minguante convexo. A Lua começa a minguar, no caminho de volta à Lua nova.

7. Meia-Lua minguante ou quarto minguante. Apresenta metade perfeita da lua visível outra vez.

8. Lua minguante ou minguante côncavo.

FATOS SOBRE A LUA

1. Distância da Terra: devido à órbita elíptica, a distância varia, mas a média é de 386 mil km.

2. Gravidade: cerca de 1/6 da gravidade da Terra.

3. Duração do dia: 27,3 dias terrestres.

4. Tempo para completar a órbita da Terra em relação a uma estrela fixa (mês sideral): 27,3 dias terrestres.

5. Tempo em relação ao Sol (de Lua nova a Lua nova — mês sinódico): 29,5 dias.

6. Como a Lua leva 27,3 dias para completar a órbita da Terra e também para girar em torno do próprio eixo, vemos sempre o mesmo lado. (Ver Perguntas sobre o mundo — segunda parte.) No entanto, não há um "lado escuro", no sentido de não ter luz. Assim como na Terra, quando é dia num lado da Lua, no outro é noite, mas ambos recebem luz durante o ciclo. O "lado escuro" da Lua simplesmente não existe!

7. A Lua não tem atmosfera, ou seja, nenhum vento. Assim, a pegada de Neil Armstrong ainda está lá, igualzinha como era em 1969, a não ser que Buzz Aldrin ou algum dos outros a tenha desmanchado.

8. A temperatura durante o dia na Lua pode alcançar 134°C. Isso é quase três vezes mais quente do que o deserto do Saara, na Terra. A temperatura noturna pode chegar a –152°C. Não é preciso dizer que seres humanos não podem sobreviver a uma variação tão extremada se não estiverem bem protegidos.

9. A bandeira dos Estados Unidos deixada na Lua pelos astronautas da Apolo XI teve que ser feita de metal. Sem atmosfera, uma bandeira de pano ficaria sempre murcha.

10. A Lua é silenciosa. Sem ar nem outros meios de transmissão, as ondas sonoras não podem deslocar-se.

11. Devemos a Galileu muitos belos nomes das partes da Lua. Foi ele que achou ter visto oceanos na Lua, em 1609, e nos deu o Mare Tranquillitatis (Mar da Tranquilidade), o Mare Nectaris (Mar de Néctar), o Mare Imbrium (Mar das Chuvas), o Mare Serenitatis (Mar da Serenidade) e muitos outros. Infelizmente, são depressões secas e não os grandes oceanos que ele imaginou.

12. As fase lunares ocorrem ao mesmo tempo, independente da localização do observador. Mas, não são percebidas da mesma forma. No hemisfério Norte, o aspecto da Lua é invertido se comparado ao visto aqui, no hemisfério Sul.

ALGUNS ACIDENTES GEOGRÁFICOS IMPORTANTES

1. Cratera Tycho.
2. Mare Nectaris (Mar de Néctar).
3. Mare Fecunditatis (Mar da Fertilidade).
4. Mare Crisium (Mar das Crises).
5. Ponto onde pousou a Apolo XI, na borda sudoeste do Mare Tranquillitatis (Mar da Tranquilidade).
6. Mare Serenitatis (Mar da Serenidade).
7. Mare Imbrium (Mar das Chuvas).
8. Mare Frigoris (Mar do Frio).
9. Mare Nubium (Mar das Nuvens).
10. Cratera Copérnico.

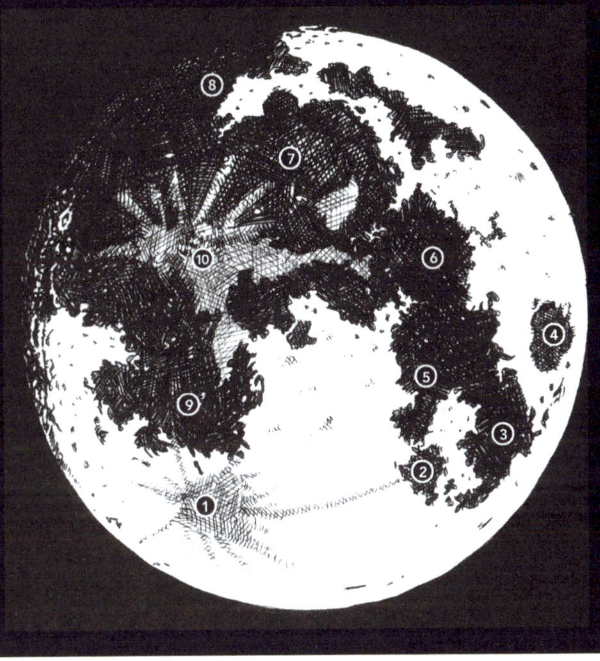

ECLIPSES LUNARES E SOLARES

Todo mês, na lua cheia, a Terra passa entre o Sol e a Lua. No entanto, o alinhamento exato necessário para o eclipse lunar não é assim tão comum. Em geral, a órbita inclinada da Lua faz com que ela saia do alinhamento. Há no máximo dois ou três eclipses totais da Lua por ano. Talvez você consiga ver uns 40 durante toda a sua vida.

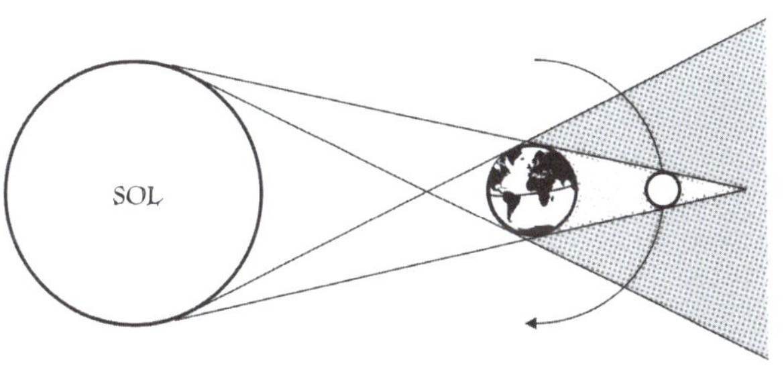

Se você ficasse de pé na Lua na hora do eclipse lunar, veria a Terra esconder o Sol aos poucos. No eclipse lunar, a sombra da Terra cai sobre a Lua, embora, às vezes, a luz vermelha do Sol, espalhada pela atmosfera da Terra, faça com que a gente ainda veja uma lua vermelha. Dado o tamanho relativo dos corpos envolvidos, o cone de sombra da Terra cobre completamente a Lua e o eclipse pode ser visto de qualquer ponto da superfície da Terra.

O eclipse solar é um acontecimento muito mais raro. Nele, a Terra é o parceiro menor e o eclipse total só pode ser visto numa faixa estreita que nunca tem mais de uns 300 km de largura. É óbvio que só pode acontecer na lua nova, quando a sombra da Lua se projeta sobre a Terra.

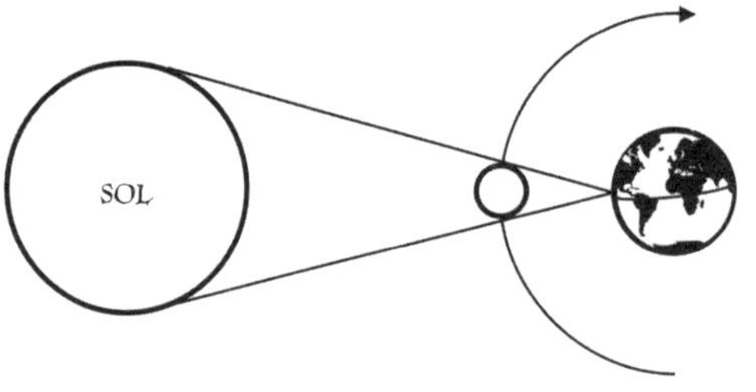

Há dois tipos de eclipse solar: o "anular" e o "total". Os eclipses anulares são mais ou menos duas vezes mais comuns e bem menos deslumbrantes. Acontecem quando a Lua está longe demais da Terra para bloquear inteiramente o Sol. O céu não escurece tanto e ainda se vê um anel de luz em volta da Lua. Anular quer dizer "em forma de anel".

Vale a pena viajar para ver um eclipse total do Sol. É uma das maravilhas do mundo natural. Primeiro, surge uma "mordidinha" no contorno do Sol que vai aumentando até que ele vire um crescente, e o dia escurece até virar um crepúsculo meio estranho. Então pode-se ver a coroa do Sol em torno do disco preto. A temperatura cai e os pássaros costumam voltar para seus ninhos nas árvores. Aí a luz começa a ressurgir e o mundo volta a ficar como o conhecemos.

COMO FAZER PEDRAS RICOCHETEAREM NA ÁGUA

Esta é uma habilidade meio difícil de aprender, mas é possível fazer uma pedra ricochetear na água cinco ou seis vezes sem muita complicação. Barnes Wallis usou o mesmo princípio quando inventou a *bouncing bomb*, ou "bomba de ricochete", para ataques no Vale do Ruhr, na Alemanha.

Em primeiro lugar, é preciso escolher a pedra, a mais plana possível sem ser fina demais. Também é preciso que ela tenha um certo peso, mas se for muito mais pesada que uma maçã vai ser difícil de atirar. Nunca perca a oportunidade de apanhar uma boa pedra quando se depara com uma, ainda mais se ela for uma "saltadora" perfeita.

Fazer uma pedra ricochetear no mar é mais difícil devido às ondas. Se tentar num lago, veja se não há nadadores; eles não vão gostar de servir de alvo.

O truque é o jeito como se segura a pedra e o ângulo em que se joga. Enrole o indicador em volta da pedra, deixando-a descansar no dedo médio. Segure-a com o polegar.

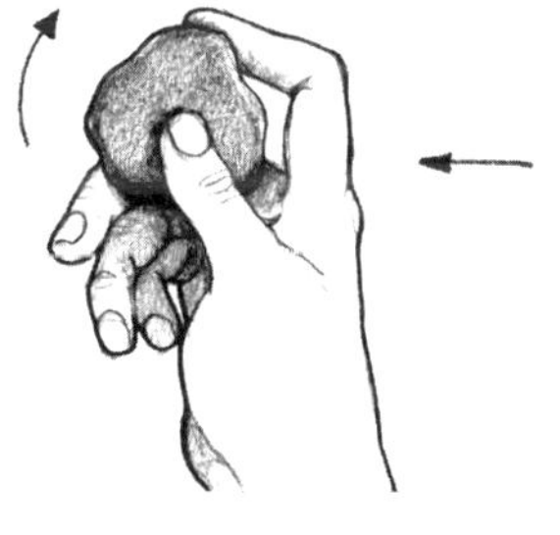

A ação de jogar a pedra é muito importante; se o ângulo for muito fechado, a pedra vai simplesmente afundar na água. Dobre os joelhos para manter o ângulo da queda perto dos 25° e tente fazer com que o lado plano atinja a água, para ajudar a pedra a ricochetear.

Depois que dominar a técnica, você pode passar a jogar a pedra com mais força.

Mais de um ricochete e a sua pedra estará "dando pinotes", mas você vai precisar de muito treino para bater o recorde mundial de 38 ricochetes.

PROJETOR

VOCÊ VAI PRECISAR DE

- Tubo de papelão comprido
- Folha de cartolina ou papel A4
- Papel de seda branco
- Fita adesiva.

O Sol é a estrela brilhante que dá vida ao nosso planeta. É muito perigoso olhar diretamente para ele, porque isso pode prejudicar os seus olhos. Então como estudar os eclipses e o trânsito dos planetas por meio de sua superfície? Ora, com um projetor, que é uma das melhores ferramentas para assistir aos fenômenos solares enquanto estão acontecendo.

Como diz o nome, é um objeto que projeta uma imagem do Sol (de cabeça para baixo), de modo que é possível observar o eclipse sem olhar de verdade para ele.

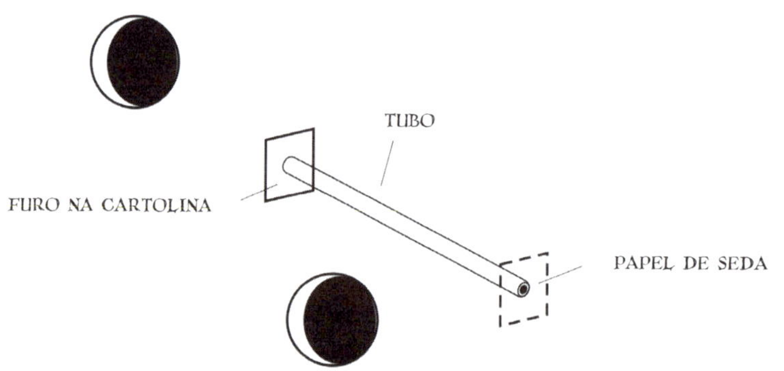

Para construir o projetor, use cola ou fita adesiva para prender o pedaço de cartolina numa das pontas do tubo, como mostra o desenho. Faça um furinho na cartolina, por cima do tubo. Prenda com cola, do outro lado, uma folha de papel de seda fininho.

Para que funcione, basta levantar para o sol a ponta que tem a cartolina e a imagem será projetada na "tela" de papel de seda, na outra ponta. Lembre-se: só olhe para a imagem projetada.

Também é possível construir um projetor que amplia e focaliza a imagem e chama muito mais a atenção. Você vai precisar de um telescópio ou de um binóculo e de dois pedaços de cartolina branca.

Primeiro, corte um buraco num dos pedaços de cartolina para encaixá-la na ponta da objetiva do telescópio ou de uma das objetivas do binóculo; isso vai proteger a imagem da luz indesejada. Agora vire o telescópio (ou o binóculo) para o Sol e segure o outro pedaço de cartolina a uns 60 cm da ocular. Nele, deve aparecer a imagem do Sol, que você pode deixar mais nítida mudando o foco ou movendo a cartolina. Nunca, jamais olhe por um telescópio que esteja voltado para o Sol.

Com aparelho semelhante, vimos o trânsito de Vênus pelo Sol, em 2004. Esses trânsitos costumam acontecer aos pares e o próximo está marcado para 6 de junho de 2012. Os eclipses parciais não são tão raros assim, embora a possibilidade de vê-los dependa de onde você está no mundo. Eis uma lista dos eclipses totais mais notáveis que vão acontecer nos próximos anos. Depois da data vem a latitude e a longitude do lugar onde será mais visível.

1. 01/08/2008 LATITUDE: 65,6° N LONGITUDE: 72,3° E
2. 22/07/2009 LATITUDE: 24,2° N LONGITUDE: 144,1° E
3. 11/07/2010 LATITUDE: 19,8° S LONGITUDE: 121,9° O
4. 13/11/2012 LATITUDE: 39,9° S LONGITUDE: 161,3° O
5. 20/03/2015 LATITUDE: 64,4° N LONGITUDE: 6,6° O
6. 09/03/2016 LATITUDE: 10,1° N LONGITUDE: 148,8° E
7. 21/08/2017 LATITUDE: 37,0° N LONGITUDE: 87,6° O
8. 02/07/2019 LATITUDE: 17,4° S LONGITUDE: 109,9° O
9. 14/12/2020 LATITUDE: 40,3° S LONGITUDE: 67,9° O

Em 2038, haverá sete eclipses solares e lunares. O eclipse lunar total é uma coisa estranha e maravilhosa de se ver, já que a luz se espalha pela atmosfera da Terra e a cor da Lua fica vermelha escura, como se fosse feita de cobre.

Prepare o seu projetor e aproveite a ocasião.

O MAPA DO UNIVERSO

Pelo que sabemos, os gregos antigos foram o primeiro povo a tentar explicar a ocorrência dos fenômenos naturais sem recorrer a causas sobrenaturais. Com eles, a Astronomia começou a virar ciência e, assim, se iniciou a longa jornada da superstição à compreensão esclarecedora. Os gregos começaram a descobrir as "regras" do Universo, que tantas vezes conflitavam com as crenças predominantes. Conflito entre fé e ciência continua inflamado até hoje.

TALES foi um filósofo e explorador grego que viveu no século VI a.C. Foi ao Egito estudar geometria. Quando voltou, demonstrou elevado nível de talento matemático e chegou a prever o eclipse de 585 a.C. Deixou-nos como herança a ideia de que fatos naturais têm causas naturais e não sobrenaturais, como muitos acreditavam. É verdade que achava que o mundo era plano e flutuava na água, mas, por outro lado, percebeu que os terremotos podiam ser explicados de outras maneiras além do mau-humor de Posêidon.

ARISTÓTELES (384-322 a.C.) foi um dos filósofos gregos mais influentes. Foi aluno de Platão e professor de Alexandre, o Grande, na Macedônia. Imaginou três provas experimentais para demonstrar que a Terra é redonda. Foi o primeiro a classificar plantas e animais. Achava que a Terra ficava no centro do Universo e que todos os planetas e estrelas estavam fixos no céu, numa esfera em volta da Terra. Acreditava também que os terremotos eram causados por ventos presos debaixo da Terra.

ARISTARCO viveu no século seguinte ao de Aristóteles e fez um modelo para mostrar que o Sol, não a Terra, ficava no centro do Universo. A sua teoria era bem científica, mas a História só registra brevemente as suas ideias heliocêntricas. No entanto, o próprio Copérnico (ver a seguir) lhe dá crédito em *De revolutionibus orbium cœlestium* ao escrever: "Filolau acreditava na mobilidade da Terra e alguns até dizem que Aristarco de Samos era da mesma opinião."

PTOLOMEU DE ALEXANDRIA foi outro talentoso astrônomo grego. Em 150 d.C., publicou uma enciclopédia da ciência antiga, o *Almagesto*, com detalhes e mecanismos

SISTEMA SOLAR DE PTOLOMEU

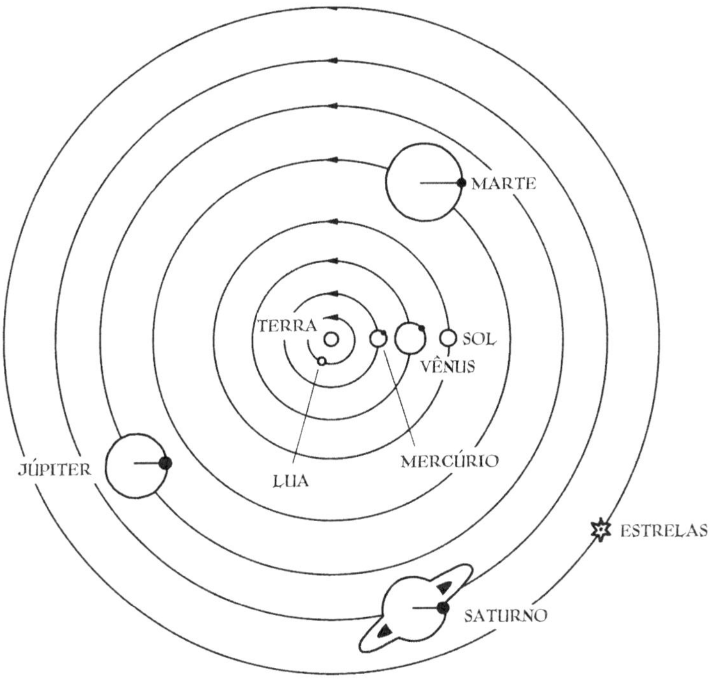

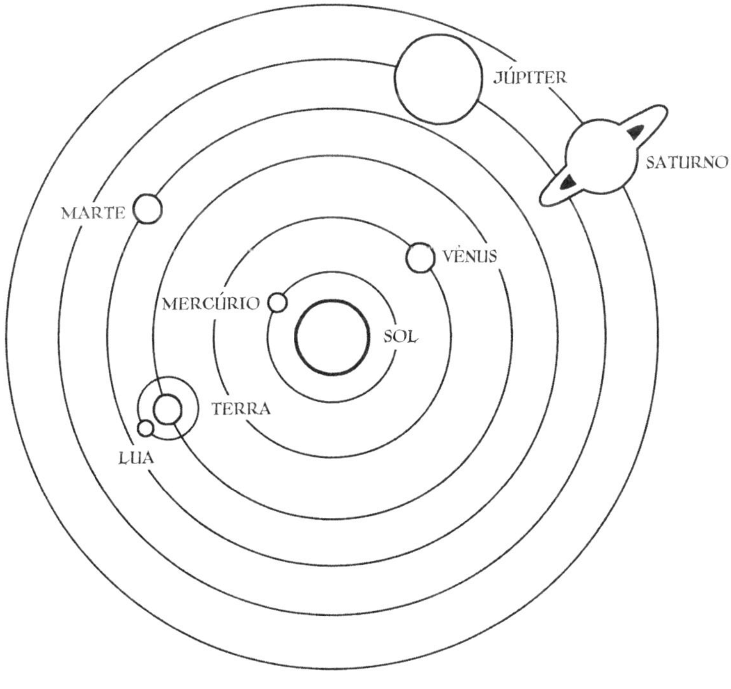

SISTEMA SOLAR DE COPÉRNICO

dos movimentos dos planetas, mostrando um complicado sistema matemático de círculos concêntricos que dava sustentação ao seu argumento favorável ao universo geocêntrico (com a Terra no meio) cercado por esferas imutáveis. Este "sistema ptolomaico" dominaria o mundo da Astronomia durante 1.500 anos.

O astrônomo NICOLAU COPÉRNICO (1473-1543) era polonês. Pouco antes de morrer, publicou a sua obra-prima *De revolutionibus orbium cœlestium* (*Da revolução das esferas celestes*), que mudaria a visão que a humanidade tinha do cosmo. Copérnico afirmava que o Sol ficava no centro do Universo. Esta ideia enfrentou grande hostilidade da Igreja cristã, que adotara o sistema geocêntrico de Ptolomeu.

TYCHO BRAHE (1546-1601) foi um astrônomo dinamarquês que, em 1572, viu uma estrela nova e brilhante em Cassiopeia. Era uma supernova, explosão de uma estrela moribunda, e, em 1604, outra supernova queimou-se no céu. Esses fatos abalaram uma das pedras fundamentais do pensamento ptolomaico: que a esfera mais externa era imutável. O "Renascimento" chegara ao céu.

JOHANNES KEPLER (1571-1630) foi assistente de Tycho Brahe e, combinando as anotações de ambos, formulou três leis do movimento planetário. Isso lhe permitiu prever a posição dos planetas com mais eficiência do que Ptolomeu.

GALILEU GALILEI (1564-1642) foi o cientista italiano que, em 1609, pegou um telescópio, na época uma invenção nova, e o apontou para o céu noturno. Descobriu que o planeta gigante Júpiter tinha quatro luas, que claramente giravam em torno dele em órbitas simples, numa versão em miniatura do sistema de Copérnico. Publicou as suas descobertas e, em 1616, a Igreja o aconselhou a mudar de opinião. Em 1632, publicou *Diálogo sobre os dois grandes sistemas do mundo*, ridicularizando o sistema geocêntrico de Ptolomeu. Foi obrigado a voltar atrás e abandonar a sua crença de que o Sol estava no centro do Universo, passando o resto da vida em prisão domiciliar.

Mais tarde, a Igreja Católica absolveu Galileu. Em 1989, foi lançada uma espaçonave para estudar Júpiter e suas luas. Anaul foi batizada de Galileu e estas luas, em conjunto, ainda são conhecidas como luas galileanas.

Todo mundo deveria conhecer os nomes desses homens.

TRUQUES CANINOS

Ensinar truques simples a um cão ajuda a aumentar a ligação entre vocês. Os cães gostam de agradar aos donos, e o cão bem treinado é um cão feliz! A única dificuldade é fazer o cachorro entender o que você quer. As ordens devem ser dadas com voz firme e baixa. Não espere que entendam com perfeição da primeira vez. Você vai ter que repetir as mesmas ordens várias vezes, com alguns dias de intervalo. A maioria deles se dispõe a fazer qualquer coisa pelos seus donos, até pular por dentro de um aro.

1. "Late":

Isso cai no grupo dos truques baseados na observação do comportamento. Se toda vez que o cachorro fizer alguma coisa você lhe der uma ordem, um carinho e uma guloseima, ele logo vai associar a guloseima e o carinho com a ordem. Diga "Late!" quando latir e logo, logo ele vai latir quando você mandar. Dizer "Tá com sono?" quando ele bocejar funciona exatamente do mesmo jeito.

2. "Senta":

Todo mundo conhece esta ordem. É importante que o cachorro saiba parar no meio-fio em vez de atravessar a rua correndo. Mandá-lo sentar ajuda a mostrar a importância das ruas e estradas. Aqui, a chave é a repetição. Até mesmo cães inteligentes como os Collies podem levar dois anos para ficar bem treinados. Não espere resultados da noite para o dia com nenhuma dessas ordens. Pressione para baixo, com firmeza, os quartos traseiros do animal e diga: "Senta". Então dê-lhe uma guloseima — um pedacinho de biscoito, por exemplo. Não precisa ser muito. Talvez baste um tapinha na cabeça, mas você vai ver que o treinamento fica mais fácil quando você lhe dá alguma pequena recompensa.

3. "Deita".

Vem sempre depois do "Senta". Aponte o chão com firmeza na frente da cabeça do cão. Assim como para ensinar o seu cachorro a "falar", você pode tentar quando ele já estiver naturalmente deitado. Ou então pode tentar deitá-lo manualmente e depois mostrar-se contente e dar-lhe uma guloseima. O cão deve ficar com a cabeça levantada, como uma esfinge.

4. "Finge de morto".

Em geral vem depois de "Deita". "Morto" significa deitar-se totalmente de lado. Talvez você tenha de forçar a cabeça do cachorro com a mão, suavemente, para mostrar o que quer que ele faça. Os cães adoram isso e, embora fiquem quietos, o rabo abana loucamente. Mantenha a voz bem baixa, toque o rabo e diga, devagar: "Cachorro morto não abana o rabo..." Segure o rabo durante dois ou três segundos, depois levante o cão e lhe dê um carinho e uma guloseima.

5. "Patinha".

Este você vai ter que demonstrar. Basta levantar a pata do cachorro com a mão e apertá-la suavemente antes de lhe dar uma guloseima. Siga com a ordem "Outra patinha" para que ele troque de pata. Não vai demorar para que ele lhe ofereça a pata ao ouvir a ordem. Tive um Terrier que levou um tempo enorme para fazer isso, mas acabou aprendendo.

6. "Vai".

Este é usado quando você quer que o cão corra, o uso mais comum é atravessar uma rua bem depressa. Treine o cão segurando a coleira e elevando a voz com animação, segurando-o. Quando o caminho estiver livre, diga "Vai!", em voz alta, e deixe-o correr. É provável que nas primeiras vezes o cachorro não atravesse a rua toda. Assim, não o treine perto de automóveis.

7. "Junto":

É muito importante quando você sair para passear com o cão na guia. É irritante e cansativo ter um cachorro que puxa a guia o tempo todo. Corte logo esse hábito; segure a guia com força e dê a ordem com voz bem firme. Os filhotes são curiosos e animadíssimos. Costumam demorar muito para aprender. Tome cuidado para não machucá-los e não tenha medo de parecer idiota. Todo mundo que já teve um cachorrinho já andou pela rua dizendo "Junto" várias vezes seguidas sem nenhum efeito visível. É dizer o óbvio, mas o cachorro não entende por que você está gritando tanto. É preciso criar na cabeça dele a ligação entre a palavra e o ato de ser puxado para trás. É provável que demore até um ano para funcionar, dependendo da idade com que o cachorrinho foi morar com você. Tenha paciência. É bom aprender a controlar a irritação para quando chegar a sua hora de ter filhos. Estou falando sério. Como tantas coisas na vida, começar cedo gera frutos quando houver necessidade.

8. "Fica":

Esta é outra ordem que é importante ensinar logo. A maioria dos donos de cães já se viu numa situação em que o animal está longe e, de repente, vem um carro na sua direção. Se puder dizer ao cão para ficar parado, é possível evitar um acidente grave. Isso se ensina com a ajuda de muitas tardes e o bolso cheio de guloseimas. Faça o cachorro sentar-se e diga "Fica", com a voz de comando mais séria possível. Ao mesmo tempo, levante a mão, mostrando ao cão a palma aberta. Dê um passo atrás. Se o cão o seguir, devolva-o à posição anterior e comece outra vez. Comece com três passos e lhe dê uma guloseima e um carinho, fazendo muita festa. Quando ele conseguir ficar parado durante três passos, tente seis, depois uma dúzia e assim por diante. Em pouco tempo você vai conseguir aumentar bem a distância. Mas os cachorros gostam de ver você. Se virar a esquina, quase todos os cães vão avançar na mesma hora para procurá-lo.

9. "Calma":

A ordem costuma ser dada com a sílaba tônica bem longa. É preciso ensinar o cachorro a não pular na comida, embora o seu instinto lhe diga para agarrar as coisas antes que outro cão as tome. Nunca brinque na hora de dar comida ao cão, ele vai aprender a pular nela e pode machucar alguém. Sempre apresente o alimento com firmeza, na mão aberta. Se correr para cima, diga a palavra "Calma!" com voz baixa e firme. Vão ouvir o tom de voz e hesitar.

10. "Pede":

Não tenho certeza se este é mesmo um truque. Cachorrinhos fazem isso quase automaticamente. Se você segurar um biscoito um pouco fora do alcance de um Terrier, é provável que ele se sente nas pernas traseiras em vez de pular para tentar pegar. Os Collies não conseguem pedir e caem se tentarem. Se quiser lhes ensinar, vai precisar da mesma rotina de guloseimas, paciência e bom senso. Faça o cachorro sentar-se e segure a guloseima um pouquinho fora do seu alcance. Se ensinou a ordem "Calma", pode usá-la para impedir que ele morda os seus dedos. Deixe-o pegar a primeira guloseima esticando-se e, depois, afaste a seguinte um pouquinho mais para o alto, de modo que as patas dianteiras tenham de sair do chão. Repita nos mese seguintes.

11. "Solta"

Esta é uma ordem muito importante. Os filhotes, principalmente, são muito brincalhões e, assim que você tocar alguma coisa que estejam segurando, vão recuar e querer brincar enquanto você, desesperado, tenta salvar os seus sapatos novos. É melhor pegá-los pela coleira para impedir que mordam com força e dizer "Solta", com voz alta e feroz. Como em todos os casos, a repetição é fundamental.

12. "Pula"

Sempre ensinamos os nossos cachorros a pular quando ouvem isso. Num passeio, por exemplo, pode ser preciso que o cão pule uma cerca baixa. Ou talvez você queira que ele pule numa mesa para ser escovado. Comece com uma superfície mais alta e simplesmente dê-lhe um tapinha, dizendo-lhe "Pule" com voz animada. Se não funcionar, não o puxe pela coleira. O cachorro pode ficar assustado ao se ver fora do chão e isso não vai ajudar em nada. Se conseguir, coloque-o no lugar mais alto e depois faça bastante festa e lhe dê uma guloseima. Repita os tapinhas e o içamento até que ele se sinta confortável no lugar mais alto.

É bem engraçado de se ver. Assim como os gatos, os cães podem pular bem alto, mas não é muito comum ensiná-los a fazer isso.

13. Palavra de comando

Os cães da Polícia são ensinados a evacuar intestino e bexiga quando recebem a devida ordem. Isso se consegue usando a palavra de comando; invente a sua na hora em que o cão for fazer as suas necessidades e depois siga a rotina de sempre, fazendo festa e dando-lhe uma guloseima. Falando francamente, isso só é útil quando, digamos, o cão tem de passar quase o dia todo dentro do aeroporto sem fazer xixi na bagagem dos outros. Com cães de estimação, não vale a pena.

14. Pular por seus braços

Nem todos os cães conseguem; o terrier recusou-se terminantemente. A ordem "Pule" é útil, porque aí o cachorro sabe que é para pular. Comece fazendo um círculo no chão com os braços e atraia o cachorro com uma guloseima. Para isso, são necessárias duas pessoas. Depois de algumas repetições bem-

-sucedidas, levante as mãos do chão, para que o cachorro tenha que levantar um pouco as patas para passar. É provável que nessa hora ele já esteja animado demais, é melhor tentar de novo no dia seguinte. Levante as mãos cada vez mais alto até ficar de pé, mantendo os braços à frente formando o maior círculo possível. Cães do tamanho de Collies conseguem, embora alguns esbarrem no seu corpo ou batam na sua mão ao pular. Eles melhoram com a prática. Este é um truque ótimo para impressionar outros donos de cães.

15. Finalmente, comandos de ataque.

Não há segredo em fazer com que uma ordem de ataque funcione com um cachorro. No entanto, fique atento porque, a menos que seja absolutamente justificado, é bem possível que o cão se machuque. É pouco provável que estranhos importunem crianças acompanhadas de cães, seja qual for a raça do cão. Todo mundo sabe que cachorros podem ser agressivos e territoriais, ainda mais com estranhos, principalmente com homens. Não é preciso lhes ensinar níveis elevados de agressão.

O outro lado é o que fazer caso você entre em contato com um cão agressivo. Em primeiro lugar, é arriscado estender a mão para acariciar um cão desconhecido. Se quiser mesmo correr o risco, deixe-o primeiro cheirar a sua mão, aproxime-se devagar e abaixe-se para não assustá-lo. Se ele lhe mostrar os dentes, afaste-se. Os seres humanos são os únicos animais do planeta que mostram os dentes para sorrir. Todos os outros, ao fazer isso, estão dizendo: "Vá embora, senão ataco." O mesmo se aplica aos rugidos. Nunca é de brincadeira. Nunca ruja de volta. É o que outro cão faria e a possibilidade de agressão só vai aumentar. A maioria dos cães tem a boa educação de avisar. Obedeça ao aviso e afaste-se.

Se o cão atacar mesmo, mantenha-se em pé e proteja o rosto. Não grite. Se puder, evite contato visual, porque os cães consideram agressivo o olhar direto. Quase nunca os cães querem causar danos graves. Só querem tirar você da área. No entanto, não corra. Afaste-se devagar. Cachorros grandes como pastores alemães vão atingi-lo com força no peito ou nas costas para tentar derrubá-lo. O chão não é bom lugar durante um ataque.

Se acabar caindo, enrole-se para proteger o rosto e o pescoço. Mais uma vez, na maioria dos casos, eles vão latir muito mais do que morder. Fique o mais parado possível, não grite nem peça ajuda. O barulho vai deixá-los mais irritados.

Cães bem treinados não são agressivos com outros cães nem com pessoas. Vão tomar conta da casa, obrigá-lo a se manter em forma para levá-los para passear, brincar com você, se demonstrar o mínimo interesse, e adorá-lo, faça chuva ou faça sol.

COMO FAZER UM EMBRULHO COM PAPEL PARDO E BARBANTE

É verdade que esta não é uma atividade muito "perigosa", mas é muito bom saber como se faz. Há dois jeitos principais: um sem fita adesiva nem nada e outro mais enfeitado, que precisa da fita adesiva para segurar as pontas do papel. Acho que os dois têm a sua utilidade na hora de mandar um presente ou uma lembrancinha a alguém, para proporcionar o antigo prazer de abrir o pacote. Claro que você pode simplesmente enrolar o embrulho com fita adesiva, mas há uma certa elegância em não utilizá-la.

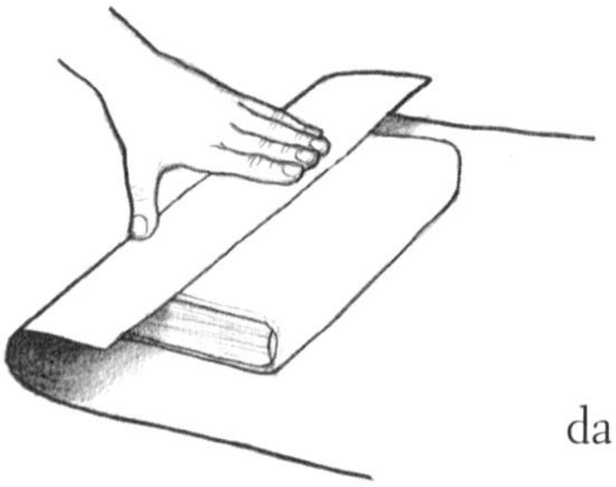

Você vai precisar de papel pardo e barbante, encontrados em qualquer papelaria.

Coloque o objeto a ser embrulhado em cima da folha de papel e corte um pedaço do devido tamanho. Deixe uma sobra com metade da altura e o triplo da largura. Seja mais generoso do que econômico com o papel. Quando a gente usa papel demais, sempre pode cortar o que sobra, mas é meio difícil grudá-lo de novo depois de cortado.

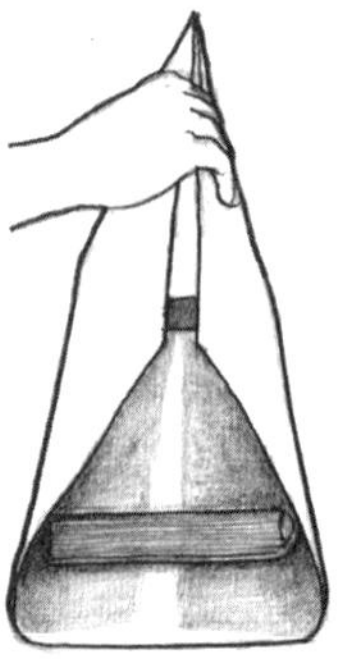

Se usar fita adesiva, pode usar menos papel: dobre uma folha por baixo da outra e depois cole a borda com a fita. Aqui, vamos dobrar a borda sobre si mesma, numa tira. Isso vai criar uma "espinha" de papel, muito útil para dar rigidez e bom acabamento. Também fica bonita se você dobrar com cuidado.

Não se apresse; encoste as pontas direitinho. Dobre para dentro a parte do meio de cada lado, para ficar com um "bico de pato" de papel pardo, como na figura. Não é a técnica clássica de "dobrar triângulo sobre si mesmo". Mas é melhor.

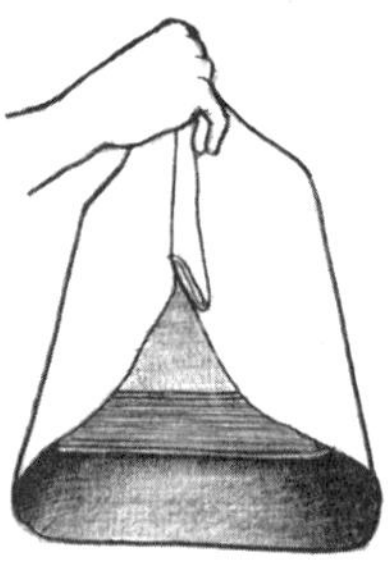

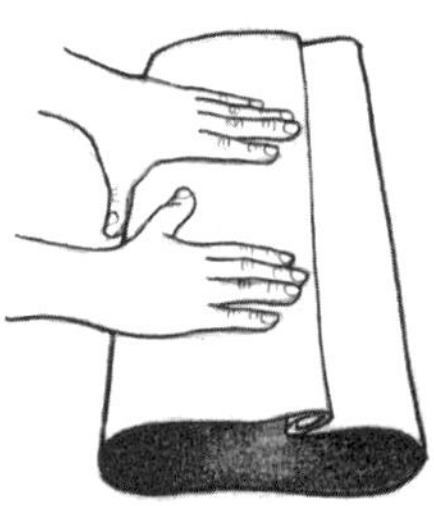

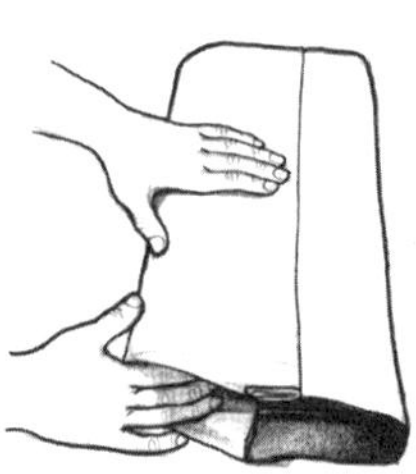

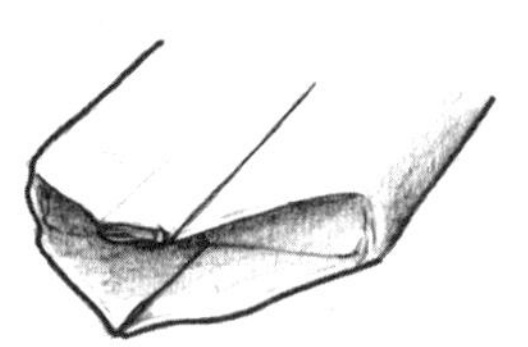

Dobre o bico de pato sobre si mesmo, deixando uma ponta bem feita em ambas as extremidades. Não é preciso prendê-la com fita adesiva, pode deixá-la solta. A "espinha" dobrada é muito útil para manter tudo bem firme enquanto você amarra o barbante.

Agora, o barbante. Corte um bom pedaço, de 90 a 120 cm. Mais uma vez, seja generoso, sempre dá para encurtar depois. Comece do lado onde vai ficar o nó ou laço final. Leve o barbante até o outro lado e cruze as duas pontas como na figura, mudando a di reção em 90 graus. Leve as duas pontas em volta dos outros dois lados do pacote, de volta ao meio de onde você partiu, para amarrar. Peça a alguém que ajude pondo o dedo em cima do nó para que ele não se afrouxe.

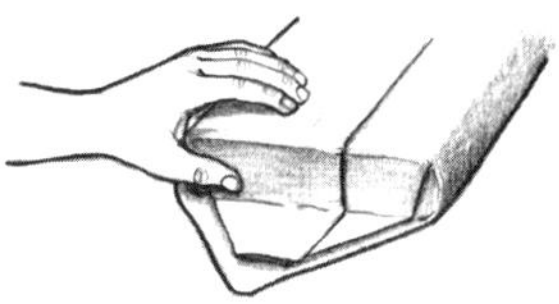

Uma dica útil é fazer um nó a mais antes de dar o laço final, prendendo juntas as duas passadas do barbante. Isso torna o laço bem mais firme e a técnica pode ser sempre usada.

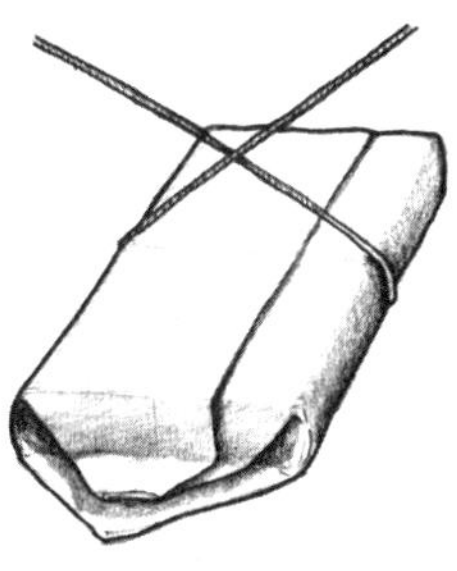

A "espinha" de papel dobrado ficou por baixo. O pacote está bem embrulhado. Muito bom.

A única desvantagem desse método é que o barbante cruza bem no lugar indicado para escrever o endereço. É possível amarrar o barbante de um jeito que evite isso, mas aí você vai precisar de um pouco de fita adesiva para segurar as pontas.

Em vez de começar no meio do pacote, comece numa das pontas, passando por baixo o meio de um pedaço comprido de barbante. Neste método, a pior coisa é o barbante acabar durante a operação; assim, sugerimos um pedaço de pelo menos 1,5 m de comprimento.

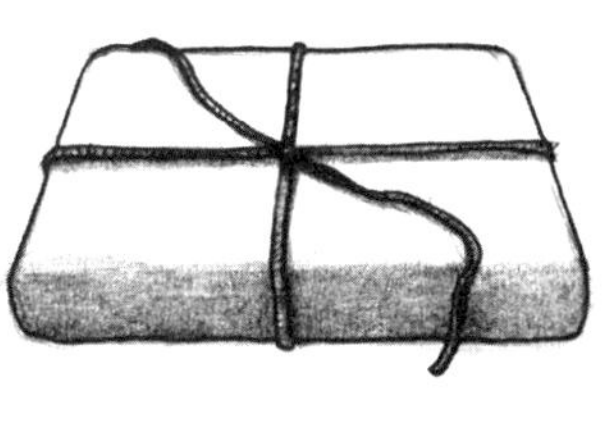

Enrole o barbante no pacote, mas, desta vez, cruze as pontas a três quartos das bordas e não no meio. Passe as pontas do barbante pelo outro lado, de novo e de novo, cruzando-o nos cantos até finalmente amarrá-lo. Como se pode ver na figura, as pontas do papel não ficam presas pelo barbante, mas este é um pacote robusto com espaço para pôr o endereço.

MAPAS ESTELARES:

O QUE VEMOS AO OLHAR PARA CIMA...

OLHANDO PARA O SUL NO HEMISFÉRIO NORTE, VIRE O LIVRO DE MODO QUE O MÊS ATUAL DO ANO ESTEJA NA PARTE DE BAIXO. ESTE SERÁ O CÉU LÁ PELAS 11 HORAS DA NOITE.

OLHANDO PARA O NORTE NO HEMISFÉRIO SUL, VIRE O LIVRO NOVAMENTE PARA COLOCAR O MÊS CERTO EMBAIXO E TERÁ AS CONSTELAÇÕES VISÍVEIS ÀS 11 HORAS DA NOITE EM UMA NOITE DE CÉU LIMPO E CLARO.

Nas ilustrações anteriores, reproduzimos o mapa do céu com as constelações em latim, pois esses são seus nomes oficiais. Até hoje, respeita-se a divisão que a União Astronômica Internacional definiu, em 1928, dividindo o céu em 88 constelações oficiais. A seguir, você irá encontrar uma relação de todas as constelações em latim e sua tradução em português. Curiosidades sobre a origem de alguns dos nomes completam a lista. Além de conhecer melhor o céu, você aprende um pouco de latim para impressionar seus amigos.

ANDROMEDA — Andrômeda. Personagem mitológico, “a princesa”, filha de Cassiopeia.

ANTLIA — Bomba de Ar. O nome representa a invenção do físico Robert Boyle.

APUS — Ave do Paraíso. Inspirado no nome de um pássaro da Nova Guiné.

AQUARIUS — Aquário. Constelação do Zodíaco e significa “o transportador de água”.

AQUILA — A Águia.

ARA — O Altar.

ARIES — Áries. Constelação do Zodíaco e significa “o carneiro”.

AURIGA — O Cocheiro.

BOÖTES — O Pastor.

CAELUM — O Buril. Instrumento usado para gravar em madeira ou metal.

CAMELOPARDALIS — A Girafa.

CANCER — Câncer. Constelação do Zodíaco e significa "o caranguejo".

CANES VENATICI — Cães caçadores. Cães de caça que pertenciam ao pastor.

CANIS MAJOR — Cão Maior ou Grande Cão.

CANIS MINOR — Cão Menor ou Pequeno Cão.

CAPRICORNUS — Capricórnio. Constelação do Zodíaco e significa "a cabra".

CARINA — A Quilha (do navio).

CASSIOPEIA — Cassiopeia. Na mitologia, é a mãe de Andrômeda.

CENTAURUS — O Centauro.

CEPHEUS — Cefeu. Era um rei da mitologia, pai de Andrômeda.

CETUS — A Baleia.

CHAMAELEON — O Camaleão.

CIRCINUS — O Compasso.

COLUMBA — A Pomba.

COMA BERENICES — A Cabeleira de Berenice. Para que seu marido retornasse vivo da guerra, a rainha Berenice prometeu seus longos cabelos a Afrodite. Como a deusa atendeu seu pedido, Berenice cortou a cabeleira, oferecendo-a no altar, mas, no dia seguinte, ela havia sumido. O astrônomo da corte afirmou que Afrodite ficara tão encantada com a oferenda que a levara para o céu.

CORONA AUSTRINA — Coroa Austral (do Sul).

CORONA BOREALIS — Coroa Boreal (do Norte).

CORVUS — O Corvo.

CRATER — A Taça.

CRUX — O Cruzeiro do Sul. Constelação muito conhecida no hemisfério Sul e que tem a forma de uma cruz.

CYGNUS — Cisne. Também é conhecida como Cruz do Norte.

DELPHINUS — O Golfinho (ou Delfim).

DORADO — O Dourado. Uma espécie de peixe.

DRACO — O Dragão.

EQUULEUS — Pequeno Cavalo.

ERIDANUS — Eridano. Na mitologia, era um dos rios de Hades.

FORNAX — A Fornalha.

GEMINI — Os Gêmeos. Constelação do Zodíaco.

GRUS — O Grou.

HERCULES — Hércules. Homenagem ao lendário herói da mitologia grega.

HOROLOGIUM — O Relógio.

HYDRA — Hidra Fêmea. A origem do nome é uma serpente mitológica.

HYDRUS — Hidra Macho.

INDUS — O Índio.

LACERTA — O Lagarto.

LEO — Leão. Constelação do Zodíaco.

LEO MINOR — Pequeno Leão.

LEPUS — A Lebre.

LIBRA — Libra. Constelação do Zodíaco e que significa "balança".

LUPUS — O Lobo.

LYNX — O Lince.

LYRA — Lira.

MENSA — Monte Mesa. É o nome da montanha na Cidade do Cabo (África do Sul), onde esta constelação foi identificada pela primeira vez pelo astrônomo Lacaille.

MICROSCOPIUM — O Microscópio.

MONOCEROS — O Unicórnio.

MUSCA — A Mosca.

NORMAI — Régua.

OCTANS — O Oitante. Instrumento de navegação marítima.

OPHIUCHUS — Ofiúco ou Serpentária. É representada por um homem segurando uma serpente. Esta constelação, atualmente, integra o Zodíaco.

ORION — Órion. Na mitologia grega, Órion era um caçador gigante.

PAVO — O Pavão.

PEGASUS — Pégaso. Cavalo alado da mitologia.

PERSEUS — Perseu. Herói da mitologia.

PHOENIX — A Fênix. Ave da mitologia que renascia das próprias cinzas.

PICTOR — O Pintor.

PISCES — Peixes. Constelação do Zodíaco.

PISCIS AUSTRINUS — O Peixe Austral.

PUPPIS — A Popa. É a parte posterior de uma embarcação.

PYXIS — A Bússola.

RETICULUM — O Retículo. O nome tem como origem a marcação colocada no plano focal da ocular de um instrumento óptico.

SAGITTA — Flecha.

SAGITTARIUS — Sagitário. É uma constelação do Zodíaco, que, segundo a mitologia, representa um arqueiro centauro, mirando o Escorpião.

SCORPIUS — Escorpião. Constelação do Zodíaco.

SCULPTOR — O Escultor.

SCUTUM — O Escudo.

SERPENS — A Serpente. É uma enorme constelação e a única dividida em duas partes: Serpens Caput ("A cabeça da serpente") e Serpens Cauda ("A cauda da serpente").

SEXTANS — Sextante. A origem do nome é o instrumento astronômico que mede a altura de um astro acima do horizonte

TAURUS — O Touro. Constelação do Zodíaco.

TELESCOPIUM — O Telescópio.

TRIANGULUM — O Triângulo.

TRIANGULUM AUSTRALE — O Triângulo Austral.

TUCANA — O Tucano.

URSA MAJOR — Ursa maior ou Grande Urso.

URSA MINOR — Ursa Menor ou Pequeno Urso.

VELA — A Vela (do navio).

VIRGO — A Virgem. Constelação do Zodíaco.

VOLANS — O Peixe Voador.

VULPECULA — A Raposa.

COMO FAZER
UM PERISCÓPIO

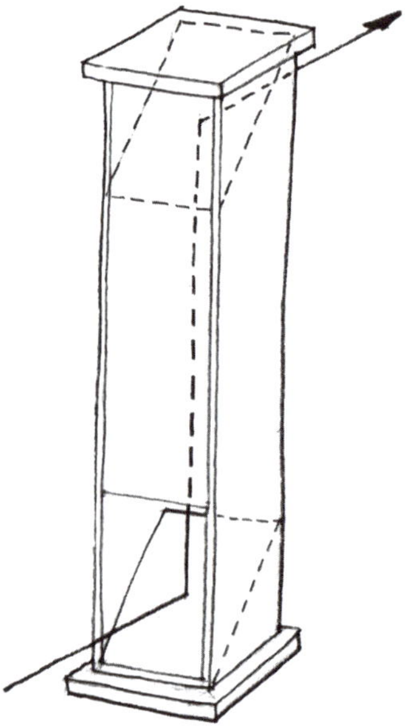

VOCÊ VAI PRECISAR DE

- Serrote, martelo, cola, preguinhos.
- Dois espelhos de 5 × 5 cm.
- Compensado de três ou cinco camadas. Corte dois pedaços de 45 × 5 cm, dois pedaços de 40 × 5 cm e duas tampas de 5 × 5 cm.
- Fita isolante.

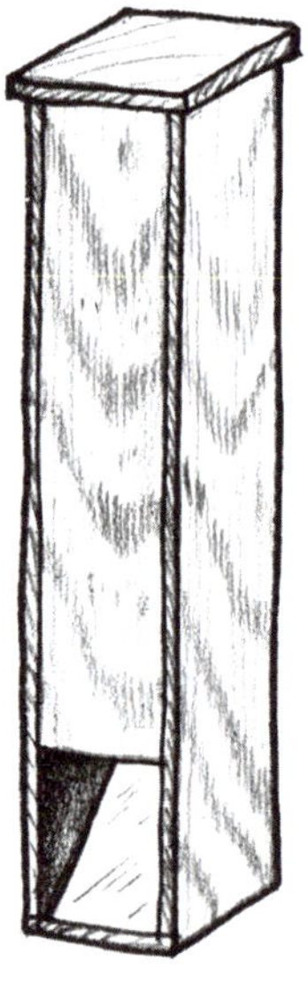

Este é fácil e rápido de fazer. Levamos apenas uma hora para montá-lo, depois que já tínhamos tudo à mão. No entanto, é necessário trabalhar com serrote, martelo e cola. Caso se sinta inseguro, peça ajuda.

Primeiro, arranje dois espelhos quadrados pequenos. Qualquer vidraçaria pode lhe cortar uns pedacinhos. Para o tubo do periscópio, usamos compensado que já tínhamos à disposição. Tinha cinco camadas, portanto era mais robusto do que o necessário. Compensado mais fino seria melhor e também mais fácil de cortar.

O periscópio funciona refletindo a luz de um espelho no outro e, finalmente, levando-a ao olho. O seu efeito mais simples é permitir que você enxergue de um nível mais alto do que a sua cabeça. Pode ser usado para espiar por cima do muro ou verificar posições inimigas sem se expor aos tiros. O uso clássico é nos submarinos.

Usamos preguinhos para fazer a caixa, deixando um espaço (num lado, em cima, no outro, embaixo) para o espelho. Mantivemos a nossa caixa simples e sem acabamento, embora, obviamente, você possa lixar o seu periscópio, pintá-lo e até fazê-lo com encaixes e cola, se quiser que dure uma ou duas gerações. Como projeto de marcenaria, feito de mogno com cantoneiras de latão, ficaria mesmo espetacular.

A única dificuldade foi prender os espelhos. A melhor maneira seria colar ripinhas de madeira por dentro, como guias de apoio. Os espelhos entram deslizando entre as ripinhas e ficam presos no lugar, encostados na tampa. No entanto, usamos uma fita isolante resistente e parece que funcionou muito bem.

Depois de usar a fita, achamos sensato cortar um dos lados de 40 cm para ficar com 35,5 cm, assim, pudemos apoiar o espelho de cima na borda. É claro que, se o espelho estivesse apoiado em seu próprio trilho, seria melhor deixar a madeira com 40 cm, o que daria uma aparência melhor ao periscópio.

O ângulo dos espelhos deveria ser de 45° para permitir a reflexão correta. No entanto, não é fácil medir isso e o jeito mais simples é posicionar o primeiro espelho até que se você possa ver nele a outra ponta do tubo do periscópio. Depois que ele estiver preso, ajuste à mão a posição do segundo espelho, marcando a linha para que, depois, possa encontrar com facilidade a posição correta. Então prenda-o com a fita ou cole os trilhos de madeira.

Teoricamente, é possível construir um periscópio bem comprido. Achamos que 45 centímetros era perfeito para os nossos espelhos, mas você pode usar pedaços de madeira mais longos e experimentar uma caixa maior.

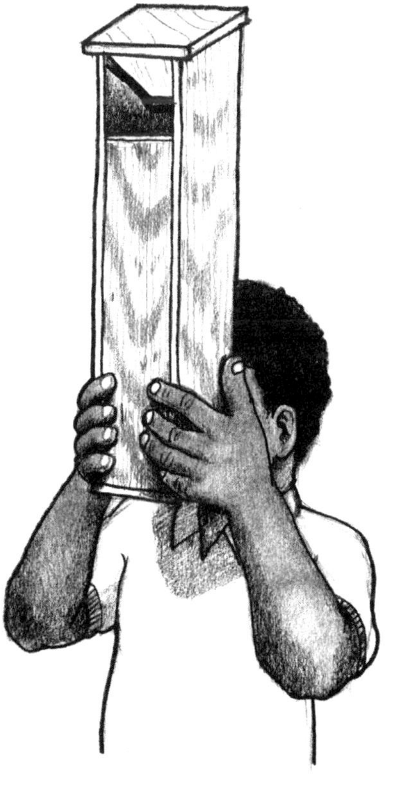

CINCO POEMAS QUE TODO GAROTO DEVERIA CONHECER

Sim, você pode passar toda a sua vida sem tomar conhecimento de qualquer poema.
Mas seria uma pena. Existem muitos de que você certamente vai gostar.
Experimente, lendo os seguintes poemas:

CANÇÃO DO EXÍLIO

Gonçalves Dias

Minha terra tem palmeiras,
Onde canta o Sabiá;
As aves, que aqui gorjeiam,
Não gorjeiam como lá.
Nosso céu tem mais estrelas,
Nossas várzeas têm mais flores,
Nossos bosques têm mais vida,
Nossa vida mais amores.

Em cismar, sozinho, à noite,
Mais prazer encontro eu lá;
Minha terra tem palmeiras,
Onde canta o Sabiá.

Minha terra tem primores,
Que tais não encontro eu cá;
Em cismar — sozinho, à noite,
Mais prazer encontro eu lá;
Minha terra tem palmeiras,
Onde canta o Sabiá.

Não permita Deus que eu morra,
Sem que volte para lá;
Sem que desfrute os primores
Que não encontro por cá;
Sem qu'inda aviste as palmeiras,
Onde canta o Sabiá.

QUADRILHA

Carlos Drummond de Andrade

João amava Teresa que amava Raimundo
que amava Maria que amava Joaquim que amava Lili
que não amava ninguém.
João foi para os Estados Unidos, Teresa para o convento,
Raimundo morreu de desastre, Maria ficou para tia,
Joaquim suicidou-se e Lili casou com J. Pinto Fernandes
que não tinha entrado na história.

VERSOS ÍNTIMOS

Augusto dos Anjos

Vês! Ninguém assistiu ao formidável
Enterro de tua última quimera.
Somente a Ingratidão — esta pantera —
Foi tua companheira inseparável!

Acostuma-te à lama que te espera!
O Homem, que, nesta terra miserável,
Mora, entre feras, sente inevitável
Necessidade de também ser fera.

Toma um fósforo. Acende teu cigarro!
o beijo, amigo, é a véspera do escarro,
A mão que afaga é a mesma que apedreja.

Se a alguém causa inda pena a tua chaga,
Apedreja essa mão vil que te afaga,
Escarra nessa boca que te beija!

PARA SER GRANDE, SÊ INTEIRO

Fernando Pessoa

Para ser grande, sê inteiro: nada
Teu exagera ou exclui.
Sê todo em cada coisa. Põe quanto és
No mínimo que fazes.
Assim em cada lago a lua toda
Brilha, porque alta vive.

SONETO DE FIDELIDADE

Vinicius de Moraes

De tudo, ao meu amor serei atento
Antes, e com tal zelo, e sempre, e tanto
Que mesmo em face do maior encanto
Dele se encante mais meu pensamento

Quero vivê-lo em cada vão momento
E em seu louvor hei de espalhar meu canto
E rir meu riso e derramar meu pranto
Ao seu pesar ou seu contentamento

E assim quando mais tarde me procure
Quem sabe a morte, angústia de quem vive
Quem sabe a solidão, fim de quem ama

Eu possa lhe dizer do amor (que tive):
Que não seja imortal, posto que é chama
Mas que seja infinito enquanto dure

TRUQUES COM MOEDAS

Truques com moedas são fáceis de fazer e impressionam. Aqui vamos lhe mostrar alguns "sumiços".

Qualquer moeda serve e quanto maior melhor. Aconselharia que você não usasse moedas menores que as de 1 real ou 25 centavos.

A maioria dos truques é rápida, mas, mesmo assim, é necessário fazer uma pequena introdução. A velocidade do truque não tem importância. O que vale é a suavidade dos movimentos e isso exige prática. Um desvio da atenção, um floreio final e você vai parecer um mágico experiente. Quando se apresentar, faça as mãos se moverem com suavidade e confiança.

Um dos truques mais antigos com moedas se chama "Saída à francesa". É um "sumiço" simples e eficaz. O reaparecimento também é importante e sugerimos alguns exemplos, como tirá-la de trás da orelha de alguém, mas com um pouco de engenho e prática você vai inventar o seu próprio jeito de manter os espectadores interessados.

A SAÍDA À FRANCESA

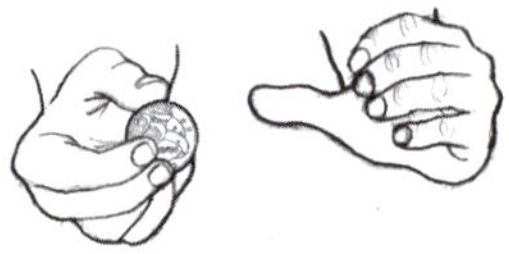

Com a mão direita, segure a moeda pelas bordas usando os três primeiros dedos. Insira o polegar da esquerda, entre a moeda e a direita, mantendo a mão com a palma para cima e os dedos curvados (veja o desenho).

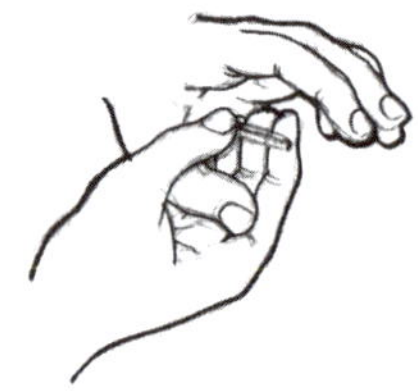

Com a palma da mão direita para baixo, pegue a moeda, pondo o polegar da mão direita sob ela e os outros dedos por cima. Feche a mão direita para pegá-la.

Neste ponto, solte a moeda, deixando-a cair entre os dedos curvados da mão esquerda. Agora a mão direita avança, supostamente segurando a moeda. Deixe a mão esquerda, com a moeda, cair ao lado do corpo.

Este truque é bem elegante e precisa ser feito com naturalidade e fluidez. Um bom jeito de praticar é alternar entre fazer "a saída à francesa" e pegar mesmo a moeda, de modo que, na hora de mostrar o truque, você saiba imitar direitinho o ato de pegar a moeda.

Olhe no espelho às vezes para verificar se parece natural. Não tente esconder a moeda na mão esquerda. Simplesmente deixe a mão cair ao lado do corpo. Você pode apontar para a mão direita com o indicador esquerdo, para desviar a atenção dos espectadores. Mantenha sempre os olhos na mão direita e, depois, deixe a esquerda cair solta do lado.

Todos os que estiverem assistindo vão achar que a moeda está na mão direita, mantenha-a levantada, olhe bem para ela e abra-a, um dedo de cada vez. A moeda sumiu! Agora aproxime-se de um espectador com a mão esquerda em concha e tire a moeda de trás da orelha dele! Como a pessoa não consegue ver a mão que se aproxima por trás, é bem fácil.

O SUMIÇO FÁCIL

O Sumiço Fácil é simples de fazer e engana muito bem. Deixe as duas mãos com a palma para cima, com a moeda na ponta do segundo e do terceiro dedos da mão direita. Segure a moeda no lugar com o polegar direito.

Agora vire a mão e bata a moeda na palma da mão esquerda. Feche os dedos da mão esquerda sobre os dedos da mão direita; retire a mão direita, mas segure a moeda usando o polegar. Deixe a mão direita cair do lado do corpo e mostre a mão esquerda vazia!

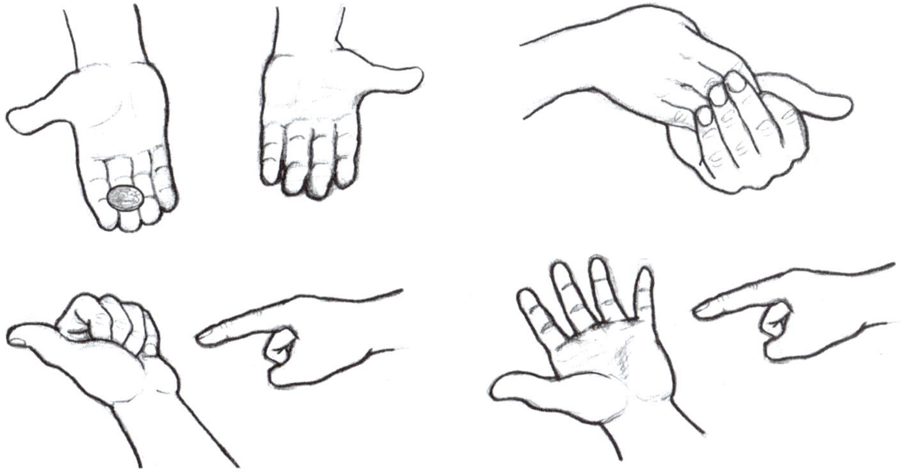

O SUMIÇO BÁSICO

Deixe as duas mãos com a palma para cima, com a moeda no meio da mão direita. A mão direita se aproxima da esquerda por baixo, de modo que a palma direita toque a ponta dos dedos da mão esquerda.

O movimento normal seria deixar a moeda cair na mão esquerda, quando a direita passar por cima dela e fechar os dedos da mão esquerda sobre a moeda, largando a mão direita ao lado do corpo.

Para fazer o truque, coloque a moeda no centro da palma direita e junte de leve os dedos e o polegar, agarrando a moeda com a palma da mão. Isso se chama "palmear". Como você passa a mão direita por cima da esquerda com as costas da mão direita viradas para a plateia, é assim que você consegue segurar a moeda. Isso exige uma certa prática. Para colocar a moeda no ponto certo da palma é preciso confiança e algum jeitinho para mover a moeda até que fique no ponto exato.

Como antes, pratique o truque e verifique no espelho se parece natural.

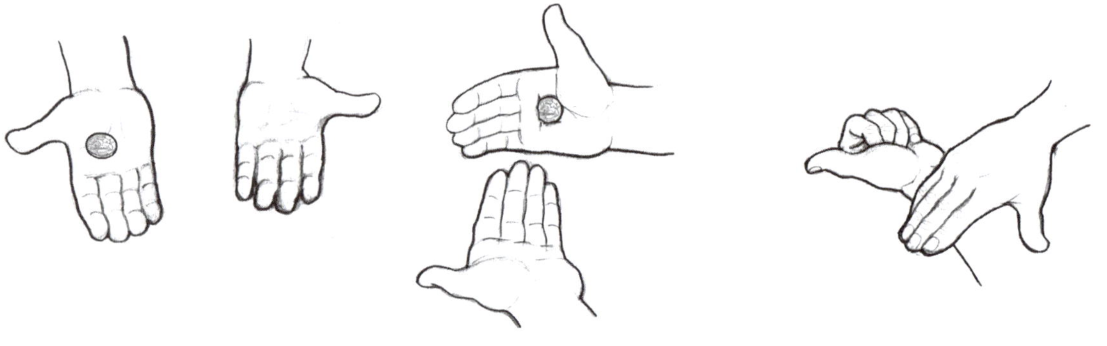

Acima explicamos três sumiços fáceis mas, como dissemos no princípio, o importante é fazer a moeda reaparecer. Uma ótima solução que se pode usar com qualquer um dos sumiços é a "tosse". Envolve um tapinha e um floreio.

No início do truque, diga à plateia que você tem um buraco no alto da cabeça. Incline-se e deixe que procurem. Pergunte se conseguem ver. Vão dizer que não, pareça meio confuso e afirme que pode provar. Faça um dos sumiços acima, digamos, a Saída à Francesa, mas não mostre a mão direita vazia. Em vez disso, bata com ela no alto da cabeça. Então leve a mão esquerda à boca e tussa, deixando a moeda cair. Pegue-a com a mão direita. Vai parecer que você passou a moeda por dentro da cabeça! Lembre-se, é a suavidade dos movimentos que conta. E se lhe pedirem que faça outra vez, recuse. Não revele os seus truques à toa.

LUZ

O que é luz? Sem o sentido humano da visão, a palavra "luz" não teria significado. A luz entra em nossos olhos e "vemos" as coisas. Isso é uma sensação mental e a luz é a sua causa física. O efeito mental causado pela luz ainda é um dos mistérios da mente, mas sabemos muito sobre o lado físico da luz.

As coisas que vemos podem ter a sua própria fonte de luz, como as lâmpadas, ou podem refletir a luz de uma fonte, do Sol, por exemplo. Vemos a maioria das coisas por meio dessa luz refletida ou emprestada.

A origem de todas as fontes de luz é a vibração dos átomos. A lâmpada, por exemplo, usa eletricidade para aquecer um filamento até que ele emita energia sob a forma de luz branca. Essa luz move-se a 300 mil km por segundo no espaço vazio. Viaja em ondas ou num fluxo constante de ondas, como oscilações num laguinho. As ondas têm comprimento curtíssimo (medido da crista de uma onda à outra): entre 0,00006350 cm e 0,00003175 cm, dependendo da cor.

Quando a luz brilha sobre um corpo não luminoso (como uma mesa), estimula os seus átomos de várias formas. Alguns desses átomos absorvem toda a luz que cai sobre eles, outros só absorvem parte da luz e refletem o resto. Finalmente, a luz chega ao olho e produz na retina a imagem do objeto visto. Assim, "vemos" e reconhecemos as diversas partes do objeto.

As ondas de luz de comprimento diferente é que criam a sensação de cor quando atingem o olho.

Essas ondas podem ser identificadas quando passam por um prisma e produzem uma faixa colorida chamada "espectro", vermelha numa ponta, passando pelo alaranjado, amarelo, verde, azul vivo, azul-anil, até chegar ao violeta na outra ponta. Uma boa maneira de lembrar a ordem das cores do espectro é decorar as suas iniciais: V-A-A-V-A-A-V.

Quando se misturam cores, usando vidro colorido e um fundo branco, pode-se produzir qualquer cor, até mesmo as que não estão no espectro, como o marrom. O olho não consegue perceber a composição da mistura de luz que resulta numa cor específica, por exemplo, o amarelo é uma cor simples, mas pode ser produzida misturando luz vermelha e luz verde na proporção correta. O branco é formado pela mistura de todas as cores simples da luz. O modo clássico de ver isso é colorir um disco de cartolina com as cores do arco-íris e passar um lápis pelo meio. Quando se gira o disco com rapidez, as cores vão se misturar e produzir o branco.

Ao olharmos uma gota de chuva, dizemos que é transparente e achamos que a luz passa direto por ela. Na verdade, parte da luz se reflete nas superfícies internas. A luz é desviada ou "refratada" quando entra na gota de chuva e, outra vez, quando sai.

As gotas de chuva agem igualzinho a prismas grosseiros de vidro ou gelo e formam o arco-íris. As gotas de água dividem a luz do sol nas cores do arco-íris "refratando" cada uma das cores diferentes da luz em ângulos diferentes.

Você pode verificar: a sua sombra sempre aponta diretamente para o meio do arco-íris. Também vai ouvir falar de um "caldeirão de ouro" na ponta do arco-íris. Infelizmente, o arco-íris não tem ponta. Quando você se desloca, o arco-íris se desloca com você. Pode parecer estranho, mas duas pessoas nunca veem exatamente o mesmo arco-íris. Em geral, eles surgem quando o Sol está bem baixo, no início da manhã e no fim da tarde. Quanto mais baixo o Sol, mais alto o arco-íris.

A cor é coisa da mente enquanto a luz é puramente física, mas não se pode ter uma sem a outra.

EXPRESSÕES LATINAS QUE TODO GAROTO DEVERIA CONHECER

O português é uma língua muito ligada ao latim, já que se trata de um bis bis bisneto seu, guardando ainda muitos elementos da língua original. Por exemplo, agenda significa "coisa a fazer", vídeo significa "eu vejo". E como no passado os latinos conquistaram toda a Europa, outras línguas do velho continente contêm também elementos deste fascinante idioma. Tanto os alemães como os ingleses usam *exit* sem saber que significa "ele sai". Muitos exemplos poderiam ser dados. Descobrir como se formaram as palavras proporciona a você novos conhecimentos e ideias.

As expressões latinas surgem na conversa e nos tribunais. Também demonstram um ótimo nível de instrução, mas veja bem: se pretende aprender esta lista para se exibir, saiba que essa não é uma boa razão.

O latim é uma língua tão exata que aprendê-la pode ser um prazer, mas a principal razão deste capítulo é cultural. Quem sabe português precisa saber um pouco de latim. As expressões a seguir só pretendem ser uma pequena amostra do todo.

Aprenda uma por dia, quem sabe. Em alguns casos, há exemplos do uso.

1. A POSTERIORI. É o oposto de *a priori* e faz parte da expressão: *a posteriori ratione*. Indica que é um raciocínio calcado no que veio depois, com base na experiência conseguida por meio da observação ou experimentação.

2. A PRIORI. Primeiro de dois, anterior. Exemplo: "A *priori*, não podemos condená-lo sem provas."

3. AD INFINITUM. Até o infinito; que prossegue interminavelmente. "E assim por diante, *ad infinitum*..."

4. ALEA JACTA EST. Os dados foram lançados. Júlio César disse isso no rio Rubicão, quando decidiu atravessá-lo. Queria dizer: "Está feito. A decisão foi tomada."

5. ANNO DOMINI. No ano do Nosso Senhor. Exemplo: "Foi no ano de Nosso Senhor de 1492 que Colombo singrou o oceano azul."

6. ANTE MERIDIEM. Antes do meio-dia; em inglês, corresponde à abreviatura a.m.

7. AQUA VITAE. Água da vida. Costuma significar aguardente, uísque ou qualquer outra bebida destilada.

8. AUDIO. Eu ouço. A pronúncia dos romanos provavelmente lembrava o nome dos carros Audi.

9. BONA FIDES. Bona Fides são credenciais que demonstram boa-fé ou honestidade.

10. CARPE DIEM. Agarre o dia, ou aproveite bem o seu tempo.

11. CAVE CANEM. Cuidado com o cão. Letreiro encontrado num chão de mosaico em Pompeia, por exemplo.

12. CIRCA. Por volta de, aproximadamente. Júlio César nasceu circa 100 a.C.

13. COGITO ERGO SUM. "Penso, logo existo." Conclusão famosa do filósofo francês René Descartes. Ele achou que esta declaração era a única prova defensável da vida. Tudo o mais poderia ser fantasia.

14. CURRICULUM VITAE. O curso da vida — ou histórico escolar e de trabalho. Em geral, abreviado como CV.

15. DEUS EX MACHINA. Literalmente, deus saído da máquina, como na hora em que os dramaturgos gregos faziam Zeus descer do céu pendurado em arames para resolver problemas do enredo. Passou a significar histórias mal contadas onde alguma força externa faz tudo dar certo no final.

16. **DULCE, ET DECORUM EST PRO PATRIA MORI.** "É doce e correto morrer pela pátria". Verso de Horácio.

17. **ERGO.** Portanto.

18. **EXEMPLI GRATIA.** Por exemplo, em geral, abreviado como "e.g."

19. **FIAT LUX!** Faça-se a luz.

20. **HABEAS CORPUS.** Literalmente, "tendes o corpo". Passou a significar que não se pode prender alguém sem julgamento; o "corpo" tem de ser levado ao tribunal.

21. **IN CAMERA.** Em segredo, não às claras. "A reunião aconteceu in camera".

22. **IN FLAGRANTE DELICTO.** Em incidência de infração; pego no ato do crime.

23. **IPSO FACTO.** Pelo próprio fato. "Fechei a minha casa a você. Ipso facto, você não vai entrar."

24. **MAGNA CUM LAUDE.** Com grande louvor e honra. "Ele se formou magna cum laude".

25. **MODUS OPERANDI.** Método de ação; o estilo, os hábitos profissionais de alguém.

26. **NON COMPOS MENTIS.** Não de mente sã. Maluco.

27. **NON SEQUITUR.** Que não se segue que — um argumento mal-apresentado. "Ele nunca toma banho. Deve preferir gatos a cachorros."

28. **NOTA BENE.** Observe bem. Em geral, abreviado como "n.b." Observe que "Id est" também é muito comum e significa "isto é". "Id est" costuma ser abreviado como "i.e".

29. **PATERFAMILIAS.** Pai da família; o chefe da família.

30. **PERSONA NON GRATA.** Pessoa que não é bem-vinda.

31. **POST MERIDIEM.** Depois do meio-dia; em inglês, corresponde à abreviatura p.m.

32. **POST MORTEM.** Depois da morte, póstumo. Costuma ser usado para designar a autópsia, ou cirurgia póstuma feita para determinar a causa da morte.

33. **POSTSCRIPTUM.** Literalmente, "coisa que foi escrita depois". Costuma ser abreviada como "p.s."

34. **QUIS CUSTODIET IPSOS CUSTODES?** Quem guarda os guardas?

35. **QUOD ERAT DEMONSTRANDUM.** O que era para ser demonstrado. Costuma ser escrito como QED no final das demonstrações.

36. **QUO VADIS?** Para onde vai?

37. **REQUIESCAT IN PACE.** "Que descanse em paz". Costuma-se usar a abreviatura RIP.

38. **SEMPER FIDELIS.** Sempre fiel. Lema do Corpo de Fuzileiros Navais dos Estados Unidos. O lema dos Reais Fuzileiros Navais britânicos é "Per mare per terram" — por mar, por terra. Já o Corpo de Fuzileiros Navais da Marinha do Brasil é "Ad Sumus" – aqui estamos.

39. **SENATUS POPULUSQUE ROMANUS.** O senado e o povo de Roma. As legiões imperiais levavam SPQR escrito em seus estandartes. É engraçado, mas ainda se vêem essas letras nas tampas de bueiros da Roma moderna.

40. SIC. Assim. É usado para que o leitor saiba que aquilo que acabou de ler, por mais estranho que pareça, é assim mesmo. Alguns estudiosos alegam que deste advérbio teve origem o "sim".

41. STATUS QUO. "O estado das coisas." A situação atual. Exemplo: "É fundamental manter o status quo."

42. SUB ROSA. Sob a rosa; secreto. Vem do costume de colocar uma rosa sobre a moldura da porta para indicar que o que se dissesse ali dentro não deveria ser repetido.

43. TABULA RASA. Literalmente, "tabuleta raspada". Ficha limpa. Estado de inocência.

44. TERRA FIRMA. Terreno sólido.

45. TERRA INCOGNITA. Terra desconhecida. Usado em mapas antigos para mostrar as regiões ainda inexploradas.

46. VADE RETRO SATANA! É uma ordem para se livrar dos desejos ou da tentação de pecar.

47. VENI, VIDI, VICI. Vim, vi e venci. Dito por Júlio César depois de uma revolta na Grécia, que ele sufocou numa tarde.

48. VERSUS. Contra; em geral, abreviado como "v" ou "vs".

49. VETO. Proíbo.

50. VOX POPULI. Voz do povo.

E OS NÚMEROS...

Os algarismos romanos são só sete. Ei-los: **I, V, X, L, C, D** e **M** (1, 5, 10, 50, 100, 500 e 1.000.) Com esses sete apenas, podem-se formar todos os outros números. A única dificuldade é saber que alguns números, como 4 e 9, são formados como **IV** e **IX** — um a menos que cinco, um a menos que dez. Este padrão é usado em todos os números romanos e, assim, 999 é **IM**. E é só isso. Fique dez minutos estudando esta página e depois leia todas as lápides que encontrar.

I II III IV V VI VII VIII IX X (1-10)

XI XII XIII XIV XV XVI XVII XVIII XIX XX (11-20)

XXX (30) **XL** (40) **L** (50) **LX** (60) **LXX** (70) **LXXX** (80) **XC** (90) **C** (100)

O ano de 1924, por exemplo, seria representado como **MCMXXIV**.

COMO JOGAR PÔQUER

Todo garoto deveria conhecer este jogo, mas tome cuidado. Ele tem muito pouco a ver com a sorte. Nos cassinos de Las Vegas, os grandes apostadores ficam longe das mesas de pôquer, porque jogar contra especialistas é um jeito humilhante de dar dinheiro a estranhos. Para muitos jogadores, a roleta é mais atraente; pelo menos, se forem mandados de volta para casa levando consigo somente a cueca só poderão culpar a si mesmos.

Há dúzias de variantes do pôquer e vamos tratar apenas de duas delas, que são muito populares: Five-Card Draw (pôquer fechado de cinco cartas) e Texas Hold-'Em. Aqui vale a pena mencionar que o pôquer é um jogo que tem de ser jogado a dinheiro. Ninguém corre riscos se puser todos os seus palitos de fósforo na mesa, logo, não há razão para blefar. É possível limitar as apostas a um nível que não o obrigue a vender o seu cachorro, mas que lhe dê aquela sensação de ganhar alguma coisa.

PÔQUER FECHADO DE CINCO CARTAS

A meta é derrotar os outros jogadores. Isso se consegue mudando as apostas de repente, blefando ou tendo uma mão melhor. A primeira coisa a aprender é o valor das mãos. Aqui estão elas, na ordem:

A melhor mão possível é a *sequência real* ou *royal flush* — todas as cartas do mesmo naipe numa sequência do ás ao 10. A probabilidade de receber esta mão é de 1/650.000. Seria um acontecimento único na vida de alguém receber uma dessas nas primeiras cinco cartas. Depois dela vem a sequência de naipe ou *straight flush*; mais uma vez, todas as cartas em sequência e do mesmo naipe, mas com valores mais baixos: 4, 5, 6, 7, 8 de paus, por exemplo. Mesmo essa tem uma probabilidade de apenas 1/72.000.

QUADRA. A PROBABILIDADE DE RECEBÊ-LA DE PRIMEIRA É 1/4.000.

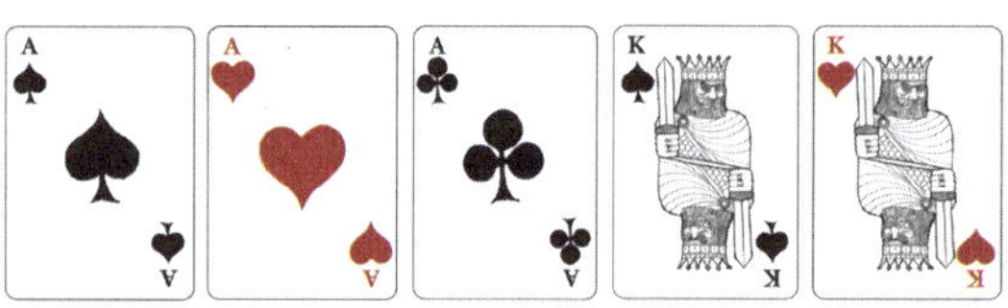

FULL HOUSE ("CASA CHEIA"). UMA TRINCA E UM PAR. NO REINO DAS PROBABILIDADES, TALVEZ 1 EM 700.

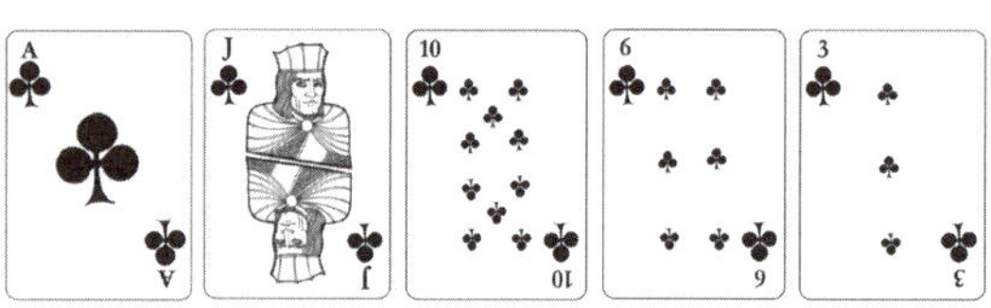

NAIPE OU FLUSH. TODAS AS CARTAS DO MESMO NAIPE, MAS COM VALORES MISTURADOS. PROBABILIDADE: 1/500.

SEQUÊNCIA OU STRAIGHT. CINCO CARTAS EM SEQUÊNCIA, MAS DE NAIPES DIFERENTES. 2, 3, 4, 5, 6, POR EXEMPLO, OU O JOGO MAIS ALTO VISTO NA FIGURA. PROBABILIDADE: 1/250.

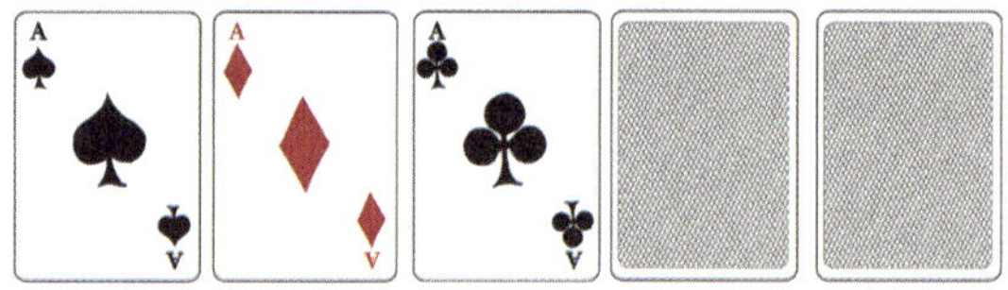

TRINCA. TRÊS CARTAS DO MESMO VALOR. PROBABILIDADE: 1/50.

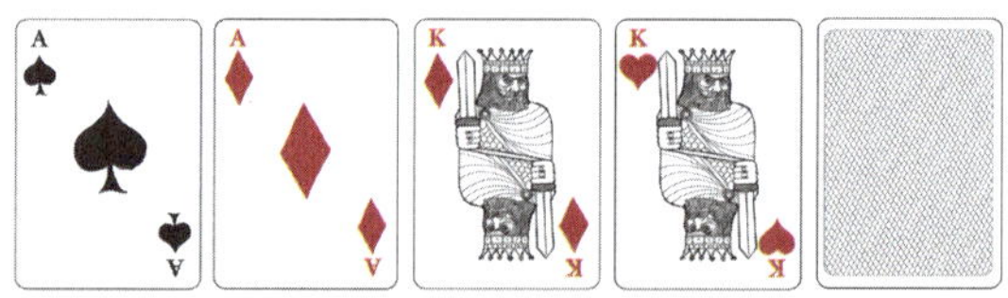

DOIS PARES. PROBABILIDADE: 1/20.

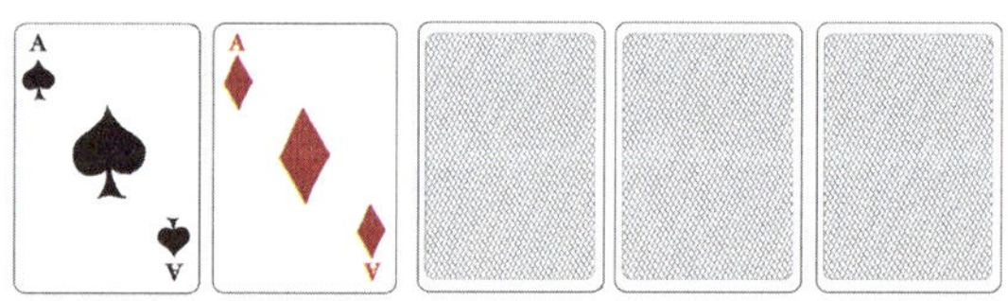

UM PAR. PROBABILIDADE: 1/2,5.

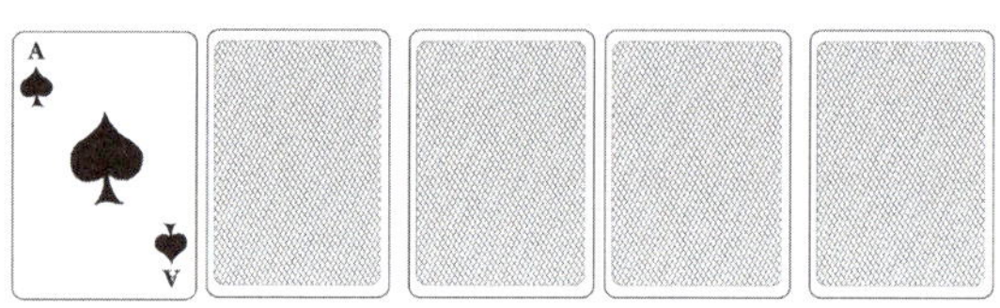

CARTA MAIS ALTA OU NENHUM PAR. PROBABILIDADE: 1/2.

Decore esses valores e o que significam. Você não vai poder consultar o livro quando estiver jogando.

O jogo doméstico clássico tem quatro jogadores, mas também se pode jogar com cinco e até seis pessoas.

Comece pingando na mesa o valor combinado (chama-se "pingo" o valor mínimo que todos devem pagar para entrar no jogo.) Isso é para impedir que quem sai com uma mão ruim abandone automaticamente o jogo. Se um jogador não fizer nada além de continuar no jogo, poderá ficar com o pingo; isso já é ganhar alguma coisa.

Para começar, escolhe-se o carteador. O posto de carteador circula pelos jogadores da mesa no sentido horário. Em geral, o carteador embaralha as cartas e depois bate o baralho na mesa, para que a pessoa à sua direita o corte.

Em seguida, o carteador dará cinco cartas, com a face para baixo, a cada jogador. Elas serão examinadas sem serem mostradas a ninguém.

Segue-se uma rodada de apostas. As apostas também rodam no sentido horário e, assim, quem está à esquerda do carteador é o primeiro a pôr dinheiro na mesa. Como exemplo, digamos que a aposta seja de dez centavos.

Fazendo o círculo, cada jogador agora tem três opções.

1. PAGA DEZ CENTAVOS PARA CONTINUAR E DIZ: "CUBRO OS SEUS DEZ". TAMBÉM SE DIZ "PAGO".

2. PODE AUMENTAR A APOSTA, DIZENDO: "PAGO OS SEUS DEZ E AUMENTO MAIS DEZ".

3. PODE BAIXAR AS CARTAS, DIZENDO "PASSO", E SAIR DA RODADA.

A pessoa que abriu as apostas pode agora dizer "mesa" e não apostar. Pode ser um blefe ou uma mão fraca. Os outros jogadores também podem responder com "mesa", mas se alguém apostar de novo pondo dinheiro na mesa todos terão de igualar a aposta ou sair da rodada.

Se as apostas de dez centavos derem outra volta na mesa, termina a rodada de apostas. Ela não pode ser aumentada pelo primeiro a apostar.

Se alguém aumentar a aposta, dizendo "pago os seus dez centavos e aumento mais dez", estará mostrando confiança na mão que tem. Para continuar no jogo, agora todo mundo terá de igualar esta aposta de vinte centavos.

Quando a rodada de apostas terminar, o carteador oferece à pessoa à sua esquerda a possibilidade de trocar até três cartas. Se o jogador já tiver uma mão excelente, pode recusar a oferta. No entanto, a maioria dos jogadores vai trocar, mantendo o par de setes recebido, por exemplo, na esperança de conseguir mais um.

Se você acha que matemática não é o seu forte, não deve mesmo jogar pôquer a dinheiro. É melhor fazer doações para caridade, como vai acabar mesmo no bolso dos outros, assim o seu dinheiro será mais bem empregado.

Algumas probabilidades úteis para aumentar as suas chances

• TRINCA, TROCA DUAS CARTAS; PROBABILIDADE DE CONSEGUIR UMA QUADRA OU UM FULL HOUSE: 1/9

• TRINCA, TROCA UMA CARTA; PROBABILIDADE DE CONSEGUIR UMA QUADRA OU UM FULL HOUSE: 1/12

• PAR, TROCA TRÊS CARTAS: PROBABILIDADE

DE MELHORAR PARA DOIS PARES: 1/6

• PAR, TROCA TRÊS CARTAS: PROBABILIDADE DE MELHORAR PARA UMA TRINCA: 1/9

• PAR, TROCA TRÊS CARTAS: PROBABILIDADE DE MELHORAR PARA UM FULL HOUSE: 1/98

Há dúzias de probabilidades a mais, os bons jogadores conhecem todas.

Outro cálculo necessário serve para saber se ganhar aquele pingo específico compensa a aposta.

$$\frac{\text{VALOR TOTAL NA MESA} \times \text{“PROBABILIDADE DE GANHAR”}}{\text{POTENCIAL DE PERDA}} = \text{CHANCE DE O INVESTIMENTO DAR CERTO}$$

Se a resposta for maior do que 1, provavelmente será uma boa aposta, mas observe que “probabilidade de ganhar” é uma fração que só pode ser estimada.

(50 CENTAVOS X 0,4) / 10 CENTAVOS = 2,0 = BOA APOSTA

O aspecto final do pôquer é a capacidade de “ler” os outros, não só a expressão do rosto, mas também os padrões da aposta. Talvez, quando jogar com um fulano, você perceba que, sempre que ele tem uma boa mão, faz uma aposta bem grande na primeira oportunidade. Você pode evitar as rodadas em que ele agir assim, mas sempre há a possibilidade de que o tal fulano esteja de propósito criando um padrão para as mãos boas só para usá-lo depois numa mão ruim e ver todo mundo dizer “passo”... Isso é que é blefar.

Em essência, este é o pôquer fechado, agora só falta a inestimável experiência. A possibilidade de obter boas mãos aumenta quando se usam coringas. Se numa mão você receber um deles, pode utilizá-lo para ser o que quiser. Isso põe no lixo aquelas probabilidades. De repente, mãos impossíveis como cinco ases passam a ser possíveis.

TEXAS HOLD-’EM

Este é o tipo de pôquer usado nos campeonatos mundiais. Primeiro, os dois jogadores à esquerda do carteador ou crupiê fazem o “small blind” e o “blind” — ou seja, apostas às cegas. Em geral, correspondem respectivamente a metade da aposta mínima e à aposta mínima. Conforme o jogo prossegue e o limite das apostas sobe, o seu valor vai ficando mais alto e o jogador pode até apostar todas a suas fichas (o famoso “all-in”).

Cada jogador recebe duas cartas com a face para baixo. São as suas cartas.

Há uma rodada de apostas, exatamente como descrito anteriormente, com aumentos, jogadores que passam etc. Costuma-se dizer “Pago” quando se iguala a aposta sem aumentá-la.

Quando as apostas terminam, o crupiê dá o “Flop” — três cartas postas sobre a mesa, com a face para cima, para que todos possam vê-las.

Depois do Flop, há outra rodada de apostas, começando com o jogador à esquerda do crupiê. Ele pode apostar, passar ou pedir mesa, como no jogo fechado de cinco cartas. Se pedir mesa e a pessoa seguinte apostar, terá de igualar a aposta, mas agora terá uma idéia melhor de como estão as mãos do jogo. Por isso, às vezes é taticamente útil dar mesa.

O crupiê baixa outra carta com a face para cima, o “Turn” (“virada”), que dá início a outra rodada de apostas partindo da esquerda. Quando esta rodada termina, baixa-se a última carta, "River" ("rio").

Agora há cinco cartas abertas na mesa e duas fechadas nas mãos de cada jogador. Embora haja sete cartas disponíveis, a meta é formar a melhor mão possível com cinco cartas.

O blefe tem papel importantíssimo nesta versão de pôquer e as apostas costumam ser muito mais altas do que no jogo fechado de cinco cartas, já que os jogadores continuam no jogo para ver se as novas cartas melhoraram a sua mão.

A última rodada de apostas começa com o jogador à esquerda do crupiê, como antes.

ALGUMAS PROBABILIDADES NO TEXAS HOLD-'EM

1. PROBABILIDADE DAS CARTAS DA MÃO

Um par qualquer	1/16
Ás e rei de naipes diferentes	1/110
Pelo menos um ás	1/5,7
Duas cartas do mesmo naipe	1/3,25

2. PROBABILIDADE DE MELHORAR COM O FLOP

A SUA MÃO	O FLOP LHE DÁ	PROBABILIDADE
Um par	Uma trinca	1/10
Duas cartas quaisquer	Dois pares	1/48,5
Duas cartas do mesmo naipe	Flush	1/118

3. PROBABILIDADE DE MELHORAR COM O TURN

DE	PARA	PROBABILIDADE
Quatro cartas de um naipe	Flush	1/4,2
Trinca	Quadra	1/46
Dois pares	Full house	1/10,8
Um par	Trinca	1/22,5

4. PROBABILIDADE DE MELHORAR NO RIVER

DE	PARA	PROBABILIDADE
Quatro cartas de um naipe	Flush	1/4,1
Trinca	Quadra	1/45
Dois pares	Full house	1/10,5
Um par	Trinca	1/22
Nada	Um par	1/6,7

O último conselho é: "Não tente completar uma sequência pelo meio". Digamos que você estcja jogando o pôquer fechado e tenha 4, 5, 6, 8 e Rei; talvez se sinta tentado a trocar aquele rei na esperança de conseguir um sete e fazer 4, 5, 6, 7, 8 — uma mão excelente. Há 47 cartas que você não viu e só quatro delas são setes. 4/47 é quase 1/12. No entanto, completar uma sequência pelas pontas tem o dobro da probabilidade.

Na verdade, é importante perceber que o pôquer é um jogo difícil. A regra de ouro é: "Se você não perceber quem é o pato na mesa, ele é você."

MISTÉRIO NA SELVA

A ideia de encontrar uma cidade perdida no meio da selva, cheia de ouro e outras riquezas, mexeu com a imaginação dos exploradores europeus desde que o Novo Mundo foi descoberto. Com o arqueólogo e explorador inglês coronel Percy Harrison Fawcett não foi diferente.

Em 1925, ele se embrenhou na floresta Amazônica em busca de uma certa "Cidade Abandonada" e desapareceu para sempre. Ele não estava sozinho. Acompanhavam-no na aventura seu filho Jack e um amigo, Raleigh Rimell, que também sumiram, sem deixar rastros.

Fawcett não teve sossego depois de descobrir um documento na Biblioteca Nacional do Rio de Janeiro, atribuído aos bandeirantes, que mencionava uma antiga cidade perdida no interior do Brasil. Trazia ainda alguns símbolos indecifráveis de uma escrita desconhecida que os bandeirantes haviam copiado em vários pontos desse lugar misterioso.

Mais jovem, a serviço da Inglaterra no Ceilão, atual Sri Lanka, Fawcett encontrou estranhas inscrições numa pedra. Ficou surpreso quando reconheceu os mesmos caracteres no documento dos bandeirantes brasileiros e decidiu que era hora de desvendar o segredo. Organizou sua expedição e partiu rumo à serra do Roncador, no Mato Grosso, onde ele acreditava que a cidade estava localizada.

Não era a primeira vez que o explorador vinha ao Brasil. Em 1906, tinha feito o mapeamento da Amazônia para a Royal Geographical Society. Executou também o levantamento de um rio na fronteira da Bolívia com o Mato Grosso.

Com a autorização do governo brasileiro, promoveu uma primeira tentativa de alcançar a Cidade Abandonada em 1920. Não foi bem-sucedido, mas não desistiu. Fawcett era teimoso. Voltou cinco anos mais tarde, com o filho Jack e Raleigh Rimell.

O trio entrou na selva acompanhado por guias indígenas em busca do lugar misterioso, provavelmente cercado por altas muralhas de pedra e repleto de arcos, colunas e tesouros.

A última comunicação do explorador com o mundo foi um telegrama datado do dia 30 de maio de 1925 e enviado à Royal Geographical Society. Dava sua posição aos 11 graus e 43 minutos de latitude Sul, num lugar batizado por ele de Campo do Cavalo Morto. Dizia que estava entrando em "território desconhecido" e que havia dispensado os seus guias.

Diversas expedições de resgate foram organizadas desde então sem nenhum sucesso. Os ingleses jamais foram vistos e ninguém teve qualquer notícia sobre eles.

Acontece que Fawcett, como todo bom explorador, era cheio de truques. Ele costumava dar pistas falsas para que nenhum outro aventureiro o seguisse ou chegasse antes dele à Cidade Abandonada. Foi por isso que mandou de volta os guias quando achou que estava perto de seu objetivo. É bem possível também que a posição informada no telegrama não fosse a verdadeira, apenas para despistar eventuais concorrentes.

A hipótese mais provável é que Fawcett e seus companheiros tenham sido mortos pelos índios. Ele estava em território dos nafuquá quando se despediu dos guias. O cacique desse povo, Aloique, garantiu, tempos depois, que o trio foi trucidado pelos índios suiás, que, por sua vez, acusaram os calapalos como responsáveis pelo massacre...

Os calapalos foram, de fato, os últimos a ver os ingleses. Há uma versão que dá como motivo para o assassinato o modo agressivo com que Fawcett tratou os curumins da aldeia, que, curiosos, rondavam o acampamento e ficavam xeretando nos equipamentos dos exploradores. Os pais das crianças não gostaram nada disso e resolveram se vingar. Fawcett foi abatido com uma borduada na cabeça e enterrado junto a uma árvore. Jack e Raleigh foram flechados perto da Lagoa Verde, na verdade, um braço do rio Culuene que fica isolado na estação da seca, e depois empurrados para dentro da água.

Em 1951, 26 anos depois do desaparecimento da equipe, os sertanistas Orlando e Cláudio Villas Bôas conseguiram arrancar dos calapalos a confissão do crime. Pediram então que os índios os levassem até o local onde o explorador havia sido enterrado. Lá, depois de escavar a cova, encontraram a ossada de um homem branco.

O esqueleto foi enviado à Inglaterra para ser examinado e o laudo emitido concluía não pertencer ao explorador inglês. Os ossos foram, então, devolvidos por seus familiares ao Brasil. Só a identificação através de exames de DNA poderia pôr fim ao mistério.

Como ele era budista e interessado em filosofia, ocultismo e outros assuntos esotéricos, alguns místicos garantem que o inglês e seus dois acompanhantes conseguiram encontrar a Cidade Abandonada e resolveram não voltar nunca mais à civilização.

Quem quiser acreditar nisso que acredite. Hoje, o coronel Percy Harrison Fawcett transformou-se numa lenda e, nas lendas, tudo é possível.

BOLINHAS DE GUDE

Os romanos jogavam bolinhas de gude. Eram feitas de pedra, argila ou mármore (que eram as melhores). Hoje em dia, ainda se encontram bolinhas de gude de vidro e porcelana na maioria das lojas de brinquedo. Para jogar só é preciso um saco de bolinhas e gosto pela competição.

Pensamos em fazer algumas bolinhas, mas as altas temperaturas necessárias na confecção transformariam este volume no Livro Suicida para Garotos. Vidro de várias cores é injetado dentro do vidro vazado, depois cortado em cilindros e jogado numa esteira rolante onde as bolinhas giram até ficarem perfeitas.

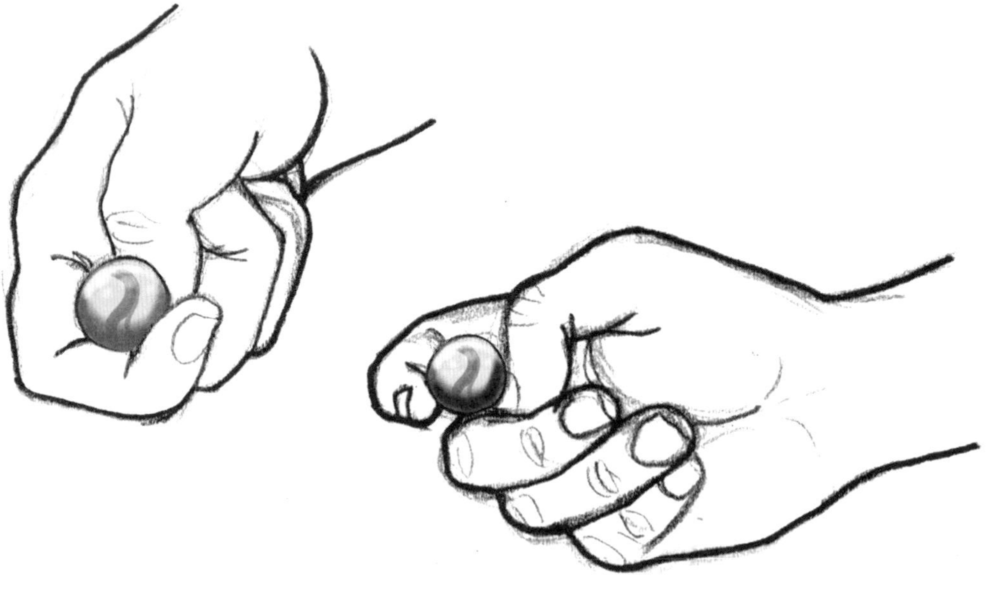

A técnica mais comum para impulsionar a bola atiradeira, aquela que é usada para mover as outras, é dando um peteleco. No entanto, os profissionais (e eles existem) preferem posicionar o indicador por cima. Usando o dedo como leme, é possível conseguir precisão maior no lançamento, embora gostássemos mais do método peteleco que aprendemos na escola. No peteleco, há o perigo de deixar a bolinha cair e não atingir nenhuma outra, o que seria uma vergonha e pode fazer com que você perca o jogo.

OS DOIS JOGOS QUE VOCÊ TEM DE CONHECER

Biroca (ou bolinha box)

Faz-se quatro buracos na terra, chamados birocas, búlica ou box. Os jogadores (de 2 a 4) jogam suas bolas em direção à primeira biroca. Quem chegar mais perto começa o jogo. É preciso acertar sua bolinha nesta primeira biroca e, a seguir, nas demais, para depois "matar" as outras bolinhas do jogo. Se o jogador erra um lance, seja de uma biroca para outra ou a bolinha do adversário, perde a vez. Depois que o jogador percorreu todo o circuito de birocas e sai para "matar", quem ele acerta com sua bolinha é eliminado da brincadeira.

Triângulo

É um pouco mais difícil, exigindo habilidade, mas também é divertido. Um triângulo é riscado no chão (com giz) ou na terra. As bolinhas são colocadas dentro dessa área. Daí em diante, os jogadores se revezam para "matar" as bolas dos adversários, que devem ser atiradas para fora do triângulo. O jogo termina quando não existem mais bolas dentro do triângulo. Pode ser feita uma aposta com as próprias bolinhas, e o jogador que tirá-la do triângulo, ganha a bolinha.

Jogar gude não tem nada a ver com quantas bolinhas se podem comprar, tem a ver com as que você ganha e perde. Tem a ver com a sua habilidade e com o famoso espírito esportivo.

BREVE HISTÓRIA
DA ARTILHARIA

A capacidade de atingir o inimigo a distância foi sempre buscada, tanto pelos soldados quanto pelos generais. Já foram encontrados arcos de 7.400 a.C., conservados numa turfeira de Holmegaard, na Dinamarca. Talvez eles existam desde 20 mil a.C. Embora sejam armas poderosas e precisas, sempre se procuraram maneiras de causar mais destruição a uma distância maior. Afinal de contas, só com arqueiros não se consegue subjugar uma cidade.

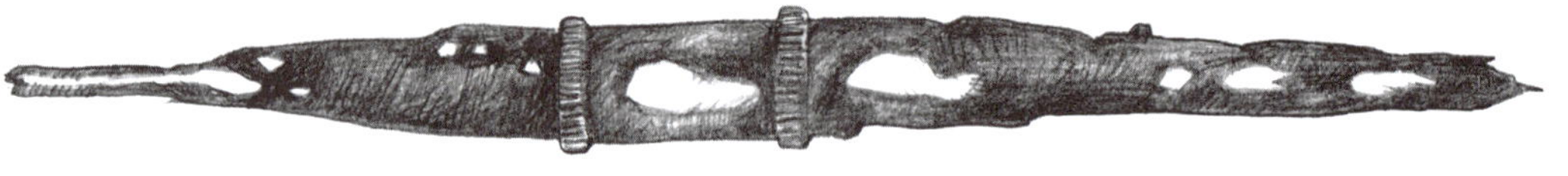

O ARCO DE TEIXO DE MEARE HEATH, ENCONTRADO EM SOMERSET, NA INGLATERRA, E DATADO DE CIRCA 2500 A.C.

Arquimedes foi um dos mais famosos inventores antigos de armas de artilharia. Na defesa de Siracusa, de 214 a 212 a.C., usou espelhos de bronze para focalizar o sol e queimar navios inimigos.

Durante muito tempo a veracidade desta história foi posta em dúvida. No início da década de 1970, o Dr. Ioannis Sakkas, cientista grego, usou 60 marinheiros numa experiência para ver se isso seria possível. Todos os homens levaram grandes espelhos compridos e usaram-nos para focalizar o sol numa embarcação de madeira a 50 m de distância. O barco pegou fogo quase no mesmo instante.

Arquimedes foi um pensador extraordinário, o Leonardo da Vinci do seu tempo. Inventou várias outras armas de artilharia para afundar galés romanas ou afastá-las das muralhas da cidade. No entanto, não foi o único. Os gregos desenvolveram técnicas com polias, bombas de água, guindastes e até com um pequeno motor a vapor. Foi um período de avanço científico notável, todo ele útil para criar armas de destruição a distância.

As armas antigas baseavam-se no poder de impulsão do arco, puxado por músculos ou por uma catraca, como a figura abaixo. O uso das polias, especificamente, faz com que um homem sozinho possa realizar várias vezes uma ação que não exige esforço para mover pesos enormes bem devagar. Em outras palavras, armas pesadas podem ser novamente engatilhadas com o uso de alguns princípios simples.

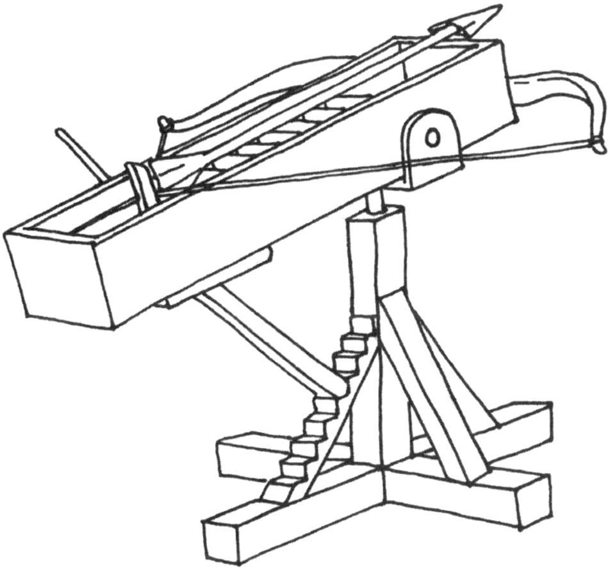

A força que se consegue torcendo chama-se "torção". Os romanos melhoraram as invenções gregas e aperfeiçoaram as cordas feitas de tendão e crina usadas como "mola". O pesado **Onagro** romano era capaz de lançar uma pedra de 45 kg a mais de 350 m de distância. "Onagro", em latim, significa um burro ou asno selvagem, com um coice de assustar. Nele, usa-se um princípio parecido com o da catapulta: um berço móvel parecido com uma funda e uma barra de torsão simples.

A Balista era uma máquina romana que lançava dardos ou pedras. Usava duas molas de torção e tinha um alcance de pouco mais de 400 m. Os romanos também aperfeiçoaram a balista de repetição, inventada por Dionísio de Alexandria. Girando simplesmente uma alavanca, a catraca voltava, a flecha caía no lugar e o disparo acontecia assim que a manivela chegava ao ponto máximo. Foi a primeira metralhadora, muito antes da pólvora.

Todas as legiões romanas levavam Onagros pesados e 30 arcos Escorpião, tipo de arma menor que podia ser levada numa só carroça. O sucesso dos romanos na guerra dependia de muito mais coisas além da disciplina e de um bom gládio!

O último tipo dessas máquinas foi o Trabuco, movido a contrapeso. Esse tipo de artilharia permitia lançar pesos ainda maiores. No entanto, o enorme contrapeso necessário para acioná-lo fazia com que o trabuco fosse praticamente imóvel depois de montado e só funcionasse bem no combate a cidades muradas. Máquinas assim foram usadas na Idade Média até a invenção do canhão. Usavam-se polias e catracas para baixar o braço e carregá-lo. Quando libertado, o braço lançava-se à frente e a parte em forma de funda voava como um chicote em alta velocidade.

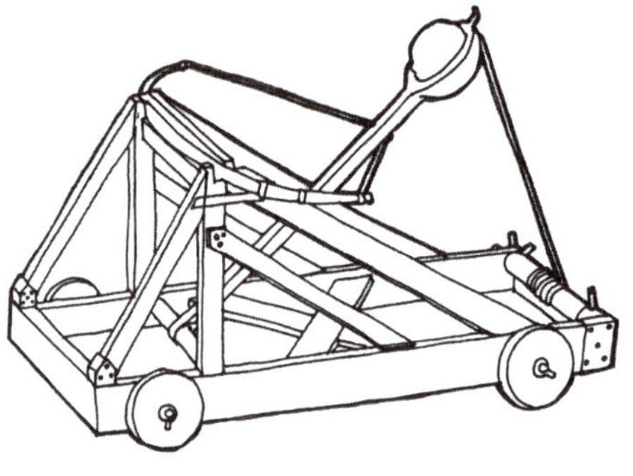

CATAPULTA BÁSICA USADA PELAS TROPAS GREGAS E ROMANAS

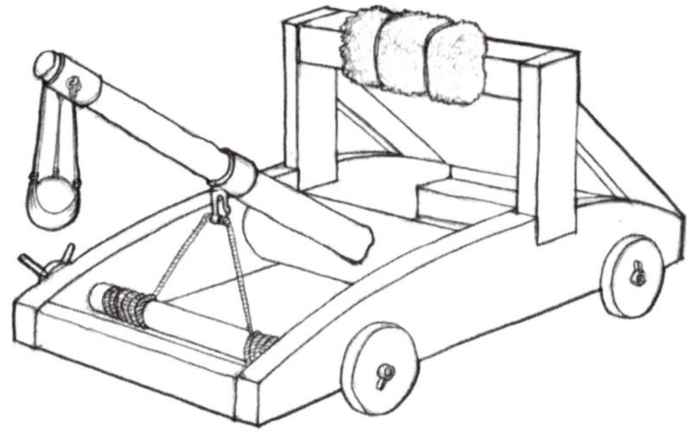

ONAGRO

Mais tarde, a pólvora e as técnicas de fundição de ferro combinaram-se para criar canhões de cano liso. Comparados às máquinas de guerra anteriores, tinham alcance muito maior e eram mais rápidos de carregar. Embora a China já conhecesse a pólvora no século XI, foram os países europeus que realmente exploraram o seu uso como carga propulsora no século XIII. Roger Bacon, o Arquimedes inglês, registrou em código, no século XIII, a fórmula da pólvora. A combinação de enxofre, carvão e salitre (nitrato de potássio) mudaria o mundo ocidental.

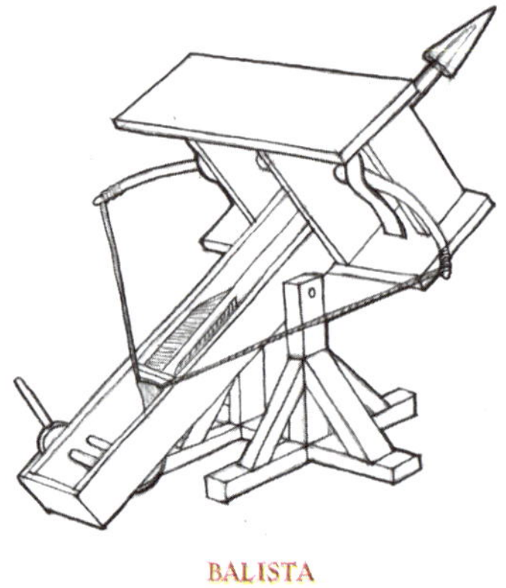

BALISTA

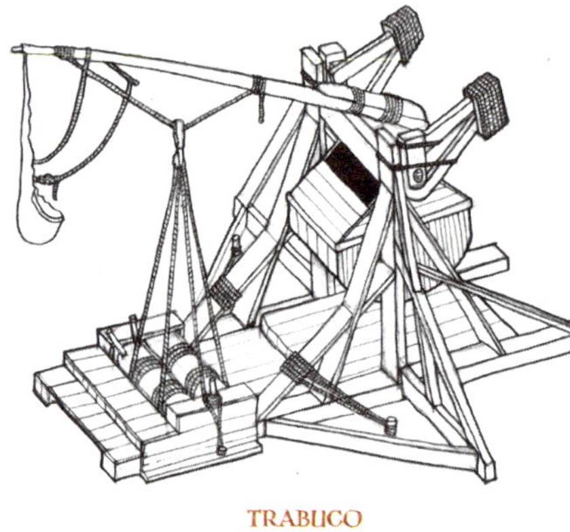

TRABUCO

A figura abaixo mostra "Mons Meg", canhão de Flandres fundido antes de 1489 e hoje guardado no castelo de Edimburgo, na Escócia. Disparava uma bola de pedra de 150 kg a uns dois quilômetros e meio de distância.

Durante os 600 anos que se seguiram, os canhões permaneceriam, em essência, os mesmos: carregados pela boca, acesos com mecha ou pederneira. Bolas de ferro passaram a ser usadas em vez de pedras, já que eram mais fáceis de produzir em massa com tamanho uniforme. Os canos de ferro fundido substituíram os de ferro forjado, mais mole. No mar, os canhões podiam disparar correntes ou barras para destruir o cordame inimigo e limpar o convés de grupos de abordagem. No entanto, em seus princípios básicos os canhões do almirante Nelson, em 1805, disparavam do mesmo jeito que os canhões do século XIII. Como acontece com todas as tecnologias duradouras, eles não foram substituídos, foram aperfeiçoados.

Os **Morteiros** e **Obuseiros** também foram aperfeiçoados durante o século XIX. O Morteiro dispara em ângulo bem vertical, quando comparado a um canhão, e o Obuseiro fica entre os dois. O progresso foi rápido e furioso, já que bastava uma única vantagem para fazer diferença na hora de vencer a guerra ou ser invadido.

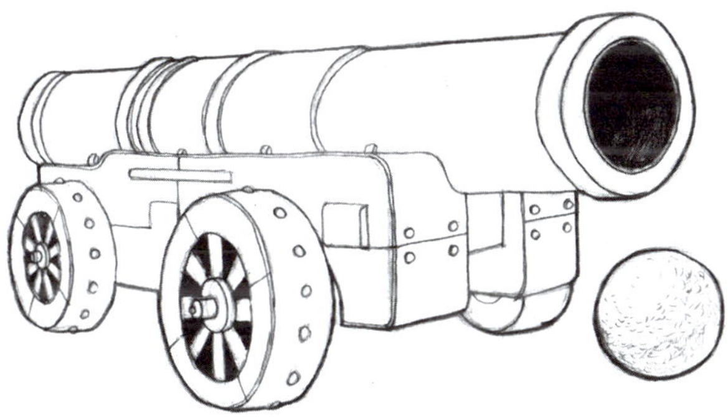

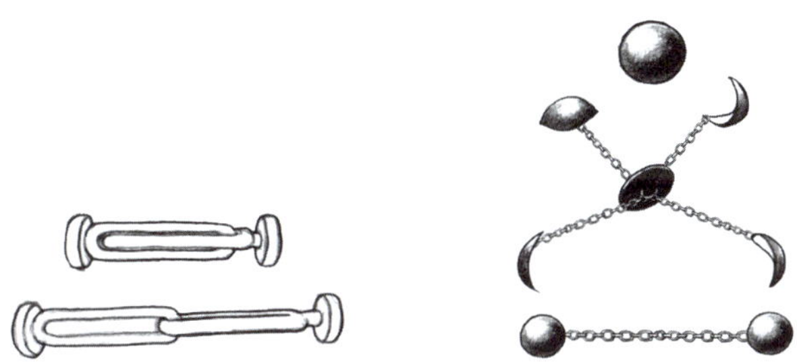

TIPOS DE MUNIÇÃO EM BARRA E CORRENTES DA MARINHA REAL BRITÂNICA

Estriar um cano é moldar linhas espiraladas por dentro dele, para fazer a bala ou granada sair dele girando. Isso lhe dá estabilidade giroscópica. Embora os canos estriados fossem usados há muito tempo nas armas portáteis, só passaram a ser empregados na artilharia por volta de 1860. Este novo tipo de artilharia era carregado pela culatra, tinha o cano reforçado e podia disparar granadas com precisão espantosa.

As versões mais pesadas dessas armas podiam ficar quilômetros atrás da linha de frente, lançando granadas imensas numa parábola (arco) sobre as posições inimigas.

Nenhum capítulo sobre artilharia estaria completo sem menção aos **carros de combate blindados**, popularmente conhecidos como **tanques**. A partir da Primeira Guerra Mundial, essas máquinas espantosas mudaram a guerra; peças poderosas de artilharia ficaram extremamente móveis, com sua guarnição bem protegida pela blindagem.

Atualmente, a artilharia pode assumir a forma de mísseis intercontinentais, capazes de atingir o inimigo a centenas e até milhares de quilômetros de distância, com mais força do que tudo o que foi citado neste capítulo. Em certo sentido, a artilharia chegou ao último estágio, em que cidades inteiras podem ser arrasadas sem que nenhum soldado entre na zona de combate.

Hoje as granadas podem ser blindadas com "urânio empobrecido" — urânio do qual se removeu a maior parte dos isótopos radioativos. É um metal pesado e duro o bastante para ser eficientíssimo como perfurante de blindagem. Embora seja de fato menos radioativo que o urânio encontrado na natureza, é quimicamente venenoso e não deve ser ingerido. O pó e os fragmentos de granadas de urânio empobrecido continuam perigosos durante muito tempo.

Avançamos muito desde as armas cuja impulsão se baseava em arcos. Até a invenção da metralhadora, ainda era possível marchar contra o ataque de canhões e esperar que pelo menos parte do exército alcançasse o inimigo. A Primeira Guerra Mundial mudou isso e esta tática obsoleta teve o mesmo fim da carga de cavalaria. É difícil prever como será o futuro, com armas assim tão poderosas à nossa disposição. Hoje em dia, a guerra tende a ser travada em pequena escala, com os principais atores tomando o máximo cuidado para limitar a destruição. Teoricamente, a Grã-Bretanha poderia ter jogado armas nucleares na Argentina durante a Guerra das Malvinas e os Estados Unidos no Iraque na primeira e na segunda Guerra do Golfo. Nenhum dos dois deu esse passo. Vamos esperar que isso não aconteça enquanto vivermos.

DISCOTECA BÁSICA

Gosto não se discute, todo mundo sabe disso. Cada garoto sempre vai defender com afinco o estilo musical de que mais gosta — uma lista com todos os estilos seria interminável e precisaríamos publicar um livro só sobre isso. Aqui, decidimos citar vinte grandes discos de rock, afinal é o estilo que nos últimos 50 anos foi o mais identificado com a juventude e rebeldia. É claro que você pode não concordar com todas as nossas escolhas, até porque o que chamamos de "rock" engloba uma variedade de gêneros tão distintos, do heavy metal ao indie: afinal, todos têm a guitarra como elemento principal. Aqui estão os nossos favoritos.

ELVIS PRESLEY (1956), Elvis Presley. O "rei do rock" foi o responsável pela popularização do rock and roll. Em meados da década de 1950, sua maneira sensual de dançar e as letras de amor escandalizaram os pais americanos, que proibiam os filhos de ouvir o novo gênero. Sucessos deste disco como "Blue Suede Shoes" e "Blue Moon" foram hinos da juventude transviada.

JOVEM GUARDA (1965), Roberto Carlos. Se no exterior os jovens ouviam Beatles e Rolling Stones, no Brasil os discos dos cantores da Jovem Guarda não saíam das vitrolas. Com guitarras e bateria, letras românticas e descontraídas, Roberto Carlos, junto com o parceiro Erasmo Carlos, criou neste disco hinos da juventude como "Quero que vá tudo pro inferno" e "Não é papo pra mim". Os nossos reis do iê-iê-iê.

REVOLVER (1966), The Beatles. É uma tarefa quase impossível escolher um único disco dos Beatles. Formada pelos ingleses John Lennon, Paul McCartney, George Harrison e Ringo Starr, os Beatles foram a maior e mais influente banda da era do rock. *Revolver* traz clássicos como "Eleanor Rigby", "Tomorrow Never Knows" e "Yellow Submarine", que já apontam para a revolução sonora que eles provocariam em *Sgt. Pepper's Lonely Hearts Club Band*, considerado por muitos críticos o melhor disco de todos os tempos.

PET SOUNDS (1966), The Beach Boys. Em diversas entrevistas, os Beatles declararam que esse era o disco que eles gostariam de ter feito. Os californianos do Beach Boys fizeram uma obra-prima, não só pela qualidade das melodias e letras, mas também pela inovação de técnicas de produção. Clássicos como "Wouldn't It Be Nice", "God Only Knows" e "Caroline No" combinam com um belo dia de sol e praia.

BEGGARS BANQUET (1968), The Rolling Stones. Se os Beatles eram conhecidos como os meninos "bonzinhos" do rock, os Rolling Stones tiravam o sono dos pais, com letras provocativas, polêmicas, rebeldes e sensuais. As performances de Mick Jagger levavam a plateia à loucura nos shows. Neste disco estão alguns dos maiores clássicos da banda como "Sympathy for the Devil" e "Street Fighting Man".

TROPICÁLIA ou PANIS ET CIRCENSES (1968), vários. Essa obra coletiva é um marco na história do rock brasileiro. Muito além da música, a tropicália foi um movimento cultural que unia correntes artísticas de vanguarda, rock e tradições regionais brasileiras. O disco transformou "Tropicália" e "Geleia geral" em canções-manifesto, e contou com a participação dos Mutantes, Caetano Veloso, Gilberto Gil, Gal Costa, Torquato Neto e Rogério Duprat, entre outros.

LED ZEPPELIN IV (1969), Led Zeppelin. Ao misturar heavy metal, blues, folk e puro rock and roll, este disco definiu não só o som do grupo, mas também de todo o estilo que ficou conhecido como hard rock, tornando-se referência para bandas como Guns N' Roses. Neste disco estão clássicos como "Stairway to Heaven" e "Rock and Roll".

PARANOID (1971), Black Sabbath. *Paranoid* é não só o disco mais vendido do Black Sabbath como um dos mais importantes discos de heavy metal da história, considerado por muitos críticos o disco que definiu o som e o estilo do gênero. Na voz de Ozzy Osbourne, que anos depois ficaria conhecido por comer morcegos no palco, estão sucesso como "War Pigs" e "Iron Man".

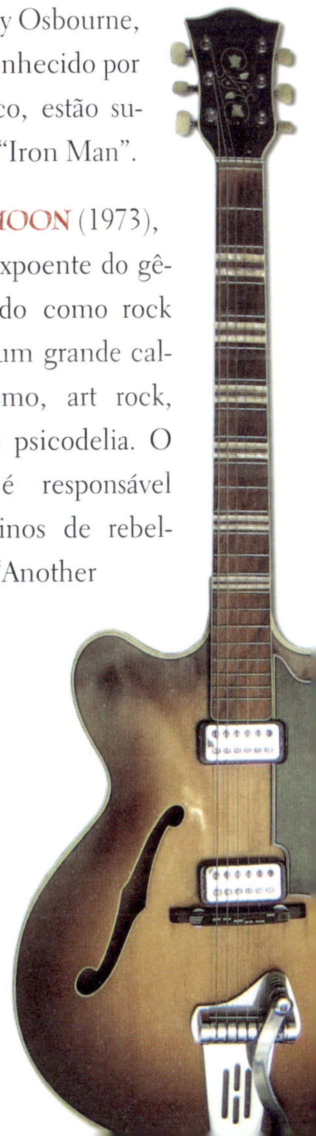

DARK SIDE OF THE MOON (1973), Pinky Floyd. Do grupo expoente do gênero que ficou conhecido como rock progressivo, este disco é um grande caldeirão de neopsicodelismo, art rock, jazz fusion, blues-rock e psicodelia. O Pink Floyd também é responsável por um dos maiores hinos de rebeldia da juventude: "Another Brick in the Wall".

NEVER MIND THE BOLLOCKS (1977), Sex Pistols. No final dos anos 1970, os ingleses do Sex Pistols abalaram as estruturas do mercado musical, com um disco vigoroso, cru, carregado de letras que mostravam o descontentamento dos jovens com o sistema vigente. A influência da banda ultrapassou a música e se tornou um fenômeno cultural conhecido como punk. Entre os hinos deste disco estão "God Save the Queen" e "Anarchy in the UK". Nos Estados Unidos, na mesma época, os Ramones lançavam *The Ramones*, que, para muitos críticos, é o álbum que melhor representa o estilo.

THE SMITHS (1984), The Smiths. Morrisey e Johnny Marr criaram uma das mais influentes bandas de rock do século XX. Ao aliar o que havia de melhor no pop dos anos 60, no punk e no eletrônico, eles criaram um estilo sonoro único. Sem eles, nada de bandas como Oasis, Blur, Suede, ou o que ficaria conhecido como rock inglês. Neste disco, clássicos como "This Charming Man" e "Hand in Glove".

LEGIÃO URBANA (1985), Legião urbana. No início da década de 1980, o movimento Brock (Brasil rock) invadiu as rádios brasileiras. O grupo brasiliense foi um dos maiores expoentes do gênero, unindo letras de alto teor político e histórias de amores mal-resolvidos a melodias que marcaram toda uma geração. Renato Russo, vocalista do grupo, morto em 1996, tornou-se uma espécie de dândi da música brasileira, e a banda continua cultuada até hoje.

CABEÇA DINOSSAURO (1986), Titãs. Para muitos críticos, é o melhor disco de rock já produzido no Brasil. Com muita influência do punk rock, a banda paulista criou hinos da música brasileira como "Homem Primata", "Polícia" e "Bichos escrotos". Quem não ouviu o refrão "Polícia para quem precisa, polícia para quem precisa de polícia"?

THE JOSHUA TREE (1987), U2. Este disco catapultou o U2 ao primeiro lugar das listas de sucesso de diversos países e consolidou a banda como um dos maiores ícones do rock até os dias de hoje. Neste disco estão clássicos como "With or Without" e "Where the Streets Have no Name".

NEVERMIND (1991), Nirvana. Antes do Nirvana, o rock alternativo ficava restrito a seções especializadas de lojas de música e a gravadoras independentes. Após o lançamento de *Nevermind* tudo mudou. A banda popularizou o punk rock, pos-punk e indie rock, levando estes estilos ao *mainstream* americano e mundial como nenhuma outra banda anterior. A música "Smells Like a Teen Spirit" tornou-se um dos hinos da juventude na década de 1990 e uma das canções mais executadas nas rádios e na MTV.

DIRTY (1992), Sonic Youth. Uma das maiores influências do Nirvana, o Sonic Youth é considerado até hoje a mais importante banda

indie (diminutivo do termo *independent*) da história da música. Com este disco, eles levaram guitarras distorcidas e experimentação sonora ao grande público. Clássicos do rock alternativo como "100%" e "Sugar Kane" estão neste álbum.

RAIMUNDOS (1995), Raimundos. O nome da banda — uma homenagem aos americanos Ramones, pais do punk rock — já dava o tom musical da banda. Mas, ao misturar elementos de forró a seu som, com letras bem-humoradas e cheias de sarcasmo, o Raimundos tornou-se um campeão de vendas no Brasil e ídolos da garotada com músicas como "Selim".

OK COMPUTER (1997), Radiohead. Com 4 milhões de cópias vendidas e com lugar cativo no Top 10 da maior parte das listas dos melhores discos de rock de todos os tempos, *OK Computer* abriu novos caminhos para o rock, mostrando que nem só com rifes de guitarras óbvios se faz uma banda. A música "Paranoid Android" é um bom exemplo disso: os mais de seis minutos de duração, com guitarras distorcidas, teclados etéreos, diversos movimentos e nenhum refrão, não impediram de torná-la uma das músicas mais executadas nas rádios e um dos clipes mais vistos na MTV.

LOS HERMANOS (1999), Los Hermanos. Em 1999/2000, a música "Anna Júlia" tornou-se um fenômeno de execução nas rádios brasileiras. Ficou tão famosa, que até George Harrison participou de uma versão em inglês. Mas os cariocas dos Los Hermanos foram muito além de uma banda de um único sucesso: eles oxigenaram o rock nacional ao misturar hardcore, indie rock, MPB e samba.

IS THIS IT? (2001), The Strokes. O rock andava meio combalido no início do novo milênio, mas os americanos dos Strokes comprovaram que não se precisa de nada mais do que guitarra-baixo-bateria e músicas bem-feitas para levar o rock de volta ao topo das paradas. O sucesso deste disco, aliado às novas formas de divulgação na internet, estimulou o surgimento de uma nova onda de roqueiros ao redor do mundo.

A ORIGEM DAS PALAVRAS

Existe, na língua portuguesa, um grande número de palavras cuja origem é muito interessante. Elas estão registradas nos dicionários e em vários livros especializados. Você encontrará, a seguir, vinte das nossas favoritas.

Arrasar — No sentido primeiro quer dizer tornar raso. Por extensão, reduzir ao mesmo nível. Envolve ainda destruir, provocar estragos significativos, física ou moralmente: "A enchente arrasou-lhe a casa." "Depois de cinco horas de espera no aeroporto, chegou arrasada à sua cidade." "A estudante ficou arrasada com o resultado do vestibular." Significa também perder todos os bens, arruinar-se. E frequenta a gíria, como sinônimo de sair-se bem: "No segundo exame, a reprovada de antes arrasou."

Arruinar — É da família de ruína, ruim. Observe a formação da palavra: a- prefixo que indica "aproximação" + ruim(a) + ar (sufixo formador de advérbio). O verbo significa basicamente "levar à ruína", ou seja, a destroços, fazer desmoronar.

Assassino — Na palavra árabe *hassassin*, que significa consumidor de haxixe, está a origem de assassino. Era uma designação dada aos integrantes de uma seita xiita do século XII que, embriagados pela ingestão da droga, tinham o hábito de matar chefes mulçumanos e cristãos.

Astronauta/cosmonauta — Ambos os termos designam quem viaja numa nave espacial, fora do espaço da atmosfera terrestre. Astronauta, formada de astro + nauta, traduz o inglês "astronaut", usado para nomear a pessoa que viaja fora da atmosfera terrestre ou se dedica ao estudo da astronáutica. É a forma preferida nos Estados Unidos da América. Cosmonauta, viajante do espaço cósmico, traduz a palavra russa kosmonaut, usada para nomear a pessoa que realiza voos naquelas paragens. Na formação, a junção de cosmo, "espaço interestelar" e nauta, "navegador, navegante". Assim, os tripulantes ou passageiros das naves espaciais norte-americanas são astronautas, e os das naves russas, cosmonautas.

Bimestral — Diz-se do que acontece de dois em dois meses. Não confunda com bimensal, que ocorre duas vezes por mês.

Blitz — A origem desta palavra, usada comumente para indicar operação policial ou militar de surpresa, está na redução do alemão *blitzkrieg*, termo formado de *blitz* (relâmpago) e *krieg* (guerra). O termo designava, na Segunda Guerra Mundial, operação ofensiva, poderosa e rápida.

Carisma — Você tem? Então é um privilegiado: exerce um fascínio excepcional sobre os outros, tem tamanha capacidade de sedução que é capaz de despertar, de imediato, a simpatia e o entusiasmo de multidões. E sem saber por quê. É um atributo que vai além da pessoa. Certas agremiações, como clubes de futebol e escolas de samba trazem essa marca. Tão poderosa, que, em termos religiosos, é considerada um dom divino de determinadas pessoas, por ela aquinhoadas para que possam promover o bem da comunidade. Esse sentido de graça e benefício já estava na palavra grega da origem, *kharisma*, e permanceceu no latim *charisma*, no percurso até a nossa língua portuguesa.

Carnaval — Na origem do termo, literalmente "festa da carne". Corresponde, segundo o filólogo Evanildo Bechara, ao termo *carnevale*, italiano, possivelmente oriundo de *carnelevare*, este, por sua vez, viria da expressão *carne*(m) *levare*, latina, que dava nome ao "banquete de adeus à carne como alimento realizado na noite anterior à Quarta-feira de Cinzas, início da Quaresma".

Cessão — Assim, com dois esses, é o ato de ceder. Vem do latim *cedere*. Não confunda com sessão nem com seção. Sessão tem na origem *sessione*, "ato de sentar", significa período de reunião (onde, de preferência e por tradição, as pessoas devem estar sentadas). Seção, *sectione* em latim "ato de separar, por meio de corte, seccionar", é da família do verbo secare, "cortar". Um lembrete: houve um tempo em que, no Brasil, se usava a forma secção, ainda utilizada em Portugal.

Comemorar — No sentido literal, o verbo se liga a memória. Por força do latim de sua origem: *memorare*, "lembrar, rememorar". O prefixo *com* —, desde sempre presente, acrescenta a ideia de conjunto, aproximação. Comemorar é lembrar junto, a que se acrescentou o sentido de festejar.

Cordialidade — É da família de coração, que vem do latim *cors, cordis*, termo que designa este órgão vital. Origina-se do adjetivo cordial, em latim medieval *cordialis*, com o acréscimo do sufixo — idade. Ser cordial é ser movido pelo coração, pelo sentimento afetivo.

Discriminação — Pode significar, de acordo com a situação de fala: distinguir, discernir ou segregar, pôr à parte, tratar de maneira desigual, em função de características pessoais, étnicas, sociais, ideológicas etc., um indivíduo ou um grupo de indivíduos. O prefixo *dis-* indica "movimento para vários lados", "separação". Na origem, o latim *discriminatione*.

Docente — É quem ensina. Refere-se, portanto, a professor, a magistério. Vem do latim *docere*, "ensinar". Quem aprende é discente, do latim *discere*, "aprender". Não confunda um com o outro e muito menos os dois com decente, do latim *decente*, por sua vez ligado ao particípio do verbo *decere*, "ser conveniente, ter decoro", um adjetivo que significa honesto, que se comporta segundo os costumes.

Flagrante — É o que se caracteriza no próprio instante da ação, sem possibilidade de ser contestado. Vem de flagrante, "abrasador, que queima", a partir do sentido que ganha na expressão *flagrante crime*, "no calor do crime, no momento em que o crime acontece", usual no latim tardio.

Imoral — Refere-se ao que não está de acordo com a moral. O prefixo *(i)n* indica "negação, supressão, ausência de". Não confunda com amoral, que quer dizer indiferente à moral: o prefixo *a-* indica ausência de. A propósito, moral se liga ao termo latino *moris*: "costume, maneira de agir determinada pelo uso". Daí o seu significado como adjetivo: referente à moral, que age de acordo com os costumes considerados bons para o convívio comunitário segundo os preceitos estabelecidos pela sociedade ou por determinado grupo social. Usada como substantivo masculino, traduz disposição para agir, espírito de luta. Como feminino, denota conjunto de determinados valores, como bondade, necessidade, universalmente considerados como orientadores positivos das relações sociais e da conduta humana.

Ovação — Não é agressão com ovos. Significa aclamação pública, consagradora. Na origem era usada para caracterizar homenagem, mas de pouca expressão. O termo deriva do verbo *ovare*, "entrar triunfalmente", "manifestar júbilo, alegria". Curiosamente, o substantivo e o verbo vinculam-se a ovelha, em latim *ovis*. É que as comemorações das vitórias de menor porte, na Roma antiga, envolviam o sacrifício, pelos vencedores, de uma fêmea de carneiro; em contrapartida, nas festas das grandes vitórias, o animal sacrificado era um touro. Mas existe uma ovação que tem a ver efetivamente com ovo. É a que se formou já no português, com o acréscimo do sufixo a esse substantivo para indicar o ato de ovar: criar ovos ou ovas, pôr ovos.

Ratificar — Não confunda com retificar. Com o primeiro, você valida, confirma. Com o segundo, emenda, corrige, torna reto: O tesoureiro da empresa ratificou a retificação do débito.

Senso — Vem do latim *sensus*, "sentido, razão" e refere-se a ponderação, juízo. Não confunda com censo, que nomeia o recenseamento, o ato de contar pessoas, analisar dados etc. Na origem, o latim *census*, com o mesmo sentido.

Sesquicentenário — Período de 150 anos. Sesqui é uma palavra latina que significava um e meio. Aparece em outras palavras, como sesquiáltera, que na música indica "seis notas que valem por uma" e na matemática, em que quer dizer "qualidade que contém outra uma vez e meia".

Simpatia — traduz "participação no sentimento alheio, compaixão, comunhão de sentimentos". Desde a origem grega: *sympatheia*, em cuja formação já se encontram o prefixo *sim-* que traduz a ideia de conjunto, e *páthеos*, radical que expressa "o que se vivencia em termos de paixão ou doença. No percurso da palavra até o português, a latina *sympatia*, indicadora de "afinidade, aproximação", sentido que permaneceu na língua portuguesa.

Tráfico — Quer dizer comércio, negócio e, com frequência, em certas situações de fala, tem conotação de ilegalidade, clandestinidade. Não confunda com tráfego, que quer dizer trânsito, movimento de veículos e também fluxo de mercadorias. A origem das duas palavras é o italiano *traffico*.

O SISTEMA SOLAR

(UM GUIA RÁPIDO)

O SOL, CENTRO DO SISTEMA

• 149 milhões de quilômetros de distância da Terra.

• Sozinho, o Sol é responsável por 98% de toda a massa do sistema solar. Se fosse oco, seriam necessárias 1 milhão e 300 mil Terras para enchê-lo. A temperatura na superfície é de "apenas" 6 mil °C, enquanto a temperatura interna é de 15 milhões de °C.

• Idade: A melhor estimativa atual é de 4,6 bilhões de anos. Esperamos que sobreviva mais uns 5 bilhões de anos antes de tornar-se uma "gigante vermelha", depois virar uma "anã branca" e, finalmente, apagar-se. Não se preocupe com isso, a Terra, junto com o resto do sistema solar, será destruída durante o estágio de "gigante vermelha".

MERCÚRIO

• Mercúrio é o planeta mais perto do Sol, a apenas 57 milhões de quilômetros de distância. É o segundo menor planeta do sistema. A superfície é cheia de crateras, parecida com a Lua da Terra. Há uma atmosfera rala que contém sódio e potássio vindos da crosta do planeta. A maior parte de Mercúrio parece ser um núcleo de ferro.

• Temperatura: Bem quente. 430°C durante o dia, –180°C à noite.

• Rotação em torno do Sol (ano de Mercúrio): 87,97 dias. É o ano mais curto do sistema solar e por isso Mercúrio recebeu o nome do mensageiro dos deuses romanos, que tinha asas nos pés.

• Luas: Nenhuma.

VÊNUS

• Segundo planeta a partir do Sol, com uma distância média de 108 milhões de quilômetros. Vênus já foi chamado de estrela da manhã, Vésper, Hésperus e Lúcifer. É o objeto mais brilhante no céu da Terra depois do Sol e da nossa Lua.

• Vênus poderá ser visto a cruzar o Sol em 2012. Se você perder a oportunidade, terá de esperar até 2117, o que talvez seja tempo demais. Lembre-se de que, para ver o Sol, é bom usar um projetor ou telescópio invertido que ensinamos como é feito em um capítulo anterior; nunca olhe diretamente para ele, ainda mais com um telescópio. O Sol seria a última coisa que você iria ver.

• Rotação em torno do Sol (ano de Vênus): 224,7 dias.

• Luas: Nenhuma.

• Atmosfera: Cobertura completa de nuvens, resultante de 97% de dióxido de carbono, o resto é nitrogênio. Hostil à vida que conhecemos. A pressão na superfície é 96 vezes maior que a da Terra; logo, antes de sufocar você vai ser esmagado. A temperatura média na superfície é de 482°C. No mínimo, desconfortável.

• Vênus recebeu o nome da deusa romana do amor porque homens solitários sentados nos observatórios provavelmente ficam muito suscetíveis a coisas bonitas e brilhantes no céu. No entanto, o seu caminho pelo firmamento nada tem a ver com amor de verdade.

TERRA

• Terceiro planeta a partir do Sol, a uma distância média de 149 milhões de quilômetros.

• Como o mingau do ursinho menor na história da Cachinhos Dourados, a Terra não é nem muito quente nem muito fria. Está na temperatura certa. A sua atmosfera é composta de nitrogênio, oxigênio, 0,03% de dióxido de carbono e vestígios de outros gases, como argônio.

• A Terra é o quinto maior planeta do sistema. Tem campo magnético e núcleo líquido de níquel e ferro.

• Rotação em torno do Sol (ano da Terra): 365,25 dias.

• O planeta percorre uma órbita elíptica, o que significa que a distância entre o Sol e a Terra varia entre 146,5 e 153 milhões de quilômetros em épocas diferentes. A Terra gira no mesmo plano que quase todos os outros planetas do sistema (com exceção de Plutão). É como se todos estivessem encastoados na superfície de um prato invisível. Que perfeição, hein? Nós a chamamos de lar.

• Luas: Uma, que gira em torno da Terra em 27,3 dias. Nós a chamamos de "Lua" — que falta de imaginação!

MARTE

• Quarto planeta a partir do Sol, a uma distância média de 226 milhões de quilômetros.

• Gravidade: Um terço da gravidade da Terra.

• Nenhum campo magnético substancial, o que indica que hoje o núcleo é sólido, embora possa ter sido líquido no passado.

• Rotação em torno do Sol: 686,98 dias.

• Temperatura média: –55°C.

• Marte tem calotas polares no Norte e no Sul, feitas de gelo de água e dióxido de carbono. A sua atmosfera tem 95% de dióxido de carbono, 3% de nitrogênio, 2% de argônio e vestígios de outros gases. Como a Terra, o seu eixo polar é inclinado e o ano tem estações, que incluem ferozes tempestades de poeira. Apesar de várias sondagens e pousos não tripulados, ainda não pusemos os pés no "planeta vermelho", como também chamamos Marte.

• Luas: Duas, chamadas Fobos (medo) e Deimos (pânico). Marte recebeu o nome do deus romano da guerra. A versão grega de Marte era o deus Ares, que tinha dois filhos. As luas receberam o nome desses filhos.

JÚPITER

• Quinto planeta a partir do Sol, a uma distância média de 778 milhões de quilômetros.

• Júpiter é, de longe, o maior planeta do sistema solar e a quarta "coisa" mais brilhante no céu, depois do Sol, da Lua e de Vênus. Leva 12 anos para completar a órbita em torno do Sol. Às vezes é chamado de planeta dos amadores, porque é fácil de encontrar com um telescópio simples e até com binóculo.

• Ainda não fomos a Júpiter e provavelmente nunca iremos, assim, o nosso conhecimento se baseia na observação e numa ou outra sonda orbital. No entanto, a ciência permite que possamos deduzir algumas coisas sobre esse planeta. Por exemplo, um dos efeitos da gravidade é acelerar os objetos que passam e é por isso que, às vezes, vemos, em filmes, sequências de espaçonaves com um efeito de "atiradeira em volta do Sol". O aumento da velocidade pode ser medido e comparado a outros dados que já temos. Aos pouquinhos, construímos o retrato de Júpiter, um planeta cuja pressão atmosférica e cuja gravidade são tão esmagadoras que é improvável que consigamos, algum dia, mandar uma sonda até a sua superfície.

• A massa de Júpiter pode ser calculada pelo efeito que causa em suas luas: 318 vezes maior que a da Terra. No entanto, se Júpiter fosse oco, mais de mil Terras caberiam lá dentro, o que nos leva a concluir que o planeta devia ser composto de elementos gasosos muito mais leves. Isso foi confirmado em 1995 pela sonda Galileu, que passou pela parte mais externa de sua atmosfera e descobriu que ela era composta por hélio, hidrogênio, amônia e metano. Júpiter mais parece um sol fracassado: possui um tamanho 80 vezes menor do que o necessário para inflamar.

• Debaixo das camadas de gás, a pressão aumenta para mais de 3 milhões de vezes do que na atmosfera terrestre. Nesse nível, até o hidrogênio tem propriedades metálicas. Assim, Júpiter tem um núcleo sólido que deve ser um dos lugares mais hostis que possam existir. Os ventos de lá chegam a quase 650 km/h e, com essa pressão, a química do Universo que pensamos conhecer será estranhíssima. Com temperaturas entre –121°C e –163°C, a amônia cai como neve branca.

• Luas: Umas 61, com um leve anel de detritos. Há centenas, talvez milhares de pedras na órbita de Júpiter. Se são chamadas de luas ou não, é questão de opinião. Galileu descobriu as quatro maiores em 1610. Chamam-se Io, Europa, Ganimedes e Calisto. Devido ao seu tamanho, merecem menção especial. Receberam o nome das amantes de Zeus, principal deus dos gregos, que os romanos chamavam de Júpiter.

1. Io. A mais próxima de Júpiter. O seu diâmetro é de 3.125 km, um pouco menor que a Lua da Terra. É intensamente vulcânica e a sua proximidade do campo magnético do grande planeta gera três milhões de ampères elétricos, que fluem para a atmosfera de Júpiter. A sua órbita dura 1,77 dias, a uma distância de 354 mil km do planeta.

2. Europa. É o objeto mais liso do sistema solar. Leva 3,55 dias para completar a órbita de Júpiter. A sua superfície é de gelo, mas o seu próprio campo magnético fraco indica que há água salgada líquida sob a superfície. Seu diâmetro é de apenas cerca de 3.155 km. A órbita de Europa fica a uma distância média de 670 mil km de Júpiter.

3. Ganimedes. Maior lua de Júpiter e maior lua do sistema solar, com diâmetro de 5.471 km. A sua órbita fica a uma distância média de 1 milhão km de Júpiter e o satélite leva 7,15 dias terrestres para percorrê-la. Ganimedes é maior do que Mercúrio.

4. Calisto. É a última lua galileana. O seu diâmetro é de 4.828 km e a órbita fica a 1,88 milhão km de Júpiter. O tamanho é semelhante ao de Mercúrio. O satélite completa a sua órbita em 16,7 dias da Terra.

SATURNO

• Sexto planeta a partir do Sol, a uma distância média de 1.377 milhão de quilômetros.

• Como Júpiter, é um planeta gasoso, com pressão atmosférica capaz de transformar hidrogênio em líquido e até em metal, perto do núcleo. Mas ainda achamos que a densidade total seria suficientemente baixa para que Saturno flutuasse na água. O planeta leva 29 anos e meio para completar a órbita em torno do Sol.

• A atmosfera se compõe de 88% de hidrogênio, 11% de hélio e vestígios de metano, amônia e outros gases. A velocidade do vento na superfície é de mais de 1,6 mil km/h.

• Os anéis se estendem a mais de 135 mil km do centro de Saturno. Foram vistos pela primeira vez por Galileu em 1610, embora ele os descrevesse como cabos, porque os viu de perfil. O astrônomo holandês Christiaan Huygens foi o primeiro a reconhecer que eram anéis separados da superfície do planeta.

• Temperatura: Entre –130°C e –191°C. (muito frio!)

• Luas: Um número bem grande se a gente contar os pedacinhos de pedra, mas há 15 luas de tamanho razoável, desde Titã, a maior (que fica atrás somente de Ganimedes no sistema solar e tem até uma atmosfera rala), até Pã, que tem uns 20 km de diâmetro. A sonda "Huygens" da NASA pousou em Titã em 2005.

• Saturno é o nome romano do deus grego Cronus, pai de Zeus.

URANO

• Sétimo planeta a partir do Sol, está a uma distância média de 2,86 bilhões de quilômetros.

• Tem 11 anéis e mais de 20 luas confirmadas, embora, como no caso de Saturno e Júpiter, provavelmente, haja muito mais que ainda não vimos. É 67 vezes maior que a Terra, mas a sua massa é apenas 14,5 vezes maior que a do nosso planeta, isso nos leva a classificá-lo como gigante gasoso, embora em escala menor que Saturno e Júpiter.

• A sonda espacial Voyager 2 chegou a Urano em 1986 e, além da observação daqui da Terra, era a nossa única fonte de conhecimentos sobre o planeta na época em que escrevemos este livro.

• Rotação em torno do Sol: 84 anos terrestres, embora gire em seu próprio eixo ainda mais depressa do que a Terra: 17,25 horas.

• A atmosfera de Urano tem 83% de hidrogênio, 15% de hélio e 2% de metano. O núcleo do planeta é apenas pedra e gelo. O seu eixo polar é muito inclinado, de modo que primeiro um polo e depois o outro apontam para o Sol. Isso significa que cada polo recebe a luz do Sol durante 42 anos terrestres. Temperatura média: Entre –197°C e –220°C.

• Luas: 27. Todas receberam nomes de personagens de Shakespeare, como Cordélia (a mais próxima), Ofélia, Bianca, Puck, Rosalinda, Desdêmona e assim por diante.

• Na mitologia, Urano era pai de Saturno e avô de Zeus/Júpiter.

NETUNO

• Oitavo planeta a partir do Sol, a uma distância média de 4,5 bilhões de quilômetros.

• Netuno é o quarto maior planeta do sistema solar. Tem quatro anéis e 11 luas conhecidas. É o último dos gigantes gasosos ou planetas jovianos, tem 72 vezes o volume da Terra e 17 vezes a sua massa.

• Acredita-se que seja composto de gelo em torno de um núcleo rochoso, com atmosfera de hidrogênio, hélio e metano.

• A cada 248 anos, a órbita errática de Plutão leva-o para dentro do interior da órbita de Netuno, fazendo com que esse último seja o planeta mais distante do Sol por um período de 20 anos. A última vez em que isso aconteceu foi entre 1979 e 1999, quando então Plutão afastou-se outra vez. Netuno é o último planeta a orbitar no mesmo plano que a Terra.

• A existência de Netuno foi prevista antes que ele fosse avistado, como no caso do cometa de Halley. A rota orbital de Urano parecia afetada pela gravidade de uma grande massa. A trajetória e a localização dessa massa foram matematicamente calculadas e depois aquela região foi vasculhada: assim encontraram Netuno. O planeta foi observado pela primeira vez em 1846.

• O único veículo da Terra a alcançar Netuno foi a Voyager 2, em 1989.

• Rotação em torno do Sol: 164,79 anos terrestres. Tem uma inclinação axial de 29,6° — a Terra tem 23,5° —, o que indica que tem um movimento de estações semelhante, embora, para ser honesto, lá faça tanto frio que a gente nem ia notar a diferença.

PLUTÃO - O EX-PLANETA

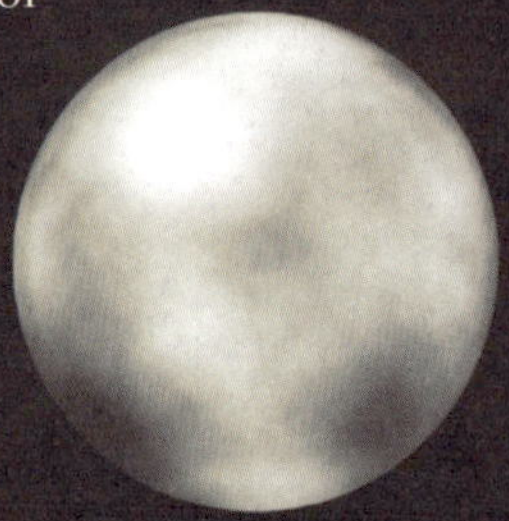

• Muita gente ainda aprendeu que Plutão era o nono planeta depois do Sol mas, em 24 de agosto de 2006, ele perdeu seu posto. Com o aperfeiçoamento dos telescópios e das técnicas para se observar o universo, foram descobertos vários objetos pequenos e distantes parecidos com Plutão, que passaram a ser chamados de Objetos Transnetunianos, incluindo cometas, a maioria dos asteroides e outros corpos pequenos. Um dos transnetunianos, o Xena, é até maior do que o nosso ex-planeta! Então, a União Astronômica Internacional decidiu criar duas novas categorias para os objetos que existem no Sistema Solar: os Planetas Clássicos, que são os planetas até Netuno, e os Planetas Anões, que é a categoria a qual Plutão pertence agora. Sedna, outro dos Objetos transnetunianos, foi descoberto em 2003 e, na época, até se considerou transformá-lo no décimo planeta do nosso sistema solar. Mas agora ele também entra na categoria de Planeta Anão, com um tempo de rotação ao redor do Sol de 12 mil anos, e é um dos objetos mais distantes do Sol já observados.

• Plutão é um exemplo do que acontece quando uma pedra perdida é atraída aos poucos para um sistema solar organizado. No entanto, Plutão é crescido o bastante para ter uma lua e causar pequeno efeito na órbita de Netuno e Urano. É tão pequeno e fica tão longe que, mesmo sabendo que estava lá, os telescópios do mundo ainda levaram 25 anos para encontrá-lo; ele foi visto pela primeira vez em 1930. Só em 1978 é que alguém avistou a sua única lua, Caronte.

• Ainda não conseguimos mandar uma sonda até tão longe, mas o telescópio Hubble mapeou 85% da superfície de Plutão. O planeta tem calotas polares e parece ser uma bola de pedra e gelo sujo. Tem uma atmosfera rala de nitrogênio, dióxido de carbono e metano.

• Por ser um lugar escuro e horrível, Plutão recebeu o nome do deus romano do mundo subterrâneo (Hades, para os gregos). Caronte era o barqueiro que transportava as almas para lá pelo rio Estige.

E FINALMENTE, COMETAS, ASTERÓIDES E OUTROS DETRITOS...

• O Sol é um objeto tão grande que a sua gravidade afeta um volume enorme do espaço e atrai objetos como o cometa Halley. Estes objetos tendem a ser bolas de gelo sujo, às vezes com poucos quilômetros de diâmetro. O cometa Halley é grande o bastante para influenciar as trajetórias orbitais do sistema solar, e a façanha de Edmund Halley foi prever matematicamente a sua existência sem vê-lo. Na verdade, ele nunca o viu. Só 16 anos depois da sua morte, em 1758, os observadores do céu aqui na Terra viram o cometa novamente. Ele é visível da Terra em períodos de 75 a 79 anos e o seu aparecimento foi registrado desde 240 a.C. A próxima visita será em 2061. É muito improvável que os autores deste livro o vejam, mas é possível que você consiga.

• O cinturão interno de asteroides fica entre as órbitas de Marte e Júpiter. Compõe-se de centenas de milhares de pedras cujo tamanho varia de grãos a centenas de quilômetros de diâmetro. Podem ser detritos de uma colisão entre planetas ou apenas os tijolos do sistema solar que sobraram depois que tudo começou a esfriar.

• Os meteoros atingem o sistema enquanto este viaja pelo espaço, na ponta da galáxia da Via Láctea. Costumam ser pedras de silício e, mais raramente, ferro ou níquel, ou uma mistura dos três. Podem deixar um rastro brilhante quando alcançam a atmosfera da Terra e entram em atrito com o ar. Quando não se queimam por completo, conseguem atingir a superfície do planeta com mais força do que uma bomba atômica, mas isso quase nunca acontece (ver capítulo Dinossauros). A melhor época para observá-los é entre 9 e 16 de agosto e 12 e 16 de dezembro. Os meteoros da chuva de agosto são conhecidos como Perseidas, porque aparecem na constelação de Perseu. Quando atingem o ponto máximo, é possível ver um por minuto. Os meteoros da chuva de dezembro são conhecidos como Geminídeos, porque aparecem na constelação de Gêmeos, perto de Órion. Ambas as chuvas podem ser vistas até em zonas urbanas. Não vão durar para sempre; os Geminídeos começaram a surgir em 1862.

• E é isso. O resto é espaço e radiação cósmica.

OS DEZ MANDAMENTOS

São as dez leis que constam na Bíblia e que teriam sido dadas por Deus à nação de Israel logo após o êxodo do Egito. Os Dez Mandamentos são essencialmente um resumo dos mais de 600 mandamentos contidos na Lei do Antigo Testamento e teriam sido originalmente escritos por Deus em tábuas de pedra e entregues ao profeta Moisés. Os quatro primeiros tratam da relação com Deus. Os outros seis referem-se ao relacionamento entre os homens. Eles estão registrados na Bíblia em Êxodo 20:1-17 e Deuteronômio 5:6-21 e são os seguintes:

(1) NÃO TERÁS OUTROS DEUSES DIANTE DE MIM.

(2) NÃO FARÁS PARA TI IMAGEM DE ESCULTURA, NEM SEMELHANÇA ALGUMA DO QUE HÁ EM CIMA NOS CÉUS, NEM EMBAIXO NA TERRA, NEM NAS ÁGUAS DEBAIXO DA TERRA. NÃO AS ADORARÁS, NEM LHES FARÁS CULTO; PORQUE EU SOU O SENHOR, TEU DEUS, DEUS ZELOSO, QUE VISITO A INIQUIDADE DOS PAIS NOS FILHOS ATÉ A TERCEIRA E QUARTA GERAÇÃO DAQUELES QUE ME ABORRECEM E FAÇO MISERICÓRDIA ATÉ MIL GERAÇÕES DAQUELES QUE ME AMAM E GUARDAM OS MEUS MANDAMENTOS.

(3) NÃO TOMARÁS O NOME DO SENHOR, TEU DEUS, EM VÃO, PORQUE O SENHOR NÃO TERÁ POR INOCENTE O QUE TOMAR O SEU NOME EM VÃO.

(4) LEMBRA-TE DO DIA DE SÁBADO, PARA O SANTIFICAR. SEIS DIAS TRABALHARÁS E FARÁS TODA A TUA OBRA. MAS O SÉTIMO DIA É O SÁBADO DO SENHOR, TEU DEUS; NÃO FARÁS NENHUM TRABALHO, NEM TU, NEM O TEU FILHO, NEM A TUA FILHA, NEM O TEU SERVO, NEM A TUA SERVA, NEM O TEU ANIMAL, NEM O FORASTEIRO DAS TUAS PORTAS PARA DENTRO; PORQUE, EM SEIS

DIAS, FEZ O SENHOR OS CÉUS E A TERRA, O MAR E TUDO O QUE NELES HÁ E, AO SÉTIMO DIA, DESCANSOU; POR ISSO, O SENHOR ABENÇOOU O DIA DE SÁBADO E O SANTIFICOU.

(5) HONRA TEU PAI E TUA MÃE, PARA QUE SE PROLONGUEM OS TEUS DIAS NA TERRA QUE O SENHOR, TEU DEUS, TE DÁ.

(6) NÃO MATARÁS.

(7) NÃO ADULTERARÁS.

(8) NÃO FURTARÁS.

(9) NÃO DIRÁS FALSO TESTEMUNHO CONTRA O TEU PRÓXIMO.

(10) NÃO COBIÇARÁS A CASA DO TEU PRÓXIMO. NÃO COBIÇARÁS A MULHER DO TEU PRÓXIMO, NEM O SEU SERVO, NEM A SUA SERVA, NEM O SEU BOI, NEM O SEU JUMENTO, NEM COISA ALGUMA QUE PERTENÇA AO TEU PRÓXIMO.

OS IRMÃOS VILLAS BÔAS E A MARCHA PARA O OESTE

Os irmãos Orlando, Cláudio e Leonardo Villas Bôas poderiam ter levado uma vida bem comum e sem graça. Nascidos no interior de São Paulo, foram para a capital ainda muito jovens em busca de trabalho. Arrumaram emprego em escritório e passavam o dia trancados entre quatro paredes. Só que eles não se sentiam felizes assim.

À noite, quando voltavam à pensão onde moravam, tudo mudava. Falavam sobre o sertão, estudavam mapas e sonhavam com grandes aventuras. Eles admiravam o trabalho do marechal Rondon, que passou quase toda a vida na floresta, abrindo picadas, atravessando rios e fazendo contato com os índios. Era assim que desejavam viver também.

Em 1943, os irmãos ficaram sabendo que o governo brasileiro havia criado a Expedição Roncador-Xingu, com a intenção de desbravar o Brasil Central, que, naquela época, correspondia aos atuais estados de Mato Grosso, Mato Grosso do Sul, Goiás e Tocantins. A região ainda era coberta por vastos cerrados e densas florestas e, por isso mesmo, desabitada e pouco conhecida. Não havia ali nenhum sinal de civilização. Como se dizia então, era um "branco no mapa do Brasil".

Orlando, Cláudio e Leonardo não pensaram duas vezes. Era a oportunidade que esperavam. Correram para se inscrever na Fundação Brasil Central, que tinha sido criada para alistar voluntários e organizar a expedição. Para surpresa dos três, foram recusados. A Fundação dava preferência a sertanejos acostumados com as dificuldades do interior do Brasil. Eles eram "estudados" demais para a aventura.

Os irmãos não se deram por vencidos. Deixaram crescer o cabelo e a barba, tomaram muito sol para ficarem com a pele crestada como a dos sertanejos e apresentaram-se de novo. Dessa vez, declararam que eram analfabetos. Foram aceitos: Cláudio e Leonardo para pegar na enxada e Orlando para ser auxiliar de pedreiro. Mal sabiam eles que a partir desse dia passariam 40 anos na selva e contrairiam malária mais de 200 vezes.

A Expedição Roncador-Xingu partiu das margens do Rio das Mortes em 12 de junho de 1943, formada por cerca de 20 homens que levavam ferramentas, alimentos, armas, cavalos e cachorros. Quando a farsa dos Villas Bôas foi descoberta, já era tarde. Eles estavam mais do que integrados à expedição e à vida no mato. Em vez de serem afastados ou punidos, ganharam cargos melhores: Orlando foi elevado a secretário, Cláudio a chefe de pessoal e Leonardo tornou-se responsável pelo almoxarifado. Em 1945, quando o coronel Vanique Mattos deixou o comando da expedição, os irmãos Villas Bôas assumiram a chefia de tudo.

Se o que eles queriam era aventura, não tinham mais do que reclamar. Durante a marcha, abriram com foice e facão cerca de 1.500 km de picadas dentro da mata. Tiveram que enfrentar onças-pintadas, sucuris imensas e enxames de abelhas, marimbondos, pernilongos e borrachudos. Excursionaram por rios até então desconhecidos, muitas vezes construindo em suas próprias margens os barcos para navegá-los. Diversos acampamentos erguidos durante a caminhada transformaram-se mais tarde em cidades, como Garapu, Canarana, Nova Xavantina e várias outras.

Os momentos mais tensos e cheios de emoção ficaram por conta do contato com os índios. Os primeiros a dar sinal foram os xavantes. Sempre escondidos no mato, eles cercavam o acampamento dos expedicionários imitando sons de aves, miando como onças e jogando paus e pedras. A ideia

era assustar os invasores para que eles voltassem para a civilização. A provocação durou vários dias, mas as ordens dos irmãos era nunca revidar ou reagir com violência. Para eles, a aproximação entre índios e civilizados deveria ser pacífica.

O encontro cara a cara com os xavantes foi no dia 25 de julho de 1945. Era um grupo de cerca de 50 índios. Assustados, dispararam uma saraivada de flechas e desapareceram no mato. Daí em diante, muito desconfiados, passaram a vigiar e a seguir os expedicionários ao longo do caminho. O contato pacífico só se deu meses mais tarde.

Os primeiros a visitarem o acampamento e a se juntarem aos homens da expedição foram os índios calapalos. Seu cacique, Izarari, tornou-se um grande amigo dos irmãos Villas Bôas, que, aos poucos, foram se aproximando também dos cuicuros, nauquás, matipuís, camaiurás e diversos outros povos. Mesmo grupos arredios como os caiabis, crenacarores e os temidos txucarramães foram atraídos. No final da aventura, cerca de 5 mil índios foram contatados.

Uma das mais incríveis façanhas de Orlando, Cláudio e Leonardo foi reunir o povo iaualapitis, que, na época, estava espalhado e reduzido a somente 12 membros.

Entre as muitas contribuições da expedição, a mais importante delas talvez tenha sido a criação do Parque Nacional do Xingu. Desde que se familiarizaram com a situação de abandono dos índios e do risco de dizimação que corriam, pelos interesses de fazendeiros, madeireiras e especuladores imobiliários, os três irmãos passaram a defender a ideia de uma reserva onde esses povos pudessem manter suas tradições e identidade étnica. Algo que servisse de transição entre o mundo selvagem e a civilização, pois os Villas Bôas acreditavam que a integração dos índios à sociedade brasileira deveria ser gradual e pacífica.

O projeto ficou anos na gaveta pois implicava a ocupação de grande extensão de terras ao norte do estado de Mato Grosso. Enfim, em 19 de abril de 1961, o Parque foi oficialmente criado pelo governo Jânio Quadros. Leonardo morreu no mesmo ano, mas Orlando e Cláudio foram nomeados para ser seus primeiros diretores. Abrigando diversas aldeias, milhares de índios passaram a viver na reserva falando muitas línguas diferentes.

Com a morte de Cláudio, Orlando continuou em seu posto no Parque até 1978 e chegou a concorrer duas vezes ao Prêmio Nobel da Paz. Ele resumiu a aventura que viveu com seus irmãos como uma andança em que eles entraram jovens e saíram velhos, "mas que valeu a pena".

O JOGO DE XADREZ

O xadrez é um antigo jogo de tabuleiro que chegou à Europa pela rota da seda, vindo da China e da Índia. É um jogo de guerra e vantagem tática, jogado por príncipes e generais no decorrer dos tempos. A sua origem exata é desconhecida, embora as peças possam basear-se nas antigas formações dos exércitos indianos.

É jogado por duas pessoas e usa um tabuleiro de 64 casas quadradas, alternadamente pretas e brancas. Assim como a maioria dos bons jogos, é fácil jogar mal e difícil jogar bem.

As peças

Cada lado tem 16 peças: 8 peões, 2 cavalos, 2 bispos, 2 torres, 1 rainha e 1 rei.

O objetivo do jogo é capturar o rei adversário — dar-lhe um xeque-mate. Quem estiver com as peças brancas começa o jogo e os dois jogadores se alternam até que um deles triunfe.

Como arrumar o tabuleiro

Deve haver sempre uma casa branca no canto direito quando se posiciona o tabuleiro. As peças são arrumadas em duas linhas, de frente para as linhas adversárias. Os peões protegem a linha de trás, que é arrumada na seguinte sequência: 1. Torre; 2. Cavalo; 3. Bispo; 4. Rainha; 5. Rei; 6. Bispo; 7. Cavalo; 8. Torre.

A Rainha sempre fica numa casa com a sua própria cor: a preta na casa preta do meio; a rainha branca na casa branca correspondente.

Movimentos e valores

Cada tipo de peça se move de um jeito diferente.

1. Os **peões** são a infantaria e avançam uma casa de cada vez, a não ser na primeira jogada, quando podem pular duas casas à frente num "surto de entusiasmo marcial". Capturam outras peças na diagonal, para a esquerda ou para a direita. São as peças menos valiosas, mas as únicas que podem ser promovidas. (Valor: 1 ponto.)

CAVALO

TORRE

BISPO

REI

RAINHA

2. Os **cavalos** são móveis e difíceis de deter. Movem-se formando um "L" de "duas casas mais uma", em qualquer direção. No diagrama, todos os peões pretos em volta do cavalo podem ser atacados. É importantíssimo saber que esta é a única peça que pode pular por cima das outras em seu caminho. Mesmo que uma torre bloqueie o caminho até um dos peões acima, o cavalo ainda será capaz de comer o peão. (Valor: 3 pontos.)

3. Os **bispos** movem-se em diagonal e estão limitados a andar somente nas casas brancas ou somente nas pretas. Funcionam bem juntos, cobrindo casas das duas cores. Também funcionam bem em ataques à distância, como se fossem metralhadoras ou holofotes. (Valor: 3 pontos.)

4. As **torres** controlam as linhas retas do tabuleiro e são muito úteis para fazer o roque (que é um movimento combinado do rei com uma das torres, que se transporta para uma posição mais atuante a fim de dar mais segurança ao rei no final do jogo. (Valor: 5 pontos.)

5. A **Rainha** é a peça mais poderosa do tabuleiro e pode mover-se em todas as direções, sem limite de casas. (Valor: 8 pontos.)

PEÃO

6. O **Rei** é a peça mais importante do tabuleiro. Só pode se mover uma casa de cada vez, mas em qualquer direção. Pode mover-se duas casas no roque. Não pode andar para ficar em xeque. (Valor: a vitória.)

O jogo

Ser o primeiro a jogar é uma vantagem e, na maioria das vezes, os jogos tendem a ser vencidos pelas peças brancas. Classicamente, as pretas jogam na defesa, reagindo às jogadas agressivas das brancas e aproveitando-se dos seus erros.

Captura. Um jogador retira do tabuleiro a peça inimiga quando coloca uma peça sua na mesma casa. Com exceção do rei, qualquer peça pode comer qualquer peça. O rei fica restrito porque não pode mover-se de modo a pôr-se em xeque, assim, nunca poderá comer outro rei. Os peões só podem comer na diagonal, movendo-se para a frente.

Xeque/Xeque-mate Se uma peça ameaça o rei, de modo a poder, teoricamente, comer o rei, isso se chama "xeque". É preciso mover o rei para tirá-lo do xeque, bloquear o xeque ou comer a peça atacante. Se nada disso é possível, o rei foi capturado: é o xeque-mate, corruptela da expressão árabe que significa "o rei está morto".

Roque. Depois que o cavalo e o bispo se moveram, o rei pode andar duas casas para a direita ou para a esquerda e a torre passa a ocupar a casa pulada.

ROQUE PEQUENO (COM A TORRE DO REI)

ROQUE GRANDE (COM A TORRE DA RAINHA)

En Passant. É uma forma diferente de capturar peões. Hoje, é bastante comum. Quando um peão já se moveu pelo tabuleiro, parece possível evitar a captura movendo o peão oposto duas casas à frente. Mas a captura "en passant" ("de passagem") permite que o peão adversário capture este peão como se ele só tivesse se deslocado uma casa.

Em teoria, o jogo pode ser dividido em três partes: abertura, meio do jogo e fim do jogo.

Abertura

A ideia aqui é mover todas as peças principais, na operação conhecida como "desenvolvimento", antes de fazer o roque e pôr o rei em segurança. É importante controlar o centro do tabuleiro (as quatro casas centrais). Por exemplo, um cavalo no centro tem oito movimentos possíveis. No canto, teria apenas dois.

Algumas aberturas têm nome e longa história, como a "Defesa indiana do Rei" e a "Siciliana". Há muitos livros sobre aberturas, mas o bom é achar uma da qual você goste e adotá-la, usando-a com frequência para entendê-la melhor. Como exemplo, mostraremos os movimentos da Indiana do rei.

Lembre-se: os peões não podem voltar atrás, assim, movimente-os com atenção enquanto avança. Forme linhas de peões, em que um protege o outro. Evite deixar alguma peça "en prise", ou indefesa.

O meio do jogo

As suas peças já estarão posicionadas e o seu rei em segurança. É aí que você começa a atacar.

Avance as suas peças para posições que ajudem a controlar o tabuleiro e capturar as unidades inimigas. Mesmo nesse estágio, é preciso ficar de olho em oportunidades para capturar o rei inimigo, mas não afaste demais as suas peças. Se quiser mover uma peça para uma determinada casa, verifique antes se está protegida por outra peça.

"Bloquear" é impedir que uma peça se mova devido ao perigo de perder outra peça mais importante que esteja atrás dela. Os bloqueios funcionam muito bem contra o rei inimigo. O seu adversário fica incapaz de mover as peças do bloqueio, já que não pode ficar voluntariamente em xeque.

Uma peça "sobrecarregada" ameaça duas peças ao mesmo tempo. O cavalo é ótimo para isso e pode ser mortal quando põe o rei em xeque e, ao mesmo tempo, ameaça uma peça valiosa.

O movimento forçado é o contrário do bloqueio: é quando uma peça valiosa é obrigada a mover-se, deixando assim desprotegida outra peça menor que poderá ser capturada. A torre que ameaça a rainha talvez não consiga capturá-la, mas poderá comer o bispo que está atrás quando ela se mover.

Não se esqueça de proteger o rei em seu "castelo", manter o equilíbrio dos pontos e tentar avançar. Até a vantagem de um peão tem importância no fim do jogo.

O fim do jogo

É possível vencer no meio do jogo, enquanto o tabuleiro ainda está cheio de peças, mas a maioria das vitórias acontece no fim do jogo. O tabuleiro estará vazio, sem as principais peças e peões. Estranhamente, agora o lugar mais seguro para o rei é o meio do tabuleiro, onde o seu poder pode ser usado para atacar e conduzir os peões à promoção.

Promoção. Se um peão chega à última fila do outro lado, pode ser trocado por uma rainha, torre, bispo ou cavalo. (Você pode ter duas rainhas! Basta virar a torre de cabeça para baixo para representar a segunda.) No fim do jogo, a ameaça de promoção pode causar forte efeito sobre a tática.

O fim do jogo envolverá combinações de peças como bispos e torres, por exemplo, tentativas de limitar o movimento do rei inimigo, colocá-lo em xeque e, depois, provocar o xeque-mate. As torres são importantíssimas no fim do jogo e não devem ser sacrificadas cedo.

A meta, obviamente, é pôr o rei adversário em xeque-mate. Esta é a parte mais difícil do jogo e a última coisa que o novato aprende a fazer bem.

Este é um dos poucos jogos em que você tem de submeter o seu cérebro à prova diretamente contra o cérebro de outra pessoa. É um campo de jogo equilibrado, a não ser por experiência, preparo e inteligência. Não subestime a preparação. Muito garoto esperto foi derrotado por um jogador melhor de xadrez.

É jogado no mundo todo, com tabuleiros magnéticos nos trens e com lindas peças de osso esculpido na Indonésia. É uma linguagem que todos conhecemos e todo garoto deveria saber jogar xadrez.

BRASIL:
UMA BREVE HISTÓRIA

A nossa história começou com o encontro de duas civilizações que, até então, viviam histórias paralelas: uma delas, os povos que habitavam as Américas e que foram chamados pelos europeus de "índios"; a outra, os portugueses e espanhóis que chegaram ao "Novo Mundo", motivados pela expansão marítima e comercial do século XV.

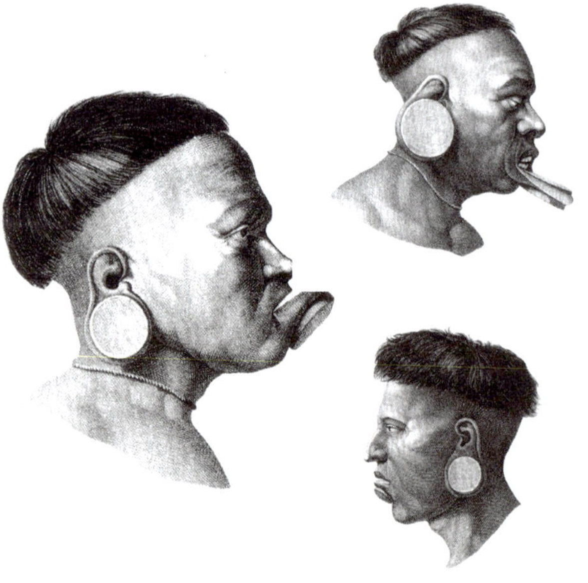

As monarquias de Portugal e Espanha dividiram a América entre si. A parte correspondente ao Império português, a "Terra de Santa Cruz" encontrada por Pedro Álvares Cabral, ficou conhecida como as "Terras do Brasil", em razão da abundância da árvore conhecida por pau-brasil ao longo do seu litoral. Para as populações nativas — os índios —, o encontro com o europeu foi muito negativo. Após os primeiros contatos amistosos, diversas tribos tiveram o seu modo de vida agredido e a sua cultura violentada. Muitas mortes foram causadas pelas doenças que os portugueses trouxeram da Europa — para as quais os organismos dos nativos não tinham defesas.

Os jesuítas, religiosos pertencentes à Companhia de Jesus, vieram com o objetivo de converter os índios ao catolicismo e, consequentemente, renegar todas as suas crenças religiosas, seus valores e costumes. Os índios que não aceitassem a religião católica sofreriam a chamada "guerra justa" e poderiam ser escravizados. Disputado ora como mão de obra escrava, ora como fiel católico, o nativo, aos poucos, perdia sua liberdade.

A Coroa portuguesa desenvolveu no Nordeste a plantação de cana-de-açúcar para exportação. Companhias portuguesas tinham o monopólio do comércio com os colonos que produziam no Brasil, lucrando quando compravam e quando vendiam. Mas a produção econômica não era voltada exclusivamente para a exportação de cana-de-açúcar. Havia outras atividades dirigidas para o mercado interno da colônia. Estão nesse caso as lavouras do feijão e do milho, bem como a produção de farinha de mandioca, do charque e do toucinho, alimentos básicos da época. A população também se alimentava de arroz, carne de baleia, presuntos, bananas e melancias. Nos dias de festas comiam carnes de vaca, leitão e galinha.

No primeiro século da colonização, os portugueses escravizaram os índios para o trabalho na lavoura açucareira e em outras atividades. No entanto, algumas décadas depois o trabalho escravo do indígena foi substituído pelo do negro africano — embora isso não significasse a extinção do cativeiro do índio. A mudança é explicada pela queda demográfica da população indígena devido aos trabalhos excessivos e, sobretudo, às doenças importadas da Europa, como a gripe, a varíola e o sarampo. Com a falta de braços para o trabalho na lavoura, os colonizadores portugueses encontraram como alternativa a escravização do negro africano. O tráfico negreiro para o Brasil se tornaria uma atividade altamente lucrativa.

Assim como os homens brancos — pobres ou ricos — formavam famílias na colônia, muitos escravos também o faziam. Muitos senhores tinham interesse que o escravo constituísse família para viver de maneira mais adequada no cativeiro. Assim, dificilmente um senhor separava a mulher escrava de seus filhos pequenos. Também aos escravos era permitido cultivar em porções de terras e venderem aquilo que colhessem.

A escravidão tornou-se um dos pilares da civilização construída no Brasil pela colonização portuguesa. Ao seu lado, estavam as grandes propriedades de terras produtoras de cana-de-açúcar para exportação, o monopólio português do comércio, a administração colonial centralizada e o catolicismo como religião dominante. Tratava-se de uma sociedade autoritária, hierárquica e desigual.

Na colônia, passaram a viver pessoas de origens e costumes diferentes que, na convivência do dia a dia, construíram uma sociedade variada e complexa. Os brancos, quase sempre católicos e portugueses, dominavam a política e a administração. Muitas práticas culturais indígenas e africanas foram incorporadas pelos brancos, passando a fazer parte de seus costumes e crenças. A miscigenação do branco português com índias e africanas foi sistemática, sobretudo pela escassez de mulheres brancas. Mas tudo era muito precário. A população sofria muito com os mosquitos, as pulgas e os piolhos. Para investigar acusações de heresias, de feitiçarias, de judaísmo, de homossexualismo e de outras práticas que a Igreja condenava, visitações do Santo Ofício estiveram na Bahia, Pernambuco e Pará. Muitas pessoas foram punidas pela Inquisição.

TIRADENTES

No século XVII, a economia colonial começou a se diversificar, avançando para o interior do país. Mas foi no início do século XVIII que a descoberta de riquezas minerais no interior da colônia, onde hoje é Minas Gerais, provocou um rápido crescimento demográfico, com pessoas vindo de outras regiões da colônia e da própria Europa. A sociedade tornou-se mais complexa. Mas as insatisfações logo surgiram entre os colonos. Os comerciantes portugueses vendiam mercadorias a preços altíssimos, permitindo que o lucro com o ouro fosse gasto com produtos importados. Ao mesmo tempo, a fiscalização metropolitana cobrava cada vez mais impostos dos mineradores. A insatisfação incentivou o surgimento de movimentos rebeldes contrários ao domínio português. As insurreições estavam identificadas com os ideais iluministas e com o sucesso da independência dos Estados Unidos da América e da Revolução Francesa. Assim, lideranças políticas coloniais passaram a reivindicar o rompimento político com Portugal. As Conjurações Mineira de 1789 e Baiana de 1798 foram exemplos desses movimentos.

Alguns anos mais tarde, no início do século XIX, fugindo das tropas de Napoleão Bonaparte, o príncipe regente D. João VI e a corte portuguesa deixaram Lisboa e se transferiram para o Rio de Janeiro. A cidade tornou-se sede do Império Português. D. João VI tomou várias medidas que beneficiaram a colônia, mas a principal delas foi a "abertura dos portos às nações amigas", acabando com o monopólio dos comerciantes portugueses e permitindo que negociantes ingleses vendessem seus produtos no Brasil — a preços bem mais baratos. D. João VI também elevou o Brasil à categoria de Reino Unido a Portugal. Contudo, as elites portuguesas exigiram que D. João VI retornasse a Portugal. Com receio de que o Brasil regredisse à condição de mera colônia portuguesa, membros da elite colonial, formada por políticos e fazendeiros, unificaram seus interesses em torno do príncipe português D. Pedro, filho de D. João VI. Eles articularam um movimento que resultou na proclamação da independência em 7 de setembro de 1822.

O Brasil estava independente de Portugal e tudo estava para ser construído. Os portugueses deixaram um imenso território com uma mesma língua, religião e cultura. Mas também deixaram um povo analfabeto e sem direitos. Não havia um país, não havia uma nação, não havia cidadãos. A escravidão, por exemplo, foi mantida. A construção do Estado Nacional brasileiro começou, efetivamente, com o surgimento do Império do Brasil.

As elites brasileiras que apoiaram o movimento de independência tinham um grande desafio: manter a unidade nacional. O Brasil poderia ter o mesmo destino da América espanhola que se fragmentou em várias repúblicas. Assim, o regime imperial era preferível à república. Para as elites dominantes, o Império seria um instrumento capaz de manter unido o território nacional, preservaria a ordem social e asseguraria uma questão muito importante para eles: a escravidão.

Desse modo, o Brasil passou a ter um imperador, D. Pedro I. Uma Assembléia Nacional Constituinte foi convocada para redigir a primeira Constituição brasileira. Mas contrariado com os deputados que pretendiam limitar seus poderes, o imperador fechou a Assembleia e apresentou uma Constituição que foi outorgada por ele mesmo em 1824. O texto constitucional garantia a monarquia hereditária, concedia ao imperador o uso do Poder Moderador e instituía a centralização política que negava autonomia às províncias. Também havia referências aos direitos políticos, em particular os direitos ao voto e de ser votado, embora de maneira muito precária, muito restrita. Para ter o direito de votar era necessário ter uma renda mínima e as fraudes e violências eram comuns nos dias de eleições. Além disso, 85% da população não sabiam ler ou escrever e 90% moravam em áreas rurais sob o controle político dos grandes proprietários de terras.

D. PEDRO I

As revoltas contra a nova ordem política logo começaram a eclodir. Contra o poder excessivo do imperador e a centralização política no Rio de Janeiro, líderes políticos de províncias do Nordeste se reuniram e proclamaram a Confederação do Equador. Tratava-se de um movimento republicano e separatista. A dura repressão desarticulou o movimento.

Muito rapidamente D. Pedro I perdeu o apoio político das elites brasileiras e abdicou ao trono em favor de seu filho D. Pedro de Alcântara, de apenas 5 anos de idade. O novo imperador, no entanto, estava impedido de governar até alcançar a idade de 18 anos. A Assembleia Geral indicou alguns homens que, formando as chamadas regências, governariam o Brasil até que o novo imperador tivesse idade para assumir suas funções. Contudo, os conflitos entre as elites das províncias e o descontentamento popular com as injustiças sociais motivaram a eclosão de revoltas de Norte a Sul do país.

No estado que hoje chamamos de Pará, vivia uma população muito pobre formada por índios, negros e mestiços amontoados em cabanas à beira dos rios, os "cabanos". Apoiando setores descontentes das elites, os cabanos provocaram uma grande revolta. A repressão do governo regencial foi dura com eles: 30 mil mortos. Em Salvador, na Bahia, eclodiu outra revolta, a Sabinada. Seus líderes defendiam a instauração da República até a maioridade de D. Pedro. O governo regencial reprimiu o movimento, resultando em centenas de mortos e milhares de prisioneiros. Também na Bahia ocorreu outra importante rebelião de escravos. Eram chamados "malês" os negros muçulmanos que sabiam ler e escrever árabe. Eles se revoltaram contra a escravidão e a imposição de se tornarem católicos, sendo reprimidos com severidade. Outra rebelião ocorreu nos estados hoje conhecidos como Maranhão e Piauí: a Balaiada. A revolta, inicialmente, surgiu por divergências de suas elites, mas logo a população mais pobre e escrava participou dela. No Rio Grande do Sul, a insatisfação dos estancieiros com o governo regencial fez eclodir um conflito que durou 10 anos: a revolta dos Farrapos.

CABANO

Assustadas com as rebeliões, as elites imperiais reforçaram a autoridade central e coroaram como imperador D. Pedro de Alcântara, agora D. Pedro II, com apenas 14 anos de idade. Começava, no Brasil, o Segundo Reinado.

D. PEDRO II

Na segunda metade do século XIX, o café tornou-se o principal produto de exportação do Brasil, com cerca de 70% de tudo o que era vendido ao exterior. A economia do país dependia do café plantado no Rio de Janeiro e, depois, no oeste de São Paulo. Os fazendeiros enfrentaram problemas em relação ao trabalho nas lavouras de café. Em 1850, diante da crescente pressão inglesa, o governo imperial aprovou o fim do tráfico de escravos. A partir daí estava proibido importar para o Brasil negros africanos escravizados. O trabalho livre e assalariado seria irreversível. Assim, o governo da província de São Paulo passou a subvencionar a vinda de trabalhadores estrangeiros, pagando o transporte marítimo. Entre 1870 e 1920, cerca de 1 milhão e 200 mil imigrantes — italianos, espanhóis, portugueses, japoneses, entre outros — chegaram ao Brasil.

O café modernizou o país. A partir da década de 1870, o Brasil conheceu um período de crescimento econômico. A economia cafeeira exigiu a construção de ferrovias, estradas e portos. Atraiu investidores estrangeiros, sobretudo ingleses. Surgiram os bancos, as casas de câmbio e de exportação. Estaleiros, empresas de navegação e moinhos foram inaugurados. Com a expansão das cidades, surgiram indústrias para satisfazer o consumo popular — a exemplo de fábrica de tecidos, alimentos, bebidas, velas, sapatos etc. A ampliação do espaço urbano também exigiu serviços públicos, como iluminação, gás e transporte. A sociedade se tornou mais complexa e formou-se uma "opinião pública" nas cidades.

Com a expansão econômica, as elites enriqueciam, mas também se divertiam em reuniões sociais. Ser "civilizado" tornou-se sinônimo de ser como os franceses: falar francês, ouvir música francesa, se vestir como francês e, claro, estar a par da "última moda em Paris". A população pobre, por seu lado, fez com que vários eventos se tornassem tradição como a "festa de reis", as "festas do Divino", as "cavalhadas", as "congadas", entre outras. A população pobre também se divertia com o "entrudo", os três dias que precedem a Quaresma. A brincadeira consistia em molhar as pessoas nas ruas, utilizando baldes, seringas ou bolas de cera. O entrudo foi duramente reprimido pela polícia, caracterizado como prática de "bárbaros". As elites trouxeram o Carnaval para o Brasil, mas tinham como modelo o de Veneza. Os populares gostaram do Carnaval e, naqueles dias, brincavam de... entrudo.

Também na década de 1870, o Segundo Reinado enfrentou um período difícil, sobretudo com as consequências da Guerra do Paraguai. O maior conflito militar da história latino-americana uniu Brasil, Argentina e Uruguai contra o Paraguai. Até então, o exército brasileiro era uma instituição desprestigiada e sem importância, mas com a guerra saiu bastante fortalecido e começou a exigir maior participação na política nacional.

Na década de 1880, o movimento pela abolição da escravidão cresceu. Os próprios escravos não ficaram passivos. As fugas, as revoltas, bem como as resistências cotidianas iam se tornando mais frequentes. Ao final, os escravos, em grupos, abandonavam as fazendas sem que fossem perseguidos pelas forças de repressão. A sociedade passou a interpretar a resistência escrava como legítima. O Brasil era o último país no mundo a manter a escravidão. O governo imperial, desse modo, aprovou, em 13 de maio de 1888, a extinção definitiva do sistema escravocrata.

Contudo, sem políticas públicas que os apoiassem socialmente, os negros recém-libertos tiveram que enfrentar uma dura situação de desigualdade social para se integrarem como cidadãos brasileiros. Mecanismos de exclusão social — mais explícitos ou mais sutis — permanecem até os dias atuais.

A insatisfação militar com o Império somou-se à de setores da Igreja Católica, à de fazendeiros que tiveram seus escravos libertados e a de cafeicultores do oeste de São Paulo. Em 15 de novembro de 1889, liderados pelo marechal Deodoro da Fonseca, grupos civis e militares patrocinaram um movimento que proclamou a República no Brasil.

A abolição da escravidão em 1888 e a proclamação da República no ano seguinte foram momentos fundamentais para a constituição da nacionalidade brasileira. Não havia como construir um ideal de Nação quando parte de sua população era escravizada.

A República, inicialmente, encontrou muitas resistências. Os descontentes com os novos governantes eram muitos, sobretudo setores das elites que, contrariados, promoveram guerras e rebeliões. A população pobre também entrou em cena, insatisfeita com as injustiças sociais. Assim, no interior da Bahia, Antonio Conselheiro fundou uma enorme comunidade com

homens e mulheres que fugiam da opressão dos donos de terras. O lugar chamava-se Canudos. Na divisa do Paraná com Santa Catarina, um outro movimento, conhecido como Contestado, agrupou milhares de pessoas descontentes com as injustiças sociais. Os dois movimentos foram dizimados por tropas do exército. No Rio de Janeiro, a população se revoltou contra a vacinação obrigatória. Tempos depois, foi a vez dos marinheiros se rebelarem, inconformados com os maus-tratos que sofriam nos navios da Marinha de Guerra.

Uma nova Constituição foi promulgada em 1891. Com ela, a República se tornou liberal. Os liberais acreditavam que a interferência do Estado na sociedade era negativa ao progresso. No plano político, as eleições se tornaram uma grande encenação, uma grande farsa. O voto era aberto e, assim, o "coronel" podia controlar as escolhas eleitorais de seus empregados. O processo eleitoral continuou como no Império: tinha fraude e violência. Os grandes beneficiados com a República liberal foram os plantadores de café do oeste de São Paulo. O Brasil, nesse momento, vivia da exportação do café e os fazendeiros paulistas formavam a elite dominante no país.

Nessa República, chamada de Primeira, o trabalhador tinha uma vida bastante difícil. Além de ganhar muito pouco, não havia uma única lei que garantisse seus direitos sociais. Nenhuma legislação garantia o horário de trabalho, pensões, aposentadorias ou indenizações por acidente de trabalho. A reivindicação dos trabalhadores era por melhores salários e por direitos sociais. Mas eles lutavam, também, para que o trabalho fosse reconhecido com um valor positivo na sociedade — o que não acontecida por conta da escravidão, ainda muito recente. Portanto, eles tinham que lutar em duas frentes: por leis sociais e por valorização social.

As elites continuaram a ter a França como o padrão de civilização. As festas, músicas, danças, lutas e religiosidades de matriz africana eram definidas como incompatíveis com o que chamavam de "civilização". No futebol, por exemplo, recusavam-se jogadores negros nos clubes. As expressões culturais da população rural eram definidas como atrasadas e arcaicas. As elites recusavam as manifestações da cultura popular. Mas, nos anos 1920, um movimento chamado Modernismo adotou uma perspectiva diversificada da sociedade brasileira. Artistas e intelectuais se aproximaram da cultura popular, a absorveram e a recriaram.

Naqueles anos, os governos da Primeira República começaram a ser criticados e os privilégios dos cafeicultores paulistas foram contestados por vários grupos políticos e sociais. A República liberal cafeeira não suportou o conjunto de oposições e, em outubro de 1930, uma grande coligação política liderada pelo gaúcho Getúlio Vargas tomou o poder. Com a Revolução de 1930, uma nova República começava no Brasil.

O novo grupo que passou a governar o Brasil era antiliberal. O Estado passou a intervir na economia e nas relações entre empresários e trabalhadores. O setor público se fortaleceu e o Estado tornou-se interventor e planejador da economia. O objetivo era industrializar o país. A Companhia Siderúrgica Nacional e a Companhia Vale do Rio Doce foram os resultados mais imediatos. As bases da industrialização brasileira foram construídas nesse momento, inserindo o Brasil no mundo moderno.

Acompanhando a tendência mundial, o Estado implementou políticas públicas de valorização do trabalho e do trabalhador. É desse período a invenção de um sistema universal de saúde e de ensino públicos. Vasto programa de previdência social se impôs, com seguros contra invalidez, doença, morte, acidentes de trabalho, seguro-maternidade, entre outros. Ao mesmo tempo, leis sociais foram implementadas de maneira muito rápida. Entre 1931 e 1934 toda a legislação trabalhista, à exceção do salário mínimo, foi promulgada: limitação da jornada de trabalho, regulamentação do trabalho feminino e infantil, horas extras, férias, pensões e aposentadorias, entre diversas outras. Mas era necessário obrigar os empresários a cumprir as leis. Assim foi criada a Justiça do Trabalho. O ideal de "justiça social" começou a tornar-se uma referência importante para os trabalhadores.

Foi nessa época, também, que a cultura popular foi reconhecida e valorizada. O samba, o carnaval de rua e a capoeira, manifestações vistas na Primeira República como atividades de marginais, passaram a ser consideradas como legítimas expressões da cultura brasileira.

Os anos 1930, no entanto, foram conflituosos e marcados pela radicalização política no Brasil. As esquerdas se uniram na Aliança Nacional Libertadora. A direita fascista se organizou na Ação Integralista Brasileira. Os liberais aderiram à revolta dos paulistas contra Vargas, em 1932. O radicalismo alcançou seu ponto alto com a tentativa de tomada do poder pelos comunistas liderados por Luis Carlos Prestes, em 1935. Ao final, o vitorioso

GETÚLIO VARGAS DESFILANDO EM CARRO ABERTO

foi Getúlio. Por meio de um golpe de Estado, em 1937, ele impôs a ditadura do Estado Novo. Com o Estado autoritário, os direitos políticos foram suspensos, mas esse período foi de afirmação dos direitos sociais.

Em 1945, um golpe militar tirou Getúlio do poder. A sociedade brasileira ainda não tinha clareza, mas já vivia o que, mais tarde, chamaria de "Era Vargas". Tal período ficou associado ao nacionalismo, à industrialização e aos direitos sociais dos trabalhadores.

Em 1946, uma Assembléia Nacional Constituinte promulgou uma nova Constituição. A partir desse ano, a sociedade brasileira conheceu um regime democrático. O voto secreto e as eleições fiscalizadas por tribunais tornaram a escolha dos representantes do povo um processo legítimo. Os governantes eram eleitos, tomavam posse e cumpriam seus mandatos. A imprensa era livre e muito atuante. Assim, além dos direitos sociais que estavam assegurados desde a década de 1930, os trabalhadores passaram a ter direitos políticos a partir de 1945.

Na República democrática, os trabalhadores lutaram por seus direitos. Organizados em sindicatos, patrocinaram inúmeras greves. Formaram uma grande central sindical: o Comando Geral dos Trabalhadores. No Nordeste do país, os camponeses se organizaram em ligas. Os estudantes também participaram do processo político por meio da União Nacional dos Estudantes.

Alguns governos foram marcantes no período, como o de Getúlio Vargas que, em 1950, voltou à presidência eleito pelo povo. Getúlio retomou o programa nacionalista de desenvolvimento. A criação da Petrobras, por exemplo, foi o auge da luta pelo nacionalismo. Os liberais brasileiros, no entanto, inconformados com a presença de Vargas no poder, fizeram uma grande campanha contra o presidente. Para evitar um golpe militar, ele cometeu suicídio. Juscelino Kubitschek foi outro presidente que deixou marcas na política brasileira. Democrata por formação, mobilizou o Brasil em busca do desenvolvimento econômico. Seu governo fez grandes investimentos em energia e transportes e, com a entrada de empresas estrangeiras, o país conheceu um forte crescimento. O destaque foi a indústria automobilística. As bases econômicas lançadas por Getúlio permitiram que o Brasil, com Juscelino, se tornasse um país industrializado e moderno. Até mesmo uma nova capital no Planalto Central ele construiu: Brasília, inaugurada em 1960.

Outro presidente importante do período democrático foi João Goulart. Para ele, governar não era apenas fazer o Brasil crescer economicamente, mas construir um país mais justo. Jango, como Goulart era conhecido, queria desenvolvimento com justiça social. Daí seu programa de reformas sociais, sobretudo a reforma agrária. O movimento sindical, as ligas camponesas, os estudantes, os intelectuais e os partidos de esquerda se mobilizaram pelas reformas. Mas as elites conservadoras e de direita, muito contrariadas com o presidente, passaram a menosprezar o regime democrático. Para elas a democracia estava viabilizando a realização das reformas. As esquerdas, por sua vez, achavam que o regime democrático era um empecilho para a aprovação da reforma agrária. O resultado da radicalização e do desprezo pelo regime democrático foi o pior para o povo: nem reformas, nem democracia. Um golpe de Estado em 1964 liderado por militares e civis derrubou o presidente e impôs aos brasileiros uma ditadura, que duraria 21 anos.

No poder, os militares e seus aliados civis implantaram a censura à imprensa e perseguiram sindicalistas, artistas, intelectuais e estudantes. Para os brasileiros, a Ditadura Militar foi um retrocesso em relação aos seus direitos de cidadania. A votação para presidente da República, para governadores de estados e prefeitos das capitais foi proibida. Os opositores eram presos sem processo judicial. Em termos de direitos sociais, o arrocho salarial reduziu o poder de compra dos trabalhadores. Os sistemas públicos de saúde e de educação se degradaram. A partir de 1969, a Ditadura conseguiu altos índices de crescimento econômico, beneficiando empresários, classe média e mesmo operários com as muitas ofertas de empregos que surgiram. Mas o Regime Militar criou um modelo econômico concentrador da renda e socialmente muito injusto. Os ricos ficaram cada vez mais ricos e os pobres cada vez mais pobres. Muitos jovens de classe média, pensando em implantar o socialismo no Brasil, pegaram em armas e atacaram a Ditadura. A maioria deles foi presa, torturada e banida do país. Muitos morreram devido às torturas.

No final dos anos 1970, a oposição contra o regime militar ressurgiu: estudantes, trabalhadores, artistas, intelectuais, religiosos e políticos passaram a criticar o governo ditatorial. Em 1978, greves operárias eclodiram em São Paulo. Os estudantes foram para as ruas protestar. A população se mobilizou em associações de bairros. Cresceu o movimento pela anistia dos presos políticos. Católicos se organizaram em comunidades de base. Mulheres, negros e homossexuais criaram organizações para defender seus direitos. Uma grande mobilização popular pelas eleições diretas para presidente da República encheu as ruas das cidades: a campanha das Diretas Já. A juventude, indignada com tudo aquilo, criou o chamado Rock Brasil: Cazuza, no Barão Vermelho, e Renato Russo, na Legião Urbana, entre diversos outros cantores e poetas, expressaram os sentimentos de revolta.

A ditadura não resistiu ao conjunto de reivindicações e, em 1985, os brasileiros conseguiram voltar a viver novamente sob um regime democrático. Uma nova Constituição foi promulgada em 1988, apelidada de "constituição cidadã".

Um novo período na história contemporânea brasileira se abriu a partir daí. As exigências de mudanças foram muitas. Mas as decepções também. Assim, no início do século XXI, a sociedade brasileira, entre erros e acertos, entre esperanças e desilusões, entre avanços e recuos, mas dentro do regime democrático, continua vivendo sua história.

COMO CULTIVAR GIRASSÓIS

Esta é uma coisa muito simples e que pode ser muito compensadora; se não falássemos dela aqui, talvez você perdesse uma boa oportunidade. Essas plantas (Helianthus) são chamadas girassóis porque se viram para o Sol; quando maduras, as grandes corolas redondas também lembram o Sol. Em inglês, chamam-se *sunflower*, em francês, *tournesol* e em italiano, *girasole*. Você encontra sementes de girassol na comida de hamsters e em lojas de alimentos naturais. Cultivar plantas e flores pode ser gratificante e as sementes de girassol são ótimas para isso, porque da semeadura à floração são apenas 60 dias numa época boa de verão. Crescem rapidamente e dão resultados esplêndidos.

Plante as sementes em solo fértil no final da primavera. Você só precisa arranjar algumas sementes rajadas de preto e branco, colocá-las com um pouco de terra num copo plástico, juntar água e esperar alguns dias. Elas precisam de sol, portanto, deixe o copo numa janela bem iluminada.

O crescimento, mostrado na figura 1 da próxima página, é de apenas uma semana. As sementes se abrem e sobem nas hastes, como chapéus. Remova as sementes quando conseguir ver as folhas.

Em algum momento talvez você precise de varinhas de madeira para apoiar as hastes. Elas vão produzir as maiores flores que você já cultivou, com um miolo cheio de sementes comestíveis. A altura final pode chegar a 2,5 m!

A figura 2 é de um mês depois, com quase 60 cm de altura. Elas foram replantadas num vaso contendo um pouco mais de terra ou composto, bem regadas. Se você tiver um lugar que receba sol regularmente, os girassóis vão adorar ficar na terra, mas verifique de vez em quando se há pulgões e caramujos. Para manter este tipo de crescimento rápido, precisam de bastante água, portanto não se esqueça de regá-los diariamente.

FIGURA 1

FIGURA 2

Quando as flores finalmente murcharem no final do verão, corte as corolas com os polegares e terá centenas de sementes rajadas, prontas para começar tudo de novo no ano seguinte. As cascas contêm um miolo de gosto agradável que pode ser comido cru. Você também pode torrar as sementes até ficarem castanhas e servi-las com sal e manteiga. São boa fonte de potássio e fósforo, ferro e cálcio.

PERGUNTAS SOBRE O MUNDO [TERCEIRA PARTE]

1. COMO OS VELEIROS NAVEGAM CONTRA O VENTO?
2. DE ONDE VEM A CORTIÇA?
3. O QUE PROVOCA O VENTO?
4. O QUE É GIZ?

1. *Como os veleiros navegam contra o vento?*

Quando o vento sopra de frente para um barco ou navio, parece impossível navegar contra ele. No entanto, isso pode ser feito com o uso inteligente das velas e do leme.

A figura 1 é um barquinho visto de cima, onde você pode ver a vela grande e o leme. O vento vem na direção das setas marcadas com "a" e tende a virar o barco na direção da seta "b". Para contrabalançar isso, o leme é colocado na posição "c" e o peso da água contra o leme empurra

COMO OS VELEIROS NAVEGAM CONTRA O VENTO

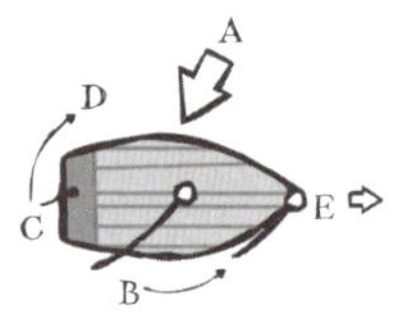

FIG. 1

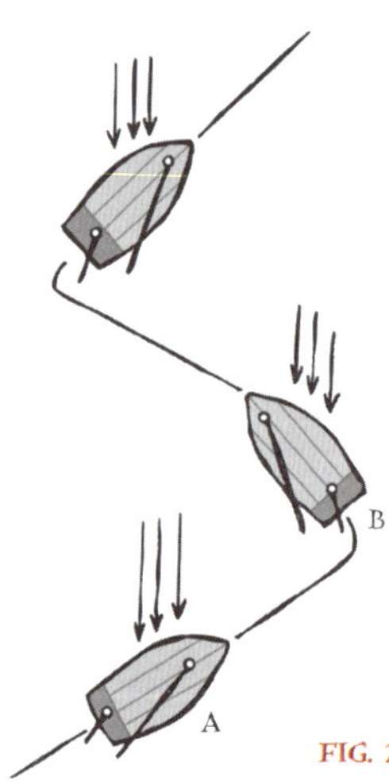

FIG. 2

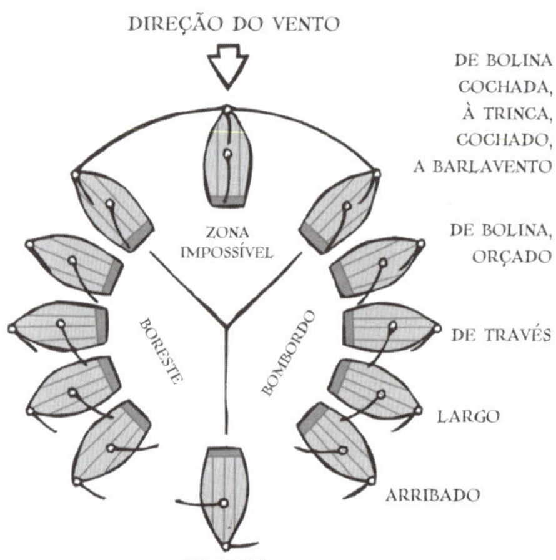

FIG. 3

o barco na direção indicada com "d". Entre essas duas forças, o barco desliza à frente na direção "e", como um caroço que a gente cospe.

Para chegar a um ponto a barlavento (na direção de onde sopra o vento), o barco precisa fazer esta manobra primeiro para estibordo ou boreste (direita) e depois para bombordo (esquerda), como na figura 2. O barco navega para boreste, "a", e depois de algum tempo o leme é virado, "b", e a vela passada para o outro lado — e o barco muda de bordo e segue para bombordo. Com essa mudança de bombordo para boreste e vice-versa, o barco consegue, numa rota em zigue-zague, chegar ao ponto de onde o vento sopra — e, assim, navegar contra o vento.

2. De onde vem a cortiça?

Quando uma planta é ferida e os seus tecidos internos ficam expostos, ela se torna vulnerável ao ataque de fungos e bactérias. De um modo parecido com a produção de pus pelo corpo humano, vários mecanismos de defesa vegetal liberam fluidos como parte do processo de cura. De um tecido do interior da planta chamado "calo", formam-se novas células para fechar as partes feridas. Estas células logo ficam marrons e assumem a natureza da verdadeira cortiça.

Como o homem precisa de cortiça em quantidade bem grande, acabou encontrando uma árvore que a produz em abundância, o sobreiro (*Quercus suber*). A casca externa desta árvore é feita quase toda de cortiça e pode ser retirada em tiras grandes durante o verão. Esse processo fere a árvore, mas só o suficiente para encorajá-la a produzir mais cortiça para substituir a que perdeu. Mesmo assim, muitos produtores de vinho estão passando a usar rolhas de plástico ou tampas rosqueadas.

3. O que provoca o vento?

Os ventos são correntes de ar causadas principalmente pelas diferenças de temperatura criadas pelo aquecimento irregular da superfície da Terra e da atmosfera pelo Sol.

As regiões polares podem ser quase 90°C mais frias que as regiões equatoriais. Também é importante o fato de que, nos trópicos, a temperatura do dia e da noite varia mais de 25°C. Além disso, a cada quilômetro e meio que subimos acima do nível do mar, a temperatura cai quase 10°C.

A rotação da Terra também interfere, contribuindo para a formação de ventos regulares que, na época da navegação a vela, ajudaram muito o comércio. As correntes de ar frio das regiões árticas não podem acompanhar a rotação e são desviadas para Oeste. O vento Norte se transforma em vento Noroeste; o mesmo acontece no hemisfério Sul, em que o vento Sul vira vento Sudeste.

4. O que é giz?

O giz é um tipo macio de pedra calcária (carbonato de cálcio). É feito de conchas de animais minúsculos chamados "foraminíferos", que vivem por toda parte no oceano. Quando os foraminíferos morrem, as conchas insolúveis formam um depósito lamacento que endurece sob pressão e vira giz. Costuma ser encontrado junto ao sílex, outra pedra composta de restos orgânicos fossilizados.

MAPAS DO BRASIL

Os mapas demonstram a evolução da formação do território brasileiro a partir da divisão do mundo pelo Tratado de Tordesilhas em 1494 entre portugueses e espanhóis. O primeiro mapa desta série foi baseado na carta geográfica executada em **1574** por Luis Teixeira, que o desenhou a mando do regente português, e mostra a linha divisória mais para oeste do que determinava o Tratado, dando, assim, mais terras para Portugal. Mostra também a divisão interna em **Capitanias Hereditárias** que existiram por três séculos, até 1759, quando o Marquês de Pombal as extinguiu.

O segundo mapa representa o Brasil como **Vice-reino** de Portugal a partir do ano de **1640**, quando era dividido em Estado do Maranhão e Estado do Brazil. O século XVIII foi marcado por tratados que tentavam definir as fronteiras brasileiras, principalmente na região meridional, incluindo a Colônia de Sacramento, que hoje é o Uruguai, e as terras dos povos indígenas das missões jesuíticas.

O terceiro cartograma refere-se ao período em que o Brasil já se tornara independente de Portugal, em **1823**, e constituía o **Império** do Brasil. Nele estão exibidos os limites demarcados de todas as províncias desde 1825.

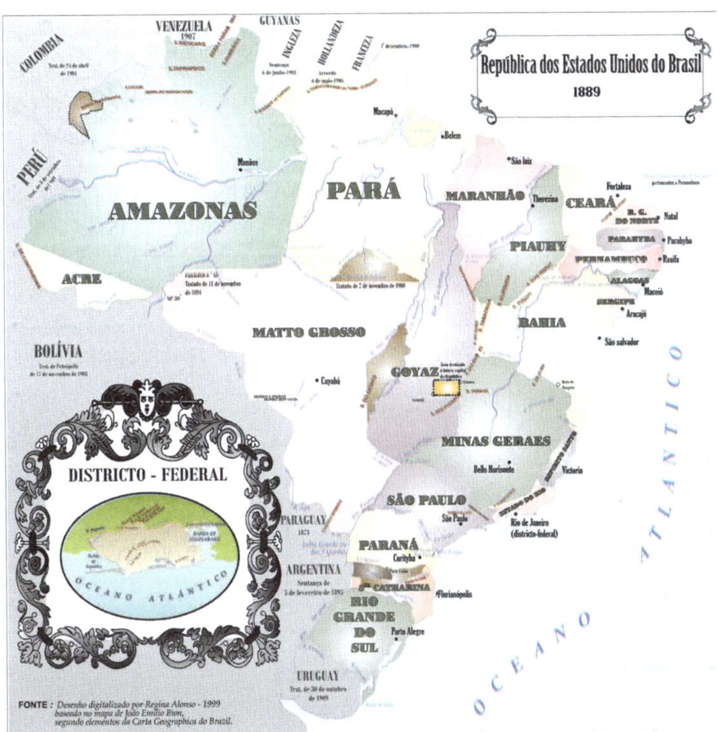

Finalmente, o último mapa se reporta à mudança da monarquia para **República**, declarada em 1889. Mostra a definição das últimas fronteiras demarcadas nos primeiros anos do século XX e que perduram até hoje, formando o território da República Federativa do Brasil.

RPG
ROLE PLAYING GAME

Esta página não vai lhe ensinar a fazer nada; você vai ver o porquê conforme for lendo. É um ensaio curto sobre os jogos de interpretação ou representação — os role playing games, ou RPG: o que são e como começar. Poucas invenções do século XX combinam tão bem diversão e imaginação.

O livro *Dungeons & Dragons* foi publicado em 1972. Ainda existe à venda em livrarias e lojas de jogos. Para começar, você precisa do livro do jogador, do livro do mestre, alguns dados e, finalmente, invente uma aventura para jogar. Este começo não é barato, mas depois da despesa inicial o custo é mínimo, já que é tudo imaginação, lápis e papel.

Em essência, você compra e lê os livros e depois escolhe um personagem. Há tipos básicos, como Guerreiro, Ladrão e Mago. O personagem começa com algumas qualidades, como destreza e força, que são decididas jogando os dados. Com a experiência, aumentam o poder, a resistência e o conhecimento do personagem. O jogo também vai ficando cada vez mais complexo. Os guerreiros ganham armas mais poderosas, os magos passam a ter acesso a feitiços mais fortes. Quando éramos crianças, passamos do nível básico ao avançado, ao especializado e até ao imortal, antes de chegar aos combates entre nações e à construção de um império. A gente nunca esquece a primeira vez que é exilado do país que a gente mesmo construiu a partir do nada.

Você vai precisar de mais gente, este é um jogo social, o que é uma vantagem. Na acepção concreta da palavra, é um treino da imaginação e, mais ainda, uma escola para aprender a inventar tramas e personagens. Pode ser até um bom treinamento de tática. Se você quer ser escritor, experimente jogar D&D. Aliás, se quiser ser matemático, também experimente jogar D&D.

O Mestre é quem dirige o jogo. Ele reúne ou escreve aventuras, que podem acontecer literalmente em masmorras ou em qualquer lugar. Os personagens combatem os monstros escolhidos por ele, descobrem as suas armadilhas ou caem nelas, sofrendo mortes horríveis. Os jogadores vão inventar personagens com histórias cheias de detalhes e também o equipamento que usam e as habilidades que têm.

Para nós, D&D permitiu que brincássemos, durante centenas de horas, na escola e em casa, com lápis, gráficos, dados e risos. Se você não gosta de elfos, há muitos outros tipos de jogos de interpretação, como o do Juiz Dredd, os de super-heróis, os de vampiros e centenas de outros... Mas *Dungeons & Dragons* ainda é o primeiro e continua a ser o melhor.

ENTENDENDO GRAMÁTICA — PARTE III

1) VERBOS TRANSITIVOS E INTRANSITIVOS

Com que frequência você precisará saber a diferença? Quase nunca, ou nunca, mas o estranho é que aqueles que conhecem esses princípios de gramática tiram melhor proveito desse conhecimento.

Verbos transitivos são aqueles que precisam ter objeto. Por exemplo, "enterrar", "gostar", "negar" e muitos outros. Você simplesmente não pode escrevê-los sem um objeto — "João negou", "Maria enterrou". João tem que negar alguma coisa e Maria tem que enterrar alguma coisa para essas construções fazerem sentido.

Verbos intransitivos são verbos que podem estar completos sem objeto: "chegar", "sorrir" e "existir".

Alguns verbos podem ser transitivos ou intransitivos, dependendo de como são usados em uma sentença (apenas para tornar as coisas mais difíceis): "O fogo queimou" (intransitivo). "O fogo queimou meu dedo" (transitivo — "meu dedo" é o objeto). "Ele quebrou o vidro" (transitivo). "Vidro quebra facilmente" (intransitivo).

De novo, entretanto, isso não é o mesmo que calcular órbitas parabólicas — reconhecer se um verbo é usado transitiva ou intransitivamente é questão de cuidado, bom senso e memória.

2) TEMPOS E MODOS VERBAIS

Não será surpresa escutar que verbos precisam de formas que expressem passado, presente e futuro. Existem importantes diferenças entre alguém dizendo "Eles fecharam o portão" e "Eles fecharão o portão". As três principais formas de verbos, portanto, expressam essas diferenças. Elas são conhecidas como presente, pretérito e futuro.

Em Português, há três modos verbais: indicativo, subjuntivo e imperativo. A escolha do modo verbal reflete a atitude do falante em relação ao fato que comunica. No indicativo, o falante afirma ou nega acontecimentos, considerando que eles ocorreram, ocorrem ou ocorrerão. No subjuntivo, o falante considera o acontecimento como uma possibilidade ou um desejo. O modo imperativo é usado para marcar ordem, pedido ou conselho. Por conta disso, é muito explorado pela propaganda e pelos pais em momento de bronca!

As noções de tempo e modo verbais estão intimamente ligadas em Língua Portuguesa, por isso os esclarecimentos a seguir concentram esses dois conceitos. Vamos lá?!

O tempo presente

Há duas formas de representar o tempo presente:
Presente do modo indicativo (Eu escrevo muitas cartas.)
Presente do modo subjuntivo (Ele quer que eu escreva para você.)

O presente do indicativo enuncia um fato como atual. No exemplo dado, o verbo "escrever" aparece conjugado na primeira pessoa do singular, mas é possível conjugar o verbo em outras pessoas com acréscimo de finais diferentes, chamados desinências: eu escrevO, tu escreveS, ele/ela escreveØ, nós escreveMOS, vós escreveIS, eles/elas escreveM. O símbolo Ø representa que não se usou desinência número-pessoal para aquela pessoa gramatical.

Esses finais indicativos de pessoa (1ª, 2ª ou 3ª) e número (singular ou plural) são mais ou menos fixos, sendo aproveitados em vários tempos verbais. Há também marcas de tempos e modo verbais chamadas desinências modo-temporais, mas o presente do indicativo não traz essa marca.

O presente do subjuntivo revela uma ação subordinada à outra e que se desenvolve no momento atual. Como todo tempo do subjuntivo, percebe-se a marca de dúvida, suposição quanto à realização da ação verbal. O exemplo apresentado traz o verbo "escrever" na primeira pessoa do singular “eu”. Esse tempo verbal, diferentemente do presente do indicativo, traz desinência modo-temporal: que eu escrevAØ, que tu escrevAs, que ele/ela escrevAØ, que nós escrevAmos, que vós escrevAis, que eles/elas escrevAm. Note que a desinência modo-temporal está presente em todas as pessoas, no singular e no plural.

Você se lembra quando tratamos de verbo no capítulo de classes gramaticais? Nessa parte observamos que há modelos de conjugação (1ª, 2ª e 3ª). Para as desinências modo-temporais do presente do subjuntivo, há diferença em relação à conjugação verbal: E — 1ª conjugação (que eu cantE, que nós encontrEmos) e A — 2ª e 3ª conjugações (que eu escrevA, que eles se movAm / que eu sorriA, que nós partAmos).

O tempo passado

Antes de mais nada, precisamos observar que o passado ou pretérito se subdivide em três tipos: perfeito, imperfeito e mais-que-perfeito.
Pretérito perfeito do modo indicativo (Eu sempre escrevi muitas cartas.)
Pretérito imperfeito do indicativo (No passado, eu escrevia muitas cartas.)
Pretérito imperfeito do subjuntivo (Ele gostava que eu escrevesse muitas cartas.)
Pretérito mais-que-perfeito do indicativo (Ela me disse que escrevera muitas cartas para mim naquelas férias.)

O pretérito perfeito do indicativo trata de um fato já concluído numa época passada, portanto, indica uma ação iniciada e já acabada. Quando se diz: “Eu sempre escrevi muitas cartas”, o ato de escrever já cessou de acontecer. Assim como no presente do indicativo, o pretérito perfeito do indicativo não traz marca de desinência modo-temporal, mas apresenta as marcas de número/pessoa especiais: eu escrevI, tu escreveSTE, ele/ela escreveU, nós escreveMOS, vós escreveSTES, eles/elas escreverAM.

O pretérito imperfeito do indicativo apresenta um fato como anterior ao momento atual, mas ainda não concluído no passado a que nos referimos. Em “No passado, eu escrevia muitas cartas”, parece que o ato de escrever deixou de acontecer no próprio passado. Esse tempo verbal apresenta desinência modo-temporal que ajuda a identificá-lo: VA — 1ª conjugação (eu cantaVA, nós encontráVAmos) e A — 2ª e 3ª conjugações (eu escreviA, eles se moviAm / eu sorriA, nós partíAmos).

No subjuntivo, também existe pretérito imperfeito que indica uma ação passada, mas posterior e dependente de outra ação passada. No exemplo, "Ele gostava que eu escrevesse muitas cartas.", "gostava" indica uma ação passada e "escrevesse" é dependente e posterior em relação à primeira. Note-se que a identificação desse tempo verbal é fácil, se observarmos a desinência modo-temporal SSE, usada para todas as conjugações: se eu cantaSSE, se nós escrevêSSEmos, se eles/elas partiSSEm.

O pretérito mais-que-perfeito do indicativo expressa um fato anterior a outro já concluído em momento passado. É o passado do passado! Na construção "ela me disse que escrevera muitas cartas para mim naquelas férias", o ato de escrever é anterior ao ato de dizer e ambas as ações se deram no passado. A desinência modo-temporal auxilia na identificação desse tempo verbal. O fragmento RA (átono — sem ser a sílaba tônica) identifica o mais-que-perfeito do indicativo nas três conjugações verbais: eu cantaRA, nós escrevêRAmos, eles/elas partiRAm.

O subjuntivo apresenta pretérito perfeito e mais-que-perfeito, mas esses tempos verbais só se concretizam nas formas compostas (VERBO AUXILIAR ter/haver + PARTICÍPIO DO VERBO PRINCIPAL): eu tenho comprado — pretérito perfeito e eu tinha comprado — pretérito mais--que-perfeito. Trataremos de verbos auxiliares e particípio mais à frente, aguarde só um pouquinho!

O tempo futuro

O futuro, no modo indicativo, subdivide-se em dois tipos: futuro do presente e futuro do pretérito. No caso do modo subjuntivo, existe apenas um tipo de futuro, por isso dispensa qualquer outra designação além da palavra "futuro".
Futuro do presente do indicativo (O namorado <u>escreverá</u> para ela as mais belas cartas de amor.)
Futuro do pretérito do indicativo (<u>Escreveríamos</u> para você, se tivesse sobrado tempo na viagem.)
Futuro do subjuntivo (Quando <u>escreverem</u> para a vovó, digam que estamos todos bem.)

O futuro do presente do indicativo revela um fato que deve se realizar num tempo vindouro em relação ao momento presente. No exemplo proposto, parece uma ação certa o fato de o namorado escrever belas cartas. Pode-se identificar esse tempo verbal com mais facilidade a partir da identificação da desinência modo-temporal que o caracteriza: RA/RE (tônico) comum a todas as conjugações verbais (ele cantaRÁ, nós nos moveREmos, eles/elas partiRÃo).

No futuro do pretérito do indicativo, a ação verbal expressa um fato hipotético com relação à outra ação no passado. Nessas situações, é comum que o outro fato já passado seja dependente do primeiro como uma condição. Tomando como base o exemplo proposto, o ato de escrever está atrelado à ideia de sobrar tempo, que representa uma espécie de condição para a escrita. Também há desinência modo-temporal que identifica esse tempo verbal: RIA/RIE para as três conjugações verbais (eu cantaRIA, ele se moveRIA, vós partiRÍEis).

O futuro do subjuntivo expressa uma ação futura dependente de outra ação também futura. No exemplo utilizado, o ato futuro de escrever está relacionado ao ato de dizer que todos estão bem, outra ação futura. A desinência modo-temporal desse tempo verbal é a mesma utilizada no infinitivo verbal: R. Com os verbos regulares, a construção do futuro do subjuntivo se parece com a do infinitivo, mas, nos verbos irregulares, isso não ocorre: ver (infinitivo) e vir (futuro do subjuntivo), pôr (infinitivo) e puser (futuro do subjuntivo).

O modo imperativo, que expressa ordem, conselho ou pedido, aparece em sua forma afirmativa, "Cale a boca!", e na construção negativa, "Não me desrespeite, menino!". Muito usada em situa-ções de comando, as formas imperativas podem ter a ideia de imposição suavizada pelo uso de expressões como "por favor", "por gentileza" ou até mesmo pelo tom de voz. Experimente você mesmo ler a construção a seguir indicando apenas um pedido e depois como se fosse uma ordem sem discussão: "Moça, passe-me o dinheiro."

Além dos tempos verbais, existem o que chamamos de formas nominais do verbo, a saber, infinitivo, gerúndio e particípio. Essas formas verbais aparecem, frequentemente, quando construímos blocos verbais: tempos compostos ou locuções verbais.

O infinitivo enuncia a significação do verbo de forma vaga. É como se fosse o nome dos verbos (andaR, vendeR, partiR). A marca do infinitivo é a desinência R, que já falamos ser igual àquela usada no futuro do subjuntivo.

O gerúndio ajuda a expressar a ideia de duração da ação verbal. Por exemplo, na construção "eu estou falando", o ato de falar se prolonga e dá a ideia de continuidade. Essa forma nominal apresenta uma marca de desinência como se pode ver em andaNDO, veNDO e partiNDO.

O particípio é usado nos tempos compostos, mas também pode assumir valor adjetivo. Vejamos os exemplos: "Ele já tinha <u>fechado</u> a porta quando ela bateu." "A porta <u>fechada</u> impediu a invasão dos mosquitos." Na primeira construção, "fechado" acompanha o verbo "ter" na construção do tempo composto. No exemplo subsequente, "fechada" é uma característica da porta (substantivo), portanto é um adjetivo.

As formas verbais no particípio apresentam a desinência DO, como ocorre em fechaDO. Algumas formas verbais, entretanto, não seguem o processo regular como pôr / poSTO ou fazer / feiTO. Alguns verbos são melhores ainda porque oferecem duas formas de particípio: aceitar — aceitado/aceito, acender — acendido/aceso, imprimir — imprimido/impresso. No caso de haver duas formas de particípio, a escolha é feita em função do verbo auxiliar: com TER/HAVER usa-se a forma regular (DO) e com SER/ESTAR emprega-se a construção irregular. Observe os exemplos: "Eu tinha entregado a mercadoria no seu destino" e "A mercadoria foi entregue no seu destino".

Se você chegou até aqui, sabemos que ficará desapontado se pararmos neste ponto. "E os verbos auxiliares?" "E as locuções verbais?", você se perguntará. Então, prepare-se para a emoção nas duas seções finais. Este é o nível de ouro. Vá com calma.

3) VERBOS AUXILIARES

Verbos auxiliares são verbos que participam da formação de locuções verbais e de tempos compostos. O idioma tem várias combinações com auxiliares, muitas usando "ser" e "ter" associados com outro verbo: "eu estou indo", "eu tenho olhado" e outros.

Verbos auxiliares integram uma unidade de sentido com o verbo que acompanha, chamado de principal. Nessa união, devemos considerar a existência de um bloco verbal e, consequentemente, só uma oração. Cada um dos verbos, auxiliar e principal, desempenha um papel nessa espécie de "casamento" verbal. Cabe ao auxiliar assumir as chamadas flexões verbais, isto é, marcar tempo, modo, número e pessoa. A função do verbo principal está ligada à transitividade que pode exigir ou não complementação para seu sentido. Você se lembra dos objetos? É exatamente ao verbo principal que eles se ligam por intermédio ou não de preposição. Como você já sabe, isso depende do verbo.

4) LOCUÇÕES VERBAIS

Por locução verbal, entende-se a combinação de dois ou mais verbos, que funcionam como um bloco. Um desses verbos é chamado principal e o(s) outro(s) assume(m) papel de auxiliar. O verbo principal está sempre numa das três formas nominais: infinitivo (ter de trabalhar), gerúndio (vinha conseguindo) ou particípio (havia estado).

É possível que haja mais de um verbo auxiliar na estrutura da locução verbal: "Ele deve estar pensando em mim agora." Nesses casos, apenas o primeiro auxiliar assume as flexões verbais, enquanto o outro fica numa das formas nominais, assim como o verbo principal.

Os tempos compostos são locuções verbais com estrutura fixa (auxiliar TER ou HAVER + particípio do verbo principal) que correspondem às formas simples do verbo. Por exemplo, a forma simples "compraria" corresponde a "teria comprado", estando ambas no futuro do pretérito do indicativo. Em algumas situações, essa correspondência não existe. Por exemplo, não há presente ou pretérito imperfeito compostos, nem no indicativo nem no subjuntivo. Já no caso do pretérito perfeito e mais-que-perfeito do subjuntivo, só é possível conjugar esses tempos verbais na forma composta: "tenha conseguido" e "houvesse falado", respectivamente. Com isso, as possibilidades se ampliam e a comunicação se enriquece.

Que tal observar um quadro resumido das formas verbais de que tratamos?! Vamos usar como modelo o verbo "trabalhar". Então, vamos ao trabalho?!

TEMPO	MODO INDICATIVO	MODO SUBJUNTIVO
PRESENTE	ELE TRABALHA	ELE TRABALHE
PRETÉRITO PERFEITO	ELE TRABALHOU / TEM TRABALHADO	ELE TENHA TRABALHADO
PRESENTE IMPERFEITO	ELE TRABALHAVA	ELE TRABALHASSE
PRESENTE MAIS-QUE-PERFEITO	ELE TRABALHARA / TINHA TRABALHADO	ELE TIVESSE TRABALHADO
FUTURO DO PRESENTE	ELE TRABALHARÁ / TERÁ TRABALHADO	ELE TRABALHAR
FUTURO DO PRETÉRITO	ELE TRABALHARIA / TERIA TRABALHADO	---------

ALÉM DAS FORMAS NOMINAIS:

INFINITIVO	TRABALHAR
GERÚNDIO	TRABALHANDO
PARTICÍPIO	TRABALHADO

Depois dessa viagem gramatical, se der vontade, volte ao início da Gramática — Parte I e leia tudo de novo.

AS SETE MARAVILHAS DO MUNDO MODERNO

As sete maravilhas do mundo antigo estão fixadas para sempre, mas as sete maravilhas modernas, em certo sentido, são uma escolha pessoal. A humanidade criou muitas, milhões de coisas maravilhosas. Um quadro de Picasso é uma maravilha, assim como o computador, os ovos cravejados de pedras preciosas da mais famosa joalheria russa, a Fabergé, uma ária de Mozart, um automóvel, uma ovelha clonada. A lista seria interminável.

No entanto, exemplos como esses não parecem combinar com o estilo e a intenção originais das sete maravilhas do mundo antigo. Com certeza, as sete maravilhas modernas devem ter algo a ver com as antigas. Se não fosse assim, por que seriam sete, e não nove? A nossa lista obedece a duas regras: 1. Tem que ter sido feita pelo homem; logo não há cachoeiras nem montanhas. 2. Tem que ser de tirar o fôlego! Eis aqui sete maravilhas modernas. Não dá para olhar nenhuma delas sem pensar: Como foi que construímos isso?

1. O TÚNEL DO CANAL DA MANCHA

Foi um projeto de engenharia para cavar um túnel entre Folkestone, em Kent, na Inglaterra, e Calais, no norte da França; uma distância de 50 km, numa profundidade média de 45 m debaixo do fundo do mar. A França e a Grã-Bretanha usaram escavadeiras imensas para cortar a pedra calcária e encontrar-se no meio do canal pela primeira vez desde a última Idade do Gelo. Quando se encontraram, o erro foi de menos de 2 cm: uma façanha de incrível exatidão.

Foram necessários 15 mil operários, sete anos e 10 bilhões de libras esterlinas. Parte da estrutura é um conjunto de pistões imensos que podem ser abertos ou fechados para liberar a pressão causada por trens que correm a 160 km/h. Há também uns 480 km de tubos de água fria que passam pelo túnel para aliviar o calor causado pela fricção do ar.

Do lado britânico, o calcário extraído foi deixado no Penhasco Shakespeare, perto de Folkestone. Em consequência, mais de 3,6 mil hectares de mar foram aterrados.

2. A Grande Muralha da China

Com 6,4 mil km de extensão, é espantosa tanto pelo tamanho quanto pelo esforço necessário para construí-la. A Grande Muralha está de pé até hoje, embora, obviamente, não seja criação moderna. Começou a ser construída há mais de 2 mil anos, durante a Dinastia Qin. Qin Shi Huang não era homem de pouca imaginação. Quando morreu, foi enterrado com mais de 6 mil guerreiros e cavalos de terracota, todos em tamanho natural.

A Grande Muralha visava manter os invasores mongóis longe da China, mas não conseguiu deter Gêngis Khan. Tem um sistema de fortes e torres de vigia para proteger o interior da China. Infelizmente, alguns setores desmoronaram ou foram destruídos.

A história de que a Grande Muralha da China pode ser vista da Lua não passa de mito. Muitos objetos feitos pelo homem, como cidades, ferrovias e até pistas de aeroporto, podem ser vistos do espaço quando a órbita é baixa. No entanto, da Lua parece que nós nunca existimos na Terra.

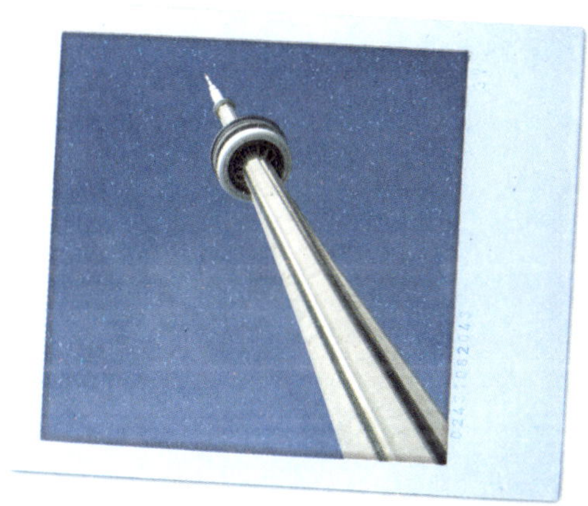

3. A Torre CN em Toronto, no Canadá

O estranho é que a Torre CN não seja mais conhecida. É a estrutura isolada mais alta feita pelo homem na face da Terra. Para ser absolutamente justo, a sua principal função é de antena de televisão e rádio, e uma antena não atrai a mesma atenção que gigantescos prédios de escritórios. Ainda assim, tem 553 metros de altura e fica a pouco menos de 3 cm de ser perfeitamente vertical. Foi projetada para suportar ventos de mais de 300 km por hora.

Há uma torre de rádio ainda mais alta nos Estados Unidos, com 629 metros, mas é sustentada por cabos de tração e bem menos impressionante que a Torre CN. Para entrar nesta lista, é importante causar impacto.

4. A Barragem de Itaipu

Esta barragem colossal fica no rio Paraná, na fronteira entre o Brasil e o Paraguai. Para construí-la, os operários removeram 50 milhões de toneladas de terra e pedra. A barragem propriamente dita tem a altura de um prédio de 65 andares. Foi usado concreto suficiente para fazer 15 túneis sob o Canal da Mancha, e ferro e aço suficientes para construir 380 Torres Eiffel. Isso é extraordinário, seja qual for a medida usada para avaliar.

A usina hidrelétrica alimentada pela barragem tem, sozinha, 1,5 km de extensão. Contém 18 geradores elétricos e a cada segundo 160 toneladas de água passam através de cada um deles. Setenta e dois por cento do consumo total de energia elétrica do Paraguai vem desta barragem.

5. O Canal do Panamá

Uma das razões para o Canal do Panamá entrar nesta lista é o fato de um dois oceanos imensos e separar dois continentes. Tem 80 km de comprimento. Antes de ser construído, qualquer navio que fosse de Nova York para São Francisco, nos Estados Unidos, teria de dar a volta na América do Sul. O canal poupou quase 12,8 mil km desta viagem.

A princípio foi um projeto francês, de Ferdinand de Lesseps. Embora bastante respeitado na França, ele precisou de todo o seu carisma e energia para levantar o capital imenso necessário para iniciar a obra. Quando a

obra começou, os seus homens tiveram de combater parasitas, aranhas, cobras, dilúvios torrenciais e enchentes instantâneas. E muito pior do que tudo isso era a ameaça de doenças. Febre amarela, disenteria, febre tifoide, cólera, varíola e malária eram muito comuns. Nessas condições, quase 20 mil operários morreram. Em 1889, a empresa de Lesseps faliu e os investidores perderam o seu dinheiro.

Em 1902, o governo norte-americano concordou em assumir o Canal do Panamá e, ao mesmo tempo, apoiou a independência do Panamá da Colômbia. Theodore Roosevelt, presidente americano, disse aos seus engenheiros para fazer "a terra voar". Os americanos reconstruíram o canteiro de obras e lançaram-se ao trabalho. Em 1910, havia 40 mil operários no canal e Roosevelt pusera lá o exército. A obra ficou pronta em 1914.

Cada comporta do Canal do Panamá pesa 750 toneladas e 14 mil navios atravessam o canal todos os anos.

6. A Ponte Akashi-kaikio, no Japão, também conhecida como Ponte de Pérola

É a maior ponte suspensa do mundo. É alguns quilômetros menor do que a ponte mais comprida do mundo — a do Lago Pontchartrain, em Nova Orleans, tem 38 km de comprimento — mas alguma coisa inspira espanto e respeito especiais nas imensas pontes suspensas. Esta tem 1.991 m de comprimento. Levou dez anos para ser construída e custou uns 3,5 bilhões de dólares. É 710 metros mais comprida que a ponte Golden Gate, de São Francisco, nos Estados Unidos.

Depois de um túnel, uma muralha, uma torre, uma barragem, um canal e uma ponte, já usamos a maioria dos projetos de construção humana realmente impressionantes. A última opção talvez não seja fisicamente enorme, mas constitui o próximo estágio, o futuro que está por vir.

7. O ônibus espacial

O Ônibus Espacial pode ser a máquina mais complicada já construída. É a primeira espaçonave de verdade do mundo e, embora os ônibus atuais estejam se aproximando do fim da sua vida útil, ainda são o primeiro passo além dos foguetes descartáveis no caminho dos sonhos da ficção científica. O primeiro

chegou a ser chamado de *Enterprise*, devido à série de TV *Jornada nas Estrelas* (Star Trek), embora fosse apenas uma experiência e nunca tenha ido ao espaço. Atualmente está no Museu Smithsonian. Seguiram-se mais cinco: *Columbia*, *Challenger*, *Discovery*, *Atlantis* e *Endeavour*. A *Columbia* subiu ao espaço pela primeira vez em 1981 e deu início a uma nova era de voos espaciais. O programa foi temporariamente suspenso em 1986, quando a *Challenger* explodiu pouco depois da decolagem e matou a tripulação de sete pessoas.

Quando o ônibus espacial volta à atmosfera, a temperatura na superfície externa chega a 1.650°C. É o veículo mais veloz que a humanidade já projetou e viaja a uma velocidade de até 29 mil km/h.

É usado como nave multiuso, que pode lançar e consertar satélites e acoplar-se à Estação Espacial Internacional que está em órbita.

LIVROS QUE TODO GAROTO DEVERIA LER

Os livros de Roald Dahl. A partir dos cinco anos, podem ser lidos para as crianças. *Os pestes* é fantástico. *A fantástica fábrica de chocolate*, *O remédio maravilhoso de Jorge* e *O bom gigante amigo*, são todos são ótima leitura. Para leitores mais velhos, os seus contos são simplesmente brilhantes.

Pedro Bandeira: um dos maiores autores juvenis do Brasil e autor de clássicos como a *Droga da obediência* e *A marca de uma lágrima*.

Os contos de fadas dos Irmãos Grimm; Hans Christian Andersen; lendas gregas e romanas. Há muitas coletâneas por aí e essas histórias sobreviveram porque são ótimas.

O leão, a feiticeira e o guarda-roupa, de C. S. Lewis. Primeiro livro da série de Narnia. Histórias de fantasia soberbas, para leitores a partir dos 12 anos.

A teia de Charlotte, de E. B. White. História incrível de um porco e uma aranha! De oito anos em diante.

Kim, de Rudyard Kipling — um clássico de aventuras. Leia também as *Histórias sobrenaturais* e *O livro da selva*. Para leitores experientes, mas vale mesmo a pena.

Os livros sobre James Bond, de Ian Fleming. Para leitores a partir do início da adolescência. Em certos trechos essas histórias são bem soturnas, bem mais violentas que nos filmes.

E também as novas histórias sobre o jovem Bond, escritas por Charlie Higson.

Os livros sobre Harry Potter de J. K. Rowling. Um clássico moderno. E para conhecer uma das maiores inspirações de J. K. Rowling, vale a pena ler as obras de Dianna Wynne Jones, como *O castelo animado* e *Os mundos de Crestomanci*.

Mark Twain: *As aventuras de Tom Sawyer* e *As aventuras de Huckleberry Finn*. Para leitores de 12 anos em diante.

Isaac Asimov: ficção científica. Ele escreveu centenas de contos brilhantes, disponíveis em coletâneas. Indicado a partir de 12 anos.

Quem não se divertiu com as confusões de Narizinho, Pedrinho, Emília, Visconde de Sabugosa e muitos outros personagens fantásticos de *O sítio do Pica-pau Amarelo*? Ler a obra de Monteiro Lobato é um dos maiores prazeres para um garoto.

O guia do mochileiro das galáxias, de Douglas Adams. Engraçado e inteligente; a antiga trama de "cinco livros para formar uma trilogia". De 12 anos em diante.

O senhor dos anéis, de J. R. R. Tolkien. A obra-prima das trilogias. Para leitores adolescentes.

A revolução dos bichos e *1984*, de George Orwell. Romances para despertar o cérebro. Para bons leitores de 14 anos em diante.

Admirável mundo novo, de Aldous Huxley. Como *1984*, de Orwell, uma história famosa sobre um futuro que deveríamos temer.

Capitães da Areia, de Jorge Amado. Um grupo de meninos pobres luta para sobreviver na Salvador dos anos 1930. Uma leitura fascinante para leitores de 14 anos em diante.

O senhor das moscas, de William Golding. Soberbo; mas só para leitores treinados de 14 anos em diante.

As aventuras de Sherlock Holmes, de Arthur Conan Doyle. Histórias clássicas originais de mistério e detetive. São muitos contos e romances mais longos, como *O cão dos Baskervilles*. Somente para bons leitores. De 15 anos em diante.

As viagens de Gulliver, de Jonathan Swift. Um livro que pode ser lido em vários níveis. Foi ele que nos deu as terras de Lilliput e Brobdingnag.

Stephen King. *Os livros de Bachman* é um bom ponto de partida. Os seus romances têm temas bem adultos e podem ser muito assustadores. Somente para bons leitores de 15 anos em diante.

MEDIDAS

MEDIDAS LINEARES

1 milha = 8 furlongs = 1.760 jardas = 5.280 pés = 1,609 quilômetro (km)

1 jarda (yd) = 3 pés = 0,9144 metro

1 pé (ft) = 12 polegadas = 0,3048 metro

1 polegada (in) = 25,4 milímetros (mm)

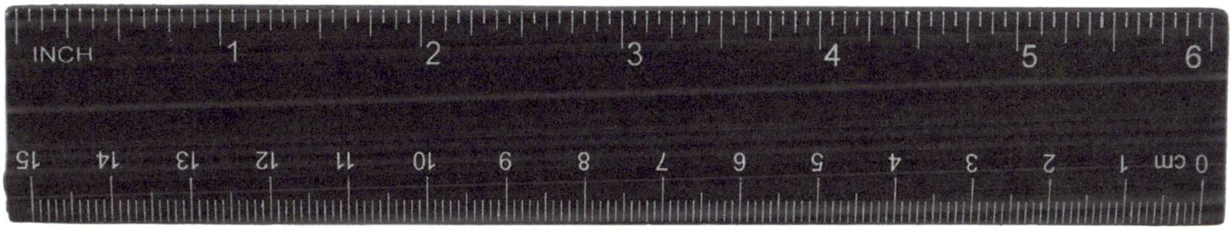

MEDIDAS DE ÁREA

1 milha quadrada = 640 acres = 259 hectares (ha)

1 acre = 10 chains quadradas = 4.840 milhas quadradas = 0,405 hectare

1 rood = 1/4 acre = 1.210 jardas quadradas = 1.011 metros quadrados (m^2)

1 jarda quadrada (sq yd) = 9 pés quadrados = 0,836 metro quadrado

1 pé quadrado (sq ft) = 144 polegadas quadradas = 9,29 decímetros quadrados (dm^2)

1 polegada quadrada (sq in) = 6,45 centímetros quadrados (cm^2)

MEDIDAS DE VOLUME

1 jarda cúbica = 27 pés cúbicos = 0,765 metro cúbico (m^3)

1 pé cúbico = 1.728 polegadas cúbicas = 0,028 metro cúbico

1 polegada cúbica = 16,4 centímetros cúbicos (cm^3)

MEDIDAS DE CAPACIDADE

1 bushel = quatro pecks = 64 pints = 8 galões = 36,4 litros

1 peck = 2 galões = 16 pints = 9,1 litros

1 galão (gal) = 4 quartas = 8 pints = 4,55 litros

1 quarta (qt) = 2 pints = 1,14 litros

1 gill = 5 onças fluidas = 0,14 litro

1 onça fluida (fl oz) = 1,8 polegadas cúbicas = 0,03 litro

PESO

1 tonelada inglesa = 20 hundredweight = 2.240 libras = 1,016 tonelada métrica

1 hundredweight (cwt) = quatro quartas = 112 libras = 50,80 quilograma (kg)

1 quarta = 2 stones = 28 libras = 12,70 quilogramas

1 stone = 14 libras = 6,35 quilogramas

1 libra (lb) = 16 onças = 7.000 grãos = 0,45 quilograma

1 onça (oz) = 16 drams = 28,83 gramas

1 dram (dr) = 27,3 grãos = 1,772 grama

1 grão (gr) = 0,065 grama

ALGUNS CAPÍTULOS FORAM ESCRITOS EXCLUSIVAMENTE PARA ESTA EDIÇÃO E MUITAS INFORMAÇÕES DESTE LIVRO FORAM ADAPTADAS PARA O LEITOR BRASILEIRO. GOSTARÍAMOS DE AGRADECER ÀS PESSOAS QUE COLABORARAM NESTA EDIÇÃO: ANNA LEE, BRUNO MARQUES SILVA, CLÁUDIO FRAGATA, CRISTIANE MANDANELO, DOMÍCIO PROENÇA FILHO, JORGE FERREIRA, LUIZ ANTONIO AGUIAR, MOACIR ASSUNÇÃO, REGINA ALONSO E SÉRGIO CAMPANTE.

CRÉDITOS

CRÉDITO TEXTOS:

p. 65 a 69, 127 a 130, 298 a 305 – Gramática: Cristiane Mandanelo.
p. 148 – II Guerra Mundial – Moacir Assunção. Fontes: Magalhães, Fernanda Torres ; 6 de agosto de 1945 - Um clarão no céu de Hiroshima; Companhia Editora Nacional/Lazuli São Paulo – 2005;
Magnoli, Demétrio (organizador); História das Guerras; Editora Contexto
p. 161 – O viajante solitário – Cláudio Fragata.
p. 175 a 177 – Citando Machado – seleção de Luiz Antonio Aguiar.
p. 178 a 180– Uma aventura no céu – Cláudio Fragata.
p. 187 – Batalhas famosas do Brasil – Moacir Assunção.
p. 223 – Soneto de fidelidade – uso autorizado por VM Empreendimentos Artísticos e Culturais
p. 225 – Quadrilha © Graña Drummond
p. 240 e 241 – Mistério na selva – Cláudio Fragata.
p. 254 a 257 – Origem das palavras – Seleção de Domício Proença Filho. Fonte: *Por dentro das palavras da nossa língua portuguesa*, Record, 2003
p. 271 – Os irmãos Villas Bôas e a marcha para o oeste – Cláudio Fragata.
p. 278 – Brasil: uma breve história – Jorge Ferreira e Bruno Marques Silva.
p. 294 e 295 – Evolução do território brasileiro – Regina Alonso.

CRÉDITO IMAGENS:

p. 05 – carta © Sanja Gjenero
p. 12 – papel envelhecido © Luiz Baltar
p. 13 – bússola © Ahmed Al-Shukaili
canivete © Annette Gulick
caixa de fósforo © Jean Scheijen
p. 14 – carretel © Sanja Gjenero
lente de aumento © Gerla Brakkee
anzol © Ismail Bükey
p. 24, 116, 292 – globo terrestre
© Julia Freeman-Woolpert
p. 27, 28, 29 – Observatório de Greenwich © Ana Paula Costa

p. 30 – pilhas © Iwan Beijes
p. 33 – atiradeiras © Paavo Leinonen
p. 35 – quartzo © Antonio Jiménez Alonso
p. 36 – amonite e trilobite © Shutterstock
p. 43 – bola © Jari Lehtikangas
p. 53 – www.asterix.com © 2007 LES EDITIONS ALBERT RENE / GOSCINNY – UDERZO
p. 65 – livros © Sanja Gjenero
p. 72 –anzol e peixe © Danny de Bruyne
p. 73 – peixe © Emre Nacigil
p. 74 – peixes © Sérgio Campante
p. 75 – peixe © Sérgio Campante
p. 76 – cronômetro © Dacha Ogrizovic
p. 77 – rolha © Marcelo Gerpe
p. 80 – *The Great Persian War* de G.B. Grundy, pub. John Murray, 1901
p. 82 – *The Times History of War*, 2000
p. 84 – *The Age Of Chivalry* de Arthur Bryant
p. 92 – cristal © Dave Dyet
p. 95 – Robert Scott © Popperfoto
p. 97 – barco © Sérgio Campante
p. 98 – Capitão L.E.G. Oates © Mary Evans Picture Library
p. 104 a 113- Stockxchng
p. 114 – malabarista © Sasan Saidi
p. 135 – totó © Pavel Jedlicka
sinuca © Gölin Swijnenburg
p. 136 – pingue-pongue © Sanja Gjenero
p. 137 – boneca © Rodolfo Clix
p. 138 – urso de pelúcia © Paweł Zawistowski
p. 139 e 140 – Shutterstock
p. 145 – acervo Sérgio Campante
p. 147 – Nicolau I – retrato de Franz Kruger, 1852.
p. 150, 151 – acervo Sérgio Campante
p. 152 – filmadora © Goran Anicic
p. 154 – claquete © Bart Groenhuizen
p. 155 – rolo de filme © Brad Korponay
p. 156 – hidrante © Marcelo Terraza
p. 157 – band-aid © Gokhan Okur
p. 163 – Veleiro © Marina Klink
p. 165 – Amyr Klink © Gustavo Stephan
p. 169 – lápis © Sanja Gjenero
p.174 – *General History of the Pyrates*, de Capitão Charles Johnson, 1724.
p. 177 - Tinta Invisivel © Daniel Jaeger Vendruscolo
p. 180 a 182 – © Henrique Lins de Barros
p. 189 – detalhe do quadro “Ataque da cavalaria paraguaia ao flanco direito do acampamento aliado”, de Candido López
p. 192 – Bento Gonçalves da Silva © Arquivo Histórico do Rio Grande do Sul
p. 198 – Monte Castelo © CPDOC–FGV
p.212 – placa cão © Martin Boose
cachorro 2 © Danijel Juricev
p. 237 – cartas de poker © B S.K
p. 250 – tanque © Christophe Libert
p. 253 – guitarra © Jean Scheijen
p. 255 – vinil © Jean Scheijen
fones © Tony Clough
p. 260 a 269 – Arquivo Nasa
p. 271 – Dez Mandamentos © Nurember Chronicle
p. 273 – Ilustração digital sobre foto de Orlando, Leonardo e Cláudio Villas Bôas na década de 1950. Arquivo da família Villas Bôas; autor: J.P.
p. 275 – xadrez © Henk L
p. 280 – índios (foto a) © Hercule Florence
índios (foto b) © Anton Krüger e Maximilian WiedNeuwied
p. 282 – Tiradentes. *Atlas histórico-geográfico universal*. Difel, Rio de Janeiro, 1987.
p. 283 – retrato de D. Pedro I 1826 © Simplício Rodrigues de Sá
p. 284 – Cabano © A. Norfini
p. 285 – retrato de D. Pedro II © Johann Moritiz Rugendas
p. 286 – carregadore de café © Jean Baptiste Debret
p. 288 – Revolução de 1930 © Arquivo Nacional
p. 289 – Getúlio Vargas © CPDOC – FGV

p. 290 – Comício Central © Arquivo Nacional
p. 291 – Comício Diretas Já © Agência O Globo
p. 292 – girassol © Sathya Rama Krishna M
p. 293 – sementes de girassol © Niki Michailov
p. 298 – Dados rpg © Tijmen Van Dobbenburgh
p. 299 – Armadura © Medieval Design
p. 308 – Jeff Schmaltz, Visible Earth
p. 309 e 310 – Shutterstock
p. 311 – acervo Sérgio Campante
p. 312 – Arquivo Nasa
p. 313 e 314 – livros © Grzegorz Rejniak
p. 315 – balança © Antonio Jiménez Alonso
régua © Sparky
p. 316 – pesos © Rehse
Marcelo Bueno (ilustrações a traço) - p. 15, 16, 18c, 21, 22, 23, 24b, 25, 26, 27a, 29b, 31, 32, 34, 38, 39, 40, 41, 42,46, 47, 48, 49, 50, 51, 52, 59, 60, 61, 62, 63, 64, 70, 71, 76, 77, 78, 88, 89, 92, 93, 100, 101, 102, 103, 114, 115, 116, 117, 119, 121, 122, 123, 124, 126, 127, 128, 162, 166, 167, 168, 175, 183, 184, 185, 201, 203, 204, 205, 206, 209, 216, 217, 218, 219, 222, 223, 228, 229, 230, 231, 238, 244, 246, 247, 248, 249, 275, 276, 277, 278, 293, 294

Este livro foi impresso na Gráfica Cromosete.

Cemitério dos Tiranossauros
Covil dos Piratas do Norte
X
Porto Bucaneiro
N
Fim do Mundo
Baía dos Náufragos